国家出版基金项目
NATIONAL PUBLICATION FOUNDATION

《三联经典文库》

第二辑

2012年国家出版基金项目

《三联经典文库》编辑委员会名单

三联经典文库

151

五四运动之史的评价

陈端志 著

生活·讀書·新知 三联书店

图书在版编目(CIP)数据

五四运动之史的评价 / 陈端志著. -- 北京 : 生活·读书·新知三联书店, 2014.1
（三联经典文库第二辑）
ISBN 978-7-108-04592-8

Ⅰ.①五… Ⅱ.①陈… Ⅲ.①五四运动－研究 Ⅳ.①K261.107

中国版本图书馆CIP数据核字(2013)第152358号

151 五四运动之史的评价

责任编辑	曹明明
封扉设计	蔡立国
责任印制	常宁强
出版发行	生活·讀書·新知 三联书店 (北京市东城区美术馆东街22号)
邮　　编	100010
经　　销	新华书店
印　　刷	北京鹏润伟业印刷有限公司
版　　次	2014年1月北京第1版　2014年1月北京第1次印刷
开　　本	787毫米×1092毫米 1/32　印张 15.25
字　　数	217千字
定　　价	55.00元

《三联经典文库》出版缘起

适逢生活·读书·新知三联书店八十华诞，为弘扬传统，接续文脉，回报读者，服务社会，我们决定策划出版《三联经典文库》。

1932年7月，生活书店在上海创办，此后，读书出版社和新知书店相继成立。本文库第一辑、第二辑所选图书，来自于这三家出版单位及其分支机构，以及1948年生活·读书·新知三联书店成立后的出版物，始于1932年，截至1951年，两辑各一百种。此为第二辑，涉及政治、经济、社会、军事、思想文化诸领域，涵盖专著、文集、散文、小说、诗歌、传记、报道等体裁，既有直面现实、追求真理、讴歌真善美、抨击假恶丑的原创作品，又有引介世界各国先进文化、传播新知、开启民智的迻译之作，真实记录了那一代知识分子的思考与探索、理想与愿景和对中华民族文化传承与创新所做出的努力与贡献。

本文库所辑入各书，多为名家名作，在版本方面，以初版一印本或经著译编者审定、修订、增订过的版本为首选，因此本文库又具有较为珍贵的版本价值和收藏价值。

本文库还将编选续辑，使之成为恢弘文化工程。诚挚希望读者给予批评和指正，帮助我们完善编选工作，再现三联经典作品之风采。殊为遗憾的是，由于年代久远，一些原著译编者及其后人未能取得联系并奉付稿酬，诚盼版权所有者与我们联系。祈愿三联前辈所创造的精神财富能薪火相传，为中华文化的伟大复兴增光添彩。

《三联经典文库》编辑委员会

2013 年 8 月

凡　　例

一、本文库为重排本，由繁体字竖排版改为简体字横排版。

一、以忠实于原作、整旧如旧为编辑原则，对当时使用的专有名词、外文译名，以及民国时期的语言和特色予以保留。

一、原书注释如旧，编者所出的注释，均以“编者注”标明，以示与原书注释的区别。

一、对原书残缺或字迹漫漶之处，以□示代。

一、对繁简文本转换时的“如右”、“见左”一类，对应改为“如上（前）”、“见下（后）”。

一、对原书中各种错讹脱衍之处，直接订正，不再以其他符号标示。

一、对数字、标点符号的用法，在不损害原文语义的情况下，做必要的规范。

一、本文库各书均前插原书书影、原书版权页和文库版“本书出版说明”。

一、本书出版说明的撰写，以客观中立为原则，扼要介绍本书的内容、版本流转、著译编者的情况。

本书出版说明

五四运动作为中国近代史上最重要的和最具影响力的事件之一，从它爆发之日起就已成为近现代史研究的热点问题。本书出版于五四运动爆发后的第十六年，是较早研究五四运动的著作。它从分析鸦片战争到民国以来中国的经济、政治、民生状况入手，论述了太平天国农民运动、康梁知识分子立宪运动以及孙中山的革命思想，总结了五四运动爆发的历史原因和直接原因，详细讲述了五四运动的过程，并对五四运动前后中国思想界的发展变化进行了系统地梳理，特别指出五四运动在当时只是做了启蒙的工作，并未对中国思想界建立起新的基础，且在五四运动之后，出现了“形形色色光怪陆离的现象”。最后提出了对未来的希望，认为要开展壮烈的斗争，并进行彻底的破坏与彻底的改造，“将不堪回首的往事当作成功之路的明灯”。

本书由生活书店于1935年5月初版，1936年4月出版第二版，香港中文大学出版社、波文书局以及台湾古枫出版社曾于七八十年代相继出版过不同版本。1991年上海书店据1936年生活书店二版影印，并收录到“民国丛书”中。此次出版即以1936年生活书店第二版为底本。

陈端志，生卒年月不详，又名陈光辉，上海金山人。毕业于日本庆应大学，加入南社。曾任国民政府社会部秘书、中国青年工读团团长、中国青年工读团建村农学院院长、上海新亚中学校长。曾就职于上海博物馆，著有中国第一部系统论述博物馆理论和方法的著作——《博物馆学通论》。还著有《抗战与社会问题》、《教育改制与工读教育》、《现代社会科学讲话》等。

生活·读书·新知三联书店

2013年8月

生活书店 1936 年 4 月第二版书影

五四運動之史的評價

全一冊

民國二十四年五月初版
民國二十五年四月二版

定價壹元貳角
外埠另加郵匯費

著作者 陳端志
發行人 顧湘姚
總經售處 生活書店 上海福州路三八四號

分售處
上海 大公報 開明書店 新生命書局 北新書局
各埠 各大書店

原书版权页

目次

互关系前后不同　一切事变均与帝国主义封建有关

转变后之更畸形更纷乱的社会　逆转和落后的现象　历史上两种不可避免的弱点　不是由于过去思想发展的逻辑结果　接受外来反动没落的思想　不可解答的哑谜　文化建设无希望　经济建设从何做起　打倒帝国主义是梦想　铲除封建势力是幻想

中国往那儿去　开始壮烈的革命斗争　人类社会的历史前程　思想运动　彻底破坏与彻底创造　不堪回首的往事当作成功之路的明灯

献 辞

我今天看见历史上诞生了一个新纪元！

这是正当一七八九年法兰西民族在万难的环境中挣扎着，终于在滑尔梅之战（Battle of Valmy）击破了自由平等的敌人，德国少年诗人哥德（Goethe）亲自跑到前敌所说的话。

的确，法兰西大革命，委实是人类在平静生活的过程中一次巨大的波澜，这波澜便划分了历史的时代，不过历史仿佛是一部车轮，继续不断的向着时代前进，我们虽然不敢断定这部车轮前进经过的程途，但是可以探索过去的轮迹。我们知道法兰西大革命的爆发，乃是十五六世纪文艺复兴时代所放的许多花朵中的一颗果实：什么宗教革命，产业革命，民主革命，非美亚澳四大洲的侵略，地球上有色人种的征服，以及近世西洋文化的种种怪剧，都是从这文艺复兴中以奔放式而演出来的。所以文艺复兴才是人类历史上诞生新纪元的原动力，划时代转变的总纽带。

我爱西方的文艺复兴，它崇古而不忘新生命的探讨！

我爱西方的文艺复兴，它在人道主义运动之下，解放了个人自由；它在混乱残杀的世变中，建设了独立的人格！

我爱西方的文艺复兴，它有热情反抗如米开兰基罗（Michelangelo），它有智慧卓绝如达芬奇（Da Vinci）；前者诅咒此世界，还指示光明的出路；后者带着讽刺的微笑，但未失去人间的同情。

要之，文艺复兴是人类精神之春雷，一震之下，万卉齐开，五彩缤纷，无美不备。它虽策源于意大利，却能因地因时而撒下许多不同的种子，各地种子舒芽放苞之后，又产生着许多特殊的花果，它终于高飞远及，散遍于全世界的通都大邑，散遍于全世界的穷乡僻壤。

但是它还遗忘了世界之一角，它还没有移植于东方古国之域中。虽在最近一世纪中，被那狂风骤雨吹了过来，而这失去了时序和不自然的播种，免不了“橘逾淮为枳”的古话，佳谷生矣，莠稗亦随之以出，故从鸦片战争撞开了东方古国之门后，其间也曾好几次把数千年郁蕴积蓄的气运，迸裂发作起来，例如太平天国，戊戌维新，辛亥革命和五四运动等等，可是中华民族经过长时期的苦闷牺牲，依然如在黑暗恐怖之中世纪中。尤其是五四运动，它已把闭智塞聪、禁欲藏精的宗法封建社会，掀起了绝大的波澜，它很像上承西方文艺复兴的余绪，下开东方古国“再生”的局面，而为近代中国推动划时代转变的大炸弹，不料这东方的文艺复兴之五四运动，风停雨止而后，早被这封建残余紧紧地圈收锢蔽，一时再也不会迸裂发作了。

赫格尔说：“历史时常重复的。”那么紧紧地圈收锢蔽的五四运动的种子，总有一天拆窗毁壁，发生波澜。可是被人称为自古反动的和保守的中华民族，已不允其再走错路了；我们希望是继续着当年五四运动的精神，我们希望是开始走上东方文艺复兴的道路，我们希望用历史的方法，从人类过去的痕迹，推测将来民族出路的途径，我们并不作任何的暗示，我们只就历史的事实，作一种客观的分析。

“我人惟进德修业二事最靠得住，此二者由我作主，得尺则我之尺也，得寸则我之寸也”。这是今后我们对己的态度。

“我之欲兴，天莫之；阻我之欲亡，天莫之助”。这是今后我们对社会国家的精神。最后我把哥德赞美滑尔梅的胜利的一句话，改成为：

我们今天推动历史上诞生了一个新纪元！

一九三五、五、四，即五四运动的第十六周年
端志志于上海

第一编　导言——从西方文艺复兴说到东方文艺复兴

中世纪末以前东方总是侵略者　文艺复兴改变了欧洲人的形相与结构　文艺复兴的意义　文艺复兴的场所与主角　中世纪游牧民族的逞威　西亚地位的重要　战争通商传教为沟通文化的媒介　罗马教皇意外的收获　蒙古西侵撒下文艺复兴的种子　东方的黑暗时代　东方让给了领导的地位　儒学的大反动　东方失却复兴机会　理学的反动　近代西方文化初期输入的失败　清初西方文化输入的中止　中学为体西学为用的洋务政策　文学家的维新运动　甲午后的直接阅读西方书报　经生文人为政治重心　维新革命二派介绍西方政治思想　狭义的民族运动　五四运动何以称为东方的文艺复兴　国内国外二种刺激爆发着空前的转变　找出问题的背景　中国必将跳舞起来

在人类历史上东方总是胜于西方，到中世纪末造和近代的开端，东方仍是侵略者：西班牙的阿拉伯人，俄罗斯的蒙古人，匈牙利的土耳其人，都是胜利的亚洲人的前哨。正如上古时东方的宗教观念，学术文艺和手工艺，为希腊人所猎取同化和取而代之。中古时代初期，正当罗马帝国瓦解时候，来自西亚的文化，把它换了一副面目，成为中古时代后期的阿拉伯哲学和科学，而为改造近代欧洲最重要的动力。

但是东方的力量，似已尽于此了，不独在回教国内，即在印度，即在世界上开化最早之中国伟大的文明创造时代，似乎久已告终了。它们的文化生活在停滞中，且在将来似无发展之望。三四百年来西方的欧洲，已焕然一新；在同一时期内，东方却像是沉入于永久的静止状态中，不论政治的变迁和朝代的隆替，从没有把它的社会秩序，政治形式和经济制度革新了分毫。

西方在中古时代，我们所见到的欧洲人，是愚蠢的，呆滞的，毫无生气的，他们除了宗教生活之外，没有别种生活，除了伺候王公贵族以外，没有别的人生的目的，他们的心灵是迟缓，他们的行动是笨拙，他们和同时代的全世界各民族比较起来，他们远不如东方的中国人，也不如创造回教的阿拉伯人，并且也不如单以武力见长的蒙古人和土耳其人，在那时谁也不会信过了几世纪后，在西方跳出这么一个又生动又雄伟又灿烂的近代欧洲人和欧洲文化来。在这两个不同时代的中间，有显然过渡之迹象，这迹象的最重要之一幕，便是所谓文艺复兴（renaissance）时代欧洲人和欧洲文化受了文艺复兴的洗礼以后，不但改变了形相，并且改变了结构，从此他们不再给东方所侵略而反来侵略东方了。所以文艺复兴是使十七世纪欧洲蜕变为十九世纪欧洲的关键，也是东方和西方变换侵略地位的鸿沟。

当一四五三年黄色的新兴民族奥脱曼土耳其（Ottman Turks）的回教帝国，攻陷东罗马都城君士坦丁堡以后，仅存一线的希腊文化，摧残殆尽，老师宿儒，多逃往意大利的都市，苟延残喘，这些学者们将他们的希腊智识，带给了热情兴奋的意大利人，就开了风飙云涌的文艺复兴之花。那来自北方森林中的日耳曼民族，一副精强的体魄，新鲜的血轮，出得山来，就遇着闭智塞聪的宗教，紧紧地圈收锢蔽，一直郁蕴积蓄到一千年之久，已经不能再忍受那种枯寂黑暗的无聊生活，渐渐有要求心灵解放的需要了。在这种心灵解放的高潮中，便把文艺复兴的种子，舒芽放苞，芬芳满野，为欧洲开辟一个新天地：什么宗教革命，产业革命，民主革命等等的西方人所认为人类文化空前的伟大奇迹，都是从这文艺复兴一幕中搬演出来。所以近代的西方人和西方文明，最多也不过四五百年的历史，前于文艺复兴时代，西方人和西方文明在人类历史上，远没有重要的记载，文艺复兴是近代西方人活动的第一页，也是近代西方文明奔放的第一页。

原来文艺复兴的原意，是再生（rebirth）、复活（revival）的意思，指着所有的一切，由中古过渡到近代的社会，政治，经济，科学，哲学，宗教，文学，艺术等的种种变迁[1]，并不像一般史家所说的是指中古末期在意大利跃起的一些对于古典文学学问以及艺术的新兴奋，更不是如卫道者所歌功颂德的一种近古时代的复古运动。它并不是真的回转到古代，不过以研究古学开端，是指希腊与罗马的古学之复活，而所走的完全是新的途径，所以随着古学复活的，还有许多其他的新事物应运而生，我们要抓住这个运动的灵魂——人文主义，便可知道它不仅使学问与艺术复兴，而且使人类的理性，从神的威权之下，得到一个解放，因而奠定了现代人类社会的基础。这个运动，好比一颗石子，投在水中，所起的涟漪，由一点而推到很远，由古学的复兴因而形成了人文主义，从而在一方面做方言文学的动力，一方面做理性解放的钥匙，更间接而发生了宗教革命。再往前看，则因方言文学而牵涉到国家的发现，因理性解放而牵涉到世界的发现——以至于由政治哲学发达而牵涉到法国大革命，由科学应用而牵涉到产业革命，详细推迹起来，当时所起的涟漪，到现在全人类的生活中，还受到它的波浪的推动，所以文艺复兴不仅是西方欧洲光荣史的一页，也是全部人类历史中最重要之一幕。

文艺复兴的策源地，是在近代欧洲诸国之大师兄的意大利，文艺复兴的主角，无疑的是意大利人和北欧新兴的诸民族。无论从广义的说，或是从狭义的说，它总究是西欧的文艺复兴。可是推动新机运，赶上新途径，使闭塞了七八百年的欧洲人，重复跃起而为造成新世纪的准备的，却是东方的许多民族：阿拉伯人，蒙古人和土耳其人，对于西欧文化的复兴，均有极大的助力，一四五三年土耳其人攻陷君士坦丁堡，不过是一件显著的导火线；其原因还在东方蒙古人的西征，与西亚阿拉伯人的创造回教。

为了蒙古人的数度西征，东西交通因之开展；为了阿拉伯人的创造回教，东西文化因之传递。因为在中古以前，人类交通的开展与文化的传递，除了靠着商人的力量外，战争也是一种重要的因素。在中世纪时，东西世界，完全屈服于游牧民族：东方的中国，自唐室衰微以后，经过了五代纷乱时期，至宋代始行统一，辽金相继南侵，宋仅保有长江流域，互讧不息，卒为蒙古人覆亡，明朝兴起，自始就不是一个武功鼎盛的朝代。北方游牧民族的活跃，更甚于前：这是在东方的中国方面。再看西方的罗马帝国，自北欧日耳曼人南侵以后，社会日趋于崩毁，政治日见其紊乱，到了四七六年有个日耳曼军人叫做鄂多瓦（Odoacer）的，把最后的罗马皇帝纶缪范斯（Romulus）赶走，西罗马便给蛮族倾覆；都于君士坦丁堡的东罗马帝国，以其所处地位之优越，曾有一个短时期之隆盛，然自大食帝国兴起以后，也便日趋于衰落。当时在历史舞台上主要的角色，为阿拉伯人，蒙古人，土耳其人和日耳曼人，除日耳曼人他的活动地点仅从北欧到南欧外，其他三种民族，足迹所至，几遍欧亚两洲，而其活动之重要场所，又都集中在西亚一带，故当时亚洲西部情形最为复杂，地位最为冲要，史家称上古文化由东而西，中古文化由西而东，所谓由西而东者，即由地中海移到印度洋，西亚既为中西各种游牧民族逐鹿之场，又为中古东西民族混战之地，以战争而东西交通愈频，又以战争而文化传递愈速，于是本为上古人类文明之老家，至此而成为东西文明沟通之媒介。所以如果认为意大利是文艺复兴之母，那么西亚可称为文艺复兴之外婆；如果认为意大利人与日耳曼人是文艺复兴之主角，那么阿拉伯人、蒙古人与土耳其人可称为文艺复兴之鼓手。

除了战争与随战争而来的商人，负着中古时代传递文化之使命外，还有更有力的分子，就是教徒。西亚本为各派宗教之发祥地，他们在中古时代，借着政治的力量，整个的欧洲，都给它支配去了；就是对于东方，在唐朝时候，已有不少的宗教徒到中国来，在第七世纪至第十世纪年代，中国的长安竟有世界人种博物院与宗教陈列所的名称，所以中国与西亚的交通，在唐朝以后，已经很是密切。到了元朝，东西交通之盛，尤甚于前，罗马教皇既在欧洲做了皇者之皇，又想用宗教力量来感化这犷悍无比的蒙古人，以求得意外的收获，便派柏朗嘉宾（John of Plano Carpini）[2]到和林说教，事虽失败，然因此引起欧洲人到东方的热情。与蒙古人引用色目人之动机，而有威尼斯商人尼哥罗孛罗（Nicolo Polo）弟兄，随旭烈兀的使者，同至中国谒见忽必烈大汗的故事，又以大汗的宠悦，而有其子马哥孛罗（Marco Polo）供职元朝，官至枢密副使的佳话。[3]当时西方人到中国的很多，他之所以特别重要，就在乎他把居留中国十七年中所见所闻的写成《马哥孛罗游记》（*The Travels of Marco Polo*）一书，在这书里，他盛称中国的社会，农业，建筑，以及绸缎之美丽，城市之繁盛等等，都是西方人闻所未闻的奇迹。这部书风行了全欧洲，和圣经一样地家喻户晓，欧洲人读了这书，他们才知天地间还有许多事物是圣经中所没有提及的，他们才知天地间除了他们所住的欧洲外，必有出乎意外的锦锈河山，于是他们相信圣经以外，还有可读的书，欧洲以外，还有可住的世界。

这是罗马教皇派遣柏朗嘉宾所意想不到的收获，犷悍的蒙古人，没有给基督教义所感化，反而因为一个商人儿子在东方回来，写成的一篇游记，却把基督教在西方的基础动摇了。欧洲人读了游记以后，一方面对于“神”的怀疑，觉得这个世界，并不这样狭小，还有许多在圣经中未曾提及的秘密，使朝着人的发现路上走；他方面见到书中所记的东方，是富有吸引力的，富有神秘性的，耳闻不如目见，于是为了一种好奇心的驱驰，便成了后来世界发现的远因之一。

与这种教会统治的解体，情形正相反对的，便是新都市和新国家之兴起，它的背景为中古封建社会之崩溃，与商人阶级的兴起，又以十字军与土耳其的混战，以及蒙古人西侵的结果，给西欧人带来了许多创造新时代很好的工具，如火药，罗盘针，印刷术和造纸法等等。火药帮助新兴君主摧毁贵族们的堡垒，罗盘针帮助航海者作更远的探险，印刷和造纸却与新兴讲学中心的大学，同为帮助思想学问解放的三杰。十三世纪以后欧洲，不但在神学，哲学，文学，艺术各方面都起了重大变化，科学的曙光，亦如点点星火，隐传于西欧各地沉默黑暗的中世纪中，因此潜伏在土中的新世纪种子，也在那里萌生蘖长，经过了若干时代霹雳一声，万卉竞放，久被窒息的欧洲人，穿了文艺复兴的新装，重复活跃起来，准备着担任近世人类历史的向导。

文艺复兴以后东方与西方领导的地位倒置了，在过去，东方总是侵略者；此后，西方反为侵略者了。

物极必反，西方在中世纪经过了长时期的黑暗时代，文艺复兴的反动运动是必然的产物。但是中世纪造成黑暗时代主要的游牧民族，他们混战的范围几遍欧亚各地，在东方从三世纪到四世纪末，即三国和东西晋时代，中国历史上和西欧同样的来了一个可怕的黑暗时代。其在黑暗时代中，也和西欧一样地为了民族大转移而发生异民族的大调和；又在黑暗时代中，也曾为了外来文化的输入，而形成别开生面之新文化。中国自北方五胡民族侵入以后，不但思想与信仰受了影响，即艺术上也生极大变化。秦汉以前，中国的艺术观念，本很薄弱，五胡乱华以后，东西交通重行恢复，几乎全部被外来的艺术所征服，文学，戏剧，绘画，音乐，乃至建筑，雕刻，无不如此。自东晋直到北宋，这几百年中间，为中国文化思想界发生空前之转变，那时中国第一流思想家如智顗、玄奘、宗密、窥基等，都用全副精力，研究印度哲学，翻译佛学经典，从此中国人对于佛教才有正确的观念。又以梁武帝陈武帝等都曾几度舍身于佛寺，上行下效，佛教遂正式成为民间的信仰，社会各方面，如风俗习惯等，也都渗有印度文明的成分。中国文明印度化的结果，中国人的向后思想和出世观念，日益增长，对于控制自然的努力，远逊于前，而其创造之思想，也遂赶不上先秦时代。中国经过长时期黑暗时代以后，不能继之以类似西方的文艺复兴时代，因之中世纪后，东方渐退于被侵略的地位，把人类文明的领导权交给西方，从此西方的文明，扶摇直上，而东方自甘退处于静穆之乡。

宋朝是印度文化传入中国后最为成熟的时期，也是中国民族趋于堕落的一个起点，而在儒学方面，却起了一个极大反动。中国学术思想界到了汉代，只知墨守成法，不事创造，及于后汉，训诂学异常发达，就闹到“碎义逃难，便辞巧说，说五字之文，至于二三万言，幼童而守一义，白首而不能通的地步”[4]。降及魏晋，老庄之说大行，于是授老庄以入儒，就为当时的风尚，嗣以佛教盛行，学者遂授释以入老庄，进而更授释以入儒，这种风尚，都是汉季专重训诂的反动；到了末流，便率性谈佛，政治上的混乱黑暗，思想上的烦闷凌杂，极个人主义和纵欲生活的发展，使儒学陷于不可挽救的悲境。至宋儒便力崇实践，专事修养，恢复孔子之学，以救佛学末流之弊，要把生机剥尽，死气沉沉的学术思想界，由复古而解放，是即宋儒之理学。理学之兴，确是中国思想界起了一大革命，不过印度文明输入中国以后，交荡互激，无迹可寻，理学家虽不承认和佛家禅宗有何关系，其实理学家之精辟独到之见，总免不了给印度文明渗透化合。[5]当时西方的文化，已突飞猛进，中国宋朝的哲学，也突起新局，可惜中国人终于给印度文明所束缚，而不能改变其向后思想，结果，除了把儒学哲学化外，未曾救得佛学之弊，更未曾走上复兴之途，这是中世纪后，东方失去了复兴机会赶不上西方的所在。

历宋，元，明三代，儒家成为一尊，理学便为学术之中心，甚至把朱子看作即是真理，这种学说的末流，过于笃信谨守，它的弊病，便是拘迂，所以统治阶级便利用它来束缚人心。姚江、王守仁倡知行合一之说，谓知只是行的主意，行只为知的功夫，其讨论直捷简易，一反朱学支离拘迂之病，一时思想界所受朱学的束缚，顿为解放，明代理学的趋势，便划成一新时期。惟学者承其风气，都注重侈谈心理，轻视诵读功夫，其末流不惟束书不观，就是思想，也只能掇拾性理烂语，陈陈相因，甚至蔑弃社会上一切信仰，而有猖狂自恣的行为；理学走到这样百病交作的地步，自然要引起人们的反感。明末一般学者，鉴于流寇和外患交作，士大夫高谈正心诚意之辨，无救于国亡种沦之凄，对于王学末流空疏放纵的弊病，纷纷起来提出合理的修改，或深刻的掊击，顾炎武竟谓明代之亡，实由于此[6]，于是学术思想，又生反动，六百年一脉相传的理学，遂在知耻博文[7]，经世致用[8]的标榜之下，又为之一变。

西方的文化，自蒙古帝国瓦解后，东西交通，一时断绝，欧洲亦因宗教改革等问题，无暇东顾，东西文化，仅在元代一度接触，并无若何进展。到明朝中叶，世界已换了一个新局，印度新航路与环游世界一周，又在发现新大陆后，俱告成功[9]，西方的学术思想，随着欧洲人传教与通商而开始输入，外来文化，自唐代佛典翻译之风衰，至是始有翻译西洋科学的盛举，惟所译之书，偏重物质科学，而忽于社会科学。明末以后，学者激于亡国之痛，正致力于政治运动，以谋恢复明室，与初期输入之西学，初无若何影响，故理学转变后，虽大师辈出，仍不能与西欧新兴文化，融会贯通，追踵继武于现代文明之后，千载之机，交臂以失，这是中国近代文明，不能与西方分庭对抗的第一次失败。又以清朝屡兴文字之狱，研究经世致用之学者，有触忌讳，构奇祸的恐怖，于是学者群趋于与世无关的考证学，以为隐身远祸之计，朝廷也愿意这样，以收束人心，减少反抗思想，于是有清三百年来正统的学问，遂告成熟。因为他们排斥宋明儒者的空谈，而尊重汉学以为近古，故即称之为汉学，它们以研究经典为中心，旁及于列史，诸子，群书，历算，音律，舆地各方面，以考证方法，求了解或发现古学的真相，就是向来认为儒家对敌的诸子，也连类考究；加以辑佚的风气盛行，稍复遗书的真面目[10]，为了校勘的方法精密，古书都有很好的刊本，这时期那些汉学家对于考据校勘训诂的效力和成绩，实为秦汉以后空前之盛举，这和西洋推翻中古经院哲学（scholasticism）

昌明古希腊的文学哲学有些相像。

可惜古学正在昌明之时，西学输入，又以驱逐教徒事件，突告停顿。[11]因当时西学输入，和旧教传教事业有密切关系，自从清圣祖下令驱逐教徒出境后，经世宗高宗仁宗（一七二三年至一八二〇年）三朝，前后一百年间，西学输入，又告中绝。当时智识阶级为传统思想所笼罩，一般有科学式头脑的人，只能埋头在故纸堆中探讨，不屑为自然科学的研究，明季清初输入的西学，除历算以关系经史，尚有人考究外，其余则声响寂然，即浙东派史学家认真搜集近代史料的工作，也为了文网严密，无人继起；社会科学方面，遂无丝毫成就。当时汉学家仅做了复古工作，而没有和西来文化汇合产生一种中国的新文化，这是中国近代文明，不能与西方分庭对抗的第二次失败，也是中国在十七世纪终于不能追随西方，踏进十八世纪的一个大关键。

清初第一期西学输入，以教徒犯规的争执而中断者达一世纪。至一八四〇年鸦片战争后，西方先进资本主义国家，各挟雄厚资本，纷纷东侵，农村经济，突告动摇，农民骚动，日益严重，终于爆发太平军的革命运动

（一八五〇至一八六四年），在内忧外患，交相煎迫的情势之下，东方古国的门已关不住了。于是思想进步的智识分子，便感到固有学术之不足，渐有倾向西学的趋势；即在政治上有威权的如曾国藩，李鸿章，左宗棠等，因为在军事上外交上，和西人接触的机会较多，并目击西人华尔（Ward），戈登（Gordon）戡平太平军的力量，更感到西洋学术的可怕，所以在太平军平定后，他们便努力于“洋务”：这是清代第二次西学输入之期。当时他们都认为西洋所长的，是物质科学，是船坚炮利[12]，所以翻译之书，亦多偏重于这一方面，对于社会科学，仍如第一期西学输入的一样忽略[13]，遂形成张之洞的“中学为体，西学为用”的传统观念。他们并没有效法列强改良政治制度的企图，故讲求洋务三十年，竟为后起的小国日本所挫败，这是中国近代文明不能与西方分庭对抗的第三次失败，也是中国办理洋务，赶不上日本明治维新的所在。

提倡西学，办理洋务，既告失败后，一般觉悟分子，知道非进一步师法列强，改良政治制度，终不足以挽弱图强。尤其是那留心经世之学的汉学家，都转变其进路的方向，再也不愿疲精敝力于屑琐的考证音释，徒然和现实生活隔绝。他们的影响，在学术方面，打破历史上尊经信古的观念，使学术思想得一解放，开近来学者重新估定古史与古书的动向；在政治方面，力谋学以致用的精神，与西学结合而形成后来由今文学家主动的维新运动。[14] 惟其如此，中国在中日一役后，今文学家能在学术思想界上掀起一个有力的波涛——戊戌维新运动，这波涛又直接影响到政治，充分表现出时代的色彩，这是中国近代史上掀起的一个大波涛，从这大波涛中，又激起空前的转变，和种下光明的根苗。

维新运动所以不免陷于失败的悲运，拉德克（K. Radek）曾有如下的一段批评：

> 维新派是隔离了群众，也不能鼓起群众；官僚阶级自身是不能进行改革的，因为改革与他们自身利益相冲突。这次改革的进行，为时非常短促，它只能表现出这种改革是为当时所需要的罢了；至于能够去推行这种改革的社会基础的力量还没有。[15]

拉氏对于维新运动所以失败的原因，说得甚为透彻，因为当时中国社会的风气与时代相违背，到处表现出极大的矛盾，少数思想前进的智识分子，虽已懂得改革的需要，可是官僚以与自身利益冲突而反对，人民以无政治观念而漠视，上有敌对的死党，下无群众的力量，即有少数从官僚阶级和智识阶级中出来同情他们的主张，而官僚阶级是不能自己改革的，智识阶级也仅凭着《孔子改制考》、《大同书》等书作为改革的理论基础，于是所谓维新变法，乃杂凑而成为维持封建统治残余的一种忠诚的献谋[16]，幸而正趋没落的代表封建统治的清朝政府，它的命运已到了无可挽回的程度，所以康梁领导的维新运动，终于失败了。维新运动的失败，直接加强统治阶级的自信心而益见其反动，继着便有庚子拳乱和八国联军等事件的发生；间接从这反动中，乃是袁世凯绝大幸运的照临[17]，也就是北洋军阀基础的确定。这对于封建统治的清朝政府，都是加速其没落的命运，所以在维新运动的本身上，和王安石的变法没有什么两样，只为了它寿命的短促和惨败得可怜，反而激起空前的转变，种下光明的根苗。

在过去，西学输入，第一期偏重在历算方面，第二期偏重在军用科学方面，又以绝鲜精通双方文字的人才，翻译之书，每多肤浅。甲午以后，学者多学日语以译日本所译著之书，其浅劣更甚于以前官局与教会之译稿。维新运动失败后，更足表现中国学术之贫乏与学者向外追求之热情，留学欧美者日以众，至是国人始知西方哲学，名学，群学，法学之精邃，非徒制造技术之轶于我土了。欧美留学生学成回国后，中国才不由日本重译，而直接与西洋思想发生关系，这是维新运动失败后所以激起空前转变和种下光明根苗的又一原因。

鸦片战争以后，国人受了几次外力的刺激，渐渐觉悟干涉国事的需要。最初只有对外，如各地的教案便是此种性质的运动，后来屡经失败的结果，知道单纯对外，也不足以收效，因此对内改革的思想，就渐渐活跃。不过当时的政治思想，是从经典里面去找维新的途径，所以科第中新贵的康有为在京师公车上书（公元一八九五年），就有一千二三百人的签名。在野行医的孙中山，到檀香山发起兴中会（公元一八九三年），信仰他的同志仅十余人。因为当时中国政治界的潜势力，以经生文人的士大夫阶级为中心，受外力刺激而发生一点反省的人，也只有这一阶级，康有为之所以握到维新领导权者以此。维新运动失败后，康有为的思想，始终不变。梁启超则伏处日本，力学不倦，思想言论，渐渐地脱离康的羁绊，丢了公羊孟子不讲，而讲卢梭孟德斯鸠了，他所办的《清议报》和《新民丛报》，以其文章带有情感，最易激动读者心弦，故其介绍西方政治思想，影响颇大。当时与康梁领导的立宪派处于对敌地位的同盟会，也由章炳麟、胡汉民、汪兆铭诸人刊印《民报》，鼓吹革命思想。为了立宪革命两派宣传鼓吹的结果，遂使留学国外的青年，亦多熏受世界潮流与革命思想的洗礼，而国内的智识分子，其于西洋系统的政治思想上，也可窥见大概。这是维新运动失败后所以激起空前转变和种下光明根苗的又一原因。

清朝因种族关系，久已受汉人的怀恨，太平军失败后，此种思想潜伏于下层社会，始终未灭。维新运动虽主和平变法，然其健将谭嗣同著《仁学》一书，已鼓吹排满，梁启超早年也很赞成这种主张；只有康有为感恩知己，始终图为清室效力。维新运动既告失败，除康有为遍游各国，宣传其一贯主张之尊孔保皇外，梁启超已视排满革命破坏暗杀，为救时的良药，其党人唐才常更联络两湖会党，起事于汉口，因此革命思想，深入两湖青年，黄兴组织之兴华会，就是以两湖会党为基础。此外江浙文人蔡元培、吴敬恒等，因受明末遗老思想的感化，和西洋民主学说的兴奋，也组织光复会，鼓吹革命思想；邹容的《革命军》，影响尤大。革命运动，得了这种思想上的生力军就轰轰烈烈膨胀起来。梁氏亡命日本时的努力目的，原为君主立宪，而其议论，却超过了君主立宪范围，反为危害清室的主犯。[18]因为拳乱以后，昏聩糊涂的清朝，益令国人失望，有志的智识分子，都酝酿着打倒现状的潜意识在心里，有触即发，遇到这种声情激越的文字，没有不投袂而起的。同时孙中山亦联合各个革命集团，组织革命同盟会，提出“排满革命”的口号，激发国民固有的民族思想，阐发外来的政治学说，而谋民主政体的建立。这是维新运动失败后所以激起空前转变和种下光明根苗的又一原因。

清季感受西力侵入后，国人便有三种不同的态度：从兴办洋务到维新运动，再由维新运动而入于革命运动的三阶段。其最后一阶段的革命运动，是国人对清朝外交失败的愤激和种族观念所造成，故最初革命宣传的口号和民众对革命的认识，只重在排满，而社会上仍为旧日的封建思想和崇拜英雄的观念所支配。所以满清的君主专制，在维新运动失败后第十五年即告推翻，而在维新运动失败时，初植基础的北洋军阀，反得盘根错综，一到民国成立，以袁世凯的独裁，演成军阀割据的局面，虽其凶横狞狰，十倍于满清政府，国人反没有反抗的表示；革命分子，亦以憯伏在专制淫威之下，毫无生气，这是近百年来一个最甚的黑暗时代。然而光明的种子，已在此时深深种下，因为历史的事变如流水，因果轮回之间，实有无从切断之处，后时代的变化，都是前时代已经成了问题，后时代的人物事迹，都是前时代的产儿；例如五四运动虽爆发于民国八年（公元一九一九年），其激起运动之对象，实开始于民元袁世凯独裁政治的成立；而造成袁世凯独裁政治基础的北洋军阀，又远在小站练兵的时候（公元一八九六年）。所以维新运动的本身，虽无甚价值，其在历史上的意义，确有不可磨灭之处。

由洋务，维新，革命的几度转变，光明的根苗，在空前的转变中舒放出来，终于在民国八年激起了东方文艺复兴的五四运动。五四运动当初不过是一种文学革命运动，为何推崇它为东方的文艺复兴运动呢？

因为自辛亥革命后，以袁世凯的独裁和北洋军阀的割据而入于黑暗时代，当时中国的思想界，既已受过维新和革命的洗礼，对于西洋文化，已有相当认识，虽为黑暗政治所笼罩，其待机而发的精神，未尝稍稍消失。到帝制运动终了，护法运动[19]开始时，从国内国外两方面得到两个大刺激：国内方面的大刺激，为民国六七年间“新青年派”的文学革命；国外的大刺激，为俄国的社会革命。因文学革命进而成为文体解放，由文体解放进展到思想解放，于是所谓文学革命，扩大到新文化运动，什么讨论问题，研究主义，言论思想界五花八门，表现一种活泼可爱的现象，这种现象，在五四以前从来没有的。正在这转变的动荡中，俄国社会革命又是同时掀起，以俄皇和他的贵族地位，在世界上首屈一指的专制政府，竟被布尔雪维克党把它根本推翻；接着德国的威廉第二，也被社会党赶跑了。这种革命的大风潮，把全世界都震动了，中国社会思想的僵冻状态，也自然不能不为之冲破，何况国内已经起了一种新的运动呢？国民思想受这种种巨大刺激，遂由睡眠状态一变而为高视阔步行动，这种现象，也是五四以前所从来没有的。还有一件意外之收获就是这两种刺激促起全国国民对于日渐冷待的国民党得进一步的认识，而信仰其主义的可以实行[20]，以为民国十五年国民革命军出师北伐，统一全国树一有力的因素。这是五四运动所以比过去几次转变的伟大，和可以当得起东方的文艺复兴的所在。

东方文艺复兴的五四运动到现在，已有十六年的历史了，当日的朝气，已成过去的光荣，到现在社会又是极度的混乱，经济又是极度的贫乏，就是文化和政治罢，还是在蜗牛壳里兜圈子，越兜越狭窄，一切的一切，都有今不如昔的感想，但是为什么到这样的一种情境呢？它的前途又将如何？用什么方法，才能解决这种社会的混乱和贫乏？这些问题，都摆在我们面前，我们的任务，就是要对于这些问题给一个正确的答复，那就第一步必须找出这些问题的背景——这便是说必须从历史的研究着手。因为只有用历史方法，可以从过去的迹象，推测将来的途径。不过一切历史的变革，都是以经济组织的变革为其基础，所以对于历史的研究，必须首先着眼于为社会组织之基础的经济结构的变迁；如果忽视了这一点，那种历史的事实，仅可窥见其一面，历史的价值，仅可计算其一端。五四运动有了文艺复兴的条件，没有文艺复兴的收获，这便是当日错认了五四运动是单纯的新文学运动，不知其为中华民族总体变革的运动。

在距今八十二年前，正是太平军攻破南京的时候，这消息从一个德国的传教师传到欧洲，马克思便说："中国必将跳舞起来。"也许是中华民族的不幸，太平军并未如马氏的预言而成功。在太平军失败以后，这八十余年的长时期中，中华民族也曾活跃过多少次，尤其是五四运动时代的声势，几乎像西方的文艺复兴运动一样的浩浩荡荡，结果还是和太平军同陷于失败的悲运，中华民族还是不能跳舞起来。

东方的力量，岂真尽于此了吗？中华民族伟大的文明创造时代，岂真不可再得吗？

不，西亚的土耳其和东亚的日本，他们都是我们东方最好的榜样。看罢！过去我们是走错了路了！这里，历史指示我们的事实，便是再度发生波澜时的途径！

参考

[1] 韦白斯脱（Webster）《世界史》第一编第七章第二四〇页。

[2] 当拔都建国东欧时，欧洲各国均为惶恐，遂于一二四五年由教皇意诺增爵第四（Innocent Ⅳ）召集欧洲奉基督教国家，会于里昂，决定派教官东去，与蒙古修好，既可借宗教之力以感化蒙古大汗，使之信教，弭祸于无形，又可使在和林之基督教徒，有所联络。第一次被派的为柏朗嘉宾，欧洲人到中国而有文献可稽的，柏氏为第一人。

[3] 尼哥罗孛罗与其弟马飞孛罗（Mafeo Polo）经商于君士坦丁堡，其后至布哈拉，适值旭烈兀遣使至中国谒忽必烈大汗，使者邀尼哥罗兄弟同行至北京，久之渐通蒙古语，世祖召见，为之述西洋事物，遂留居左右。其后西归，世祖命其致书教皇，请派进行高深博通学问之士百人东来。尼哥罗回至意大利而教皇新逝，新教皇仅简二人偕尼哥罗东去报命。这二人又中途托故不前，尼哥罗乃以与大汗有约，故携其子马哥于元世祖十二年至中国，世祖喜马哥的聪明，备顾问者共十七年（一二七五——一二九二年）。嗣以他们想念故乡乃从泉州放洋，护送科克清公主下嫁波斯伊耳汗国；尼哥罗等三人于一二九五年重返威尼斯故乡。

[4] 见《汉书 · 艺文志》。

[5] 胡适《中国哲学史大纲》卷上古代哲学史第七页及钟泰《中国哲学史》。

[6] 顾炎武《日知录》有云："刘石乱华，本于清谈之流祸，人人知之。

孰知今日之清谈，有甚于前代者。昔之清谈，谈老、庄；今之清谈，谈孔、孟，未得其精而已遗其粗，未究其本而先辞其末。不习六艺之文，不考百工之典，不综当代之务，举夫子论政、论学之大端一切不问，而曰一贯，曰无言，以明心见性之空言，代修己治人之实学，股肱惰而万事荒，爪牙亡而四国乱。昔王衍妙善玄言，自比子贡，及为石勒所杀，将死，顾而言曰：'吾曹虽不如古人，向若不祖尚浮虚，以匡天下，犹可不至今日。'今之君子，得不愧乎其言。"观此顾氏竟谓明代之亡，王学实尸其咎。

[7] 见《亭林文集·与友人论学书》。

[8] 黄宗义是王学的修正派，主张多读书，以穷理之变化；谓学问须能经世致用，故尤致力于史学，为浙东学派开山舰。

[9] 哥仑布于一四九二年发现了新大陆，葡人华士葛·达·伽马（Vaseo da Gama）于一四九七年发现印度新航路，西班牙麦哲仑（Magellon）于一五二〇年环游地球一周，自后葡西二国人士，相继向东力进取。

[10] 清代辑佚之风极盛，如孙星衍，孙冯翼，茆沛林，严可均，章宗源，汤球所辑均多。此外如已刊之马国翰的《玉函山房辑佚书》和黄奭的《黄氏逸书考》卷帙最多。

[11] 旧教徒如利玛窦等在明代中国布教，很能参酌中国风俗，容认中国教徒一面奉教，一面可拜孔子，拜天拜祖先，后为罗马教皇得悉，认为破坏教规。遂于一七〇四年派铎罗（Tournon）东来，令不守教规的教徒一律退出。中国清圣祖因此大怒，下令逮捕铎罗，送至澳门，并令不遵守利玛窦遗法的教徒，亦一律出境。世宗即位，更令凡不在钦天监供职的教徒，不得居留内地，

并改教堂为公所，禁止人民奉教，这种禁令，经高宗仁宗两朝，均未解禁。直到鸦片战争以后，为和约所限，布教事业，又复活跃，可参考杨东莼《本国文化史大纲》第九章。

[12] 梁启超批评李鸿章的所谓洋务，说他："知有兵事而不知有民政，知有外交而不知有内治，知有朝廷而不知有国民，知有洋务而不知有国务，……以为吾中国之政教风俗，无一不优于他国，所不及者惟枪耳，炮耳，船耳，机器耳，吾但学此而洋务之能事毕矣。"这几句话，正道破李鸿章一般人所谓洋务的失策。

[13] 关于第一第二两期西学输入的概况，可看郑鹤声、郑鹤春《中国文献学概要》第五章。

[14] 原来经学有今文古文之分，自东汉郑玄以古文大家遍注群经以后，古文盛而今文衰。清代朴学独占时代，学者说经，一尊东汉家法，他们抱着为学问而治学问的态度，注重名物训诂的研究，其所用方法，固合于科学，但研究对象，过于支离破碎，所以在思想上没有大的贡献。今文学家治经方法，重在数言大义的发现，不为训诂名物所拘束，这派开创于庄存与，继起的为龚自珍、魏源诸人，他们研究的结果，古文诸经传皆发生真假问题，且又留心经史之务，更多经济之谈，其思想的解放，影响于中国甚大。至康有为一派，更假托经学作改革运动，一面攻击古文学之非儒家正传，认为出于刘歆、王莽的托古改制，一面又取《春秋》三世《礼运》大同诸说，与社会进化论相牵合，撰作《孔子改制考》、《大同书》等书以为改革的理论基础，而归结于由今文学家主持的维新运动。

[15] 拉德克为欧洲现代的政论家，这段话从他的《中国革命运动史》一书抄过来，此书现在辛垦书店有译本，改称《中国历史之理

论的分析》。

[16]关于戊戌维新事件的批判，另详拙著《中国维新史》。

[17]袁世凯因吴长庆的提拔，得在朝鲜干几件冒险的事，而为李鸿章赏识，渐有知兵之誉。甲午惨败，乃由军机大臣李鸿藻和荣禄的保荐，在新农镇督练新建陆军，是即小站练兵的开始，亦为北洋军阀的基础。戊戌政变时，康梁要他“保护圣主，复大权，清君侧，肃宫廷”。不料袁氏阳唯阴违，不惜牺牲维新分子，结欢西太后。庚子二月，实授山东巡抚，以镇压拳乱，声名鹊起。嗣后北京以拳乱引起八国联军之进攻，聂士成和他所带武毅军同归于尽，久驻小站之新建陆军，以袁氏于春间升擢山东巡抚，都带到山东去，得免于难，否则亦将如聂士成和他所带武毅军同一末路，而北洋军阀也没有成立的可能了。

[18]梁氏亡命日本，力主打破现状的策略对于当时思想界关系颇大，严复《与熊纯如书》（见《学衡杂志》），有：“于道徒见一偏，而出言甚易。”又说：“主暗杀，主破坏，其笔端又有魔力足以动人：主暗杀则人因之而倜然暗杀，主破坏则人又群相争为破坏，敢为非常可喜之论，而不知其种祸无穷。”严复更骂康梁为亡有清二百六十年社稷之人。梁氏言论的力量，于此可见。

[19]民国六年段祺瑞平灭复辟党后，非但不尊重民元的《临时约法》，恢复国会，反而另组织新国会，西南各省乃联合反对，称为护法之役，为南北分立的第一声。至十六年国民政府奠都南京，始复统一。

[20]民元革命成功，而革命政策无从实现，革命主义遂为民众所忽视，且有指孙文民生主义为没有实现可能的空想。后来沙皇和威廉第二两位魔皇，竟然被和民生主义相像的社会主义赶跑了，

于是淡落已久的三民主义，渐为民众所注意。又以文体解放，给予国民党一种改良的宣传工具，像辛亥以前，革命机关报的《民报》上章太炎等文章，连高等学堂学生都看不懂，现在只要受过几年教育，便可阅读三民主义一类的书本。

第二编　东方文化停滞之史的动力

第一章　东方与西方的阻塞

关于民族盛衰的三因素　早已丑化了的东方文化　二千年来停滞不进的三事象　亚力山大与成吉思汗　安息阻止着东西交通　从文化上孤立而形成出世观念　从异族侵入而转变为佛国　徙戎政策的祸根　景教不是佛教的对手　中国史的三个大节目　上帝之鞭　突厥人封锁东西通路　郑和不及西洋人　东西文化火炬的消长

一个民族的形成和发展，或是衰败和灭亡，谁都离不开三个因素：生物的遗传，地理的环境，历史的文化。[1] 人文生物学者把这三个因素连结起来，叫做生命的三角。三者间之动的关系，交光互影，各有联锁，甲因素的变迁，推本寻源起来，有几分可以归到乙，又有几分可以归到丙，变迁的结果，对于乙丙又发生了些什么新的影响，精究乙丙二因素变迁的因果时，也有同样的联锁。譬如地理的环境发生变化，势必以经济的条件而影响文化，因选择的关系而影响遗传；文化与遗传要是发生变化的话，亦然。三个因素的关系既如是其密切，所以研究任何一种民族，各方面都得加以充分的检讨。现在中华民族对于这三个因素的健全，已成了疑问，尤其是近年来“复兴民族”的论调开始后，此种疑问已带了严重性，而实际上关于民族复兴的种种议论，都偏在文化因素一方面，大家以为民族目前的问题，是一个文化失调的问题，其实一个有过几千年历史的民族，不发生健康程度或生存能力的问题则已，否则此种问题，决不会限于一二因素的，因此要推求民族不振的原因和寻觅复兴的途径，先要在史的历程中；根据着上述三种因素，做一番清算工作。不过，要是把这三种分别叙述，更阐明其互为联锁，互为因果的所在，非本书的篇幅所可许。现在专就中国民族所以衰落的几个史的动力，检查出来，读者能够把这检查出来的史迹，常常用上述三种因素的眼光去看，那也可以得到近似的结论了。

现在中国民族已到衰败的境地，那是铁案如山，毋庸讳饰。民族衰败的由来，远从两千年，近从八百年，递演至今，外面已僵化成硬壳，内容腐败，酵发臭味，这并不是西方物质文明来丑化了的结果，即使倒退一百年，西方物质文明未入中国之时，固已陵夷至最后一步，不成样子。中国文化这样多的年代停滞着，即无外力压迫，也要走上衰败以至于灭亡的途中。衰败是果，停滞是因，我们如果找寻民族衰败的动力，应当先去检讨文化停滞的根源，我们原有的文化，也许是很有创造力量的，也许是很能随机应变的；但在史期以内，积极的创造，是不是已经变为消极的守成，甚至连守成都还有危险，原则上虽还主张通权达变，但事实上是不是已经变为一成不变？因文化而关系到遗传，我们的遗传，在史期以内，有过什么变迁？受过什么淘汰与选择的影响？这种影响究属是好的多，还是坏的多？又因文化而关系到环境，在环境方面，假定本来也是很好的，我们也要看发生过什么变化，这种变化是进步的，还是退步的？从这种种事象中间，便可诊断出中国民族衰败的根源。

中国民族的所以衰败，既然为了文化的停滞，遂使二千年来社会组织与经济结构，始终没有走到另一个阶段上去；社会制度与经济条件，既然跳不出二千年前的局面，文化和其他的一切，也就停滞下来，引不起丝毫变革。这里我们应当要问中国文化为什么在二千年前突然停滞呢？又为什么停滞了后，经过二千年的悠久时期，始终没有复兴的机运呢？并且文化停滞了后，在地理的环境上，也要发生变化，为什么不以经济的条件而影响到文化呢？又这人种的遗传上，也必发生变化，为什么不以选择的影响？而再生文化呢？对于这些问题，如果没有正确的认识，便不能去了解中国的民族问题，更不能去批判中国民族的复兴问题。因此本书的开始，在叙述东方所以不能像西方一样在产生文艺复兴以后，再述中国为了下述的三种事象，使灿烂无双的东方文化，中途停滞不前的情形。这三种事象，不但可以解释中国二千年来停滞不进的理由，就是对于现代中国的各种研究，也是非常必要的。

三种事象为何？一为东方与西方的阻塞，二为孝的宗教的发展，三为述而不作的一贯精神。现在先说第一种事象。

一说到第一种事象，便要牵涉到中国民族和文化的起源问题。关于这种学问的探讨，中国尚在萌芽，所得的材料，还不能用来下最后的结论；虽然西人讨论这个问题，已有近似的决定[2]，总以地下材料的尚未充分，说到邃古，我们不能不取怀疑态度。本章所指的东方和西方，其在时代上乃是从中国民族卜居黄河流域，文化也已孕育发长，略告完成，且有文献可以稽考之先秦时代起。先秦以前，虽有几种古籍记载和西域诸国发生过关系，可是中国古籍给后人伪造的很多，所以古代文献上的证据，如没有地下材料为之辅佐，也不敢信它是可靠的。

中国自先秦两汉的时候，东方与西方的交通，已有许多痕迹可寻，且外来文化，自先秦两汉以后，也已萌生蘖长，植根东土。何以称它为东方与西方的阻塞呢？因为在先秦两汉年代，东方与西方的交通，均在若明若昧之中，在公元前第四世纪，西方的希腊正是亚历山大大王在位时候，大王雄才大略，抱着席卷六合的雄心，征服波斯以后，便提军东迈，进讨印度，还想直扑中国；后来因为大王国内起了变动，以致征服东方的理想，不能实现。东西两雄既未火拼，遂使远处东方的古代中国，不能与古希腊文明有所接触。史家谓亚历山大大王之东征与后来成吉思汗的西征，正是后先辉映，实为东方与西方的两大伟人。然在文化上，以成吉思汗征西而唤醒了西方的迷梦，于是有人的发现与世界的发现之动机；以亚历山大大王征东，而于印度的西北，以至波斯一带，立了不少希腊小国，为后来印度文明由西域传入中国的开路，也是使后来中国陶醉于印度文明，成为孤独的东方古国的根源。他们俩虽然都有转移两大洲的时运，可是成吉思汗是把欧洲人赶上前去，而亚历山大却把中国人倒拖回来。

亚历山大大王东征失败，即种下中国不能接触古希腊文明而陷于孤独的东方古国的境地。到了后汉，中国同西亚波斯一带，交通甚盛，班超平定西域，便想与张骞所想望的大秦国通使，遂在永元九年（公元九七年），命部将甘英至安息，条支，欲从条支渡海到大秦；当时中国与西方通商，丝绸一项，销路最大，安息在西亚一带，国势最强，便垄断了这项贸易。安息既然独占了中国的丝绸贸易，于是凡有西方国家要同中国通商，他便横亘中途，遮断双方的交通。所以甘英到条支渡海时，安息西界的船子对他说：“海水广大，往来者逢善风三月乃得渡，若遇迟风，亦有二岁者，故入海人皆赍三岁粮，海中善使人思土恋慕，数有死亡者。”英听到这样危险，便不敢渡海。在大秦方面，也常想到中国来，安息始终是阻止着；当时东西两大古国，遥遥相闻，竟不能直接交通，不过靠着安息商人，交换了双方的土产，终于使中国不与西方罗马文明接触，这是后来中亚一带为印度文明所独占，东方与西方横了一重障碍，使中国陷于孤独的东方古国的又一根源。

原来中国文明，好像一所平静的大湖，最初从西部高源顺流而下，便停滞在风平浪静的大湖中，当古代西方文明没落，临到中世的黑暗时代，历史的本流处于干涸状态的期间，那时中国文明的大湖，反现出了最汪洋的全盛时代；虽然在西方和北方不断地有异族侵入，可是侵入的民族，都是未开化的，未开化的外来民族，那里敌得过典章文物之邦？所以在中古以前之中国，任何异族来侵略，一经接触，便被这神秘的湖水所吞没而同化了。

在春秋战国年代，中国文明已是灿烂绚华，达于极度，而四周异族，尚未脱离游牧生涯，每经一度异族的入寇，除了中国民族在血流上逐渐混合外，没有发生新的文明的可能，于是僻处东方的古国，便像孤云野鹤，与世绝缘。民族与个人同，假使一个人单靠自己奋发不去攻错他山，即有成就，也难持久，一旦本身有了病态，便会停滞不进，倘再受外邪的侵袭，更将由停滞而渐入于干涸。中国文明到了秦汉年代，本身病态日渐显著，不但在政治上日益崩溃，即儒家文学，亦已不能维持。曹操当国，罗致人才的令文中，竟有“负污辱之名，见笑之行，不仁不孝而有治国之术者”的话头，更公然抉破儒家思想的藩篱。加以魏晋以后，篡夺不已，有野心的奸雄，都假借儒家所倡导的美名，以掩护其攘夺欺诈的举动，更为有识者所痛心，都想从这长时期间的儒教拘执之下，解放出来，而趋向于超脱的活跃的境界。老庄纯任自然的思想，正好是救济这种烦恼的清凉散，因而发生清谈和玄学：这种运动，对于儒教的僵化，虽有解放的功绩，然其流弊所至，以超世消极而成后来陶醉于出世思想的印度文明，与近代入世思想的西方文明遂无接受容纳的机会。

这种超世消极的风气，终于闹成北方五胡游牧民族相继乱华的恐怖事件，即历史上有名的东方黑暗时期。中国经过这一打击，便把东方文明源泉的大湖，由停滞而日趋于干涸：活的源泉，变成死的源泉；活的湖水，也变成死的湖水了。然而这还是表面的，暂时的，尚有因五胡乱华而引起一绝大事件，这一事件为了五胡乱华，把中国民族思想，转了一个方向，即为中国古代思想与西方古代和近代思想相背而行，为从来史家所忽视的一件事，便是印度文明——佛教——的流行中国。

中国在古代为了亚历山大大王东征失败，及安息国人霸持中亚，阻止中国与罗马交通这两件事情，足使中国孤立于东方，不能与世界另一文化接触，既如上文所述。第三件便是五胡乱华，传入印度文明。印度文明与五胡乱华有什么关系呢？因为在西汉末年，匈奴一部落，由黄河河套搬至中亚，即在前希腊民族所建大夏帝国故地，建立一个大月氏帝国，当时中亚一带，本为东（中国）西（希腊罗马）南（印度）三大文化势力和政治势力的接触地，大月氏帝国的兴都库什山南部，系北印度地方，于是印度文化，便借帝国的力量，灌输到中亚诸国，大月氏成了北方佛教的中心；五胡在未入中国以前，本已受过佛教的感化，既入中国以后，因为他们的首领，大半信仰佛教的，如同后赵主石勒，前秦主符坚，后秦主姚兴，都非常信仰佛教，北魏诸帝，除太武帝外，也都信佛，末年的武太后，尤崇佛法；当时南方君主，虽系汉族，但受了异民族的影响，也非常崇信佛法，就中如东晋孝武帝、宋文帝、梁武帝、陈武帝等，尤为著名。佛教得到政治上的保护与传播，不到几时，便已风靡全国。以中国民族的天才，接收了这一份丰富的礼物，自然会另外创出一种新的融化物了。从南北朝到唐朝（公元五世纪到七世纪）初年，为中国新佛教建设时代，也是中印两枝文化结合后成熟时代。从此中国人的向后思想，日益增长，对于控制自然的能力，渐次消失：这种现象的养成，印度文明的传入，当然要负一大部分的责任。所以五胡乱华的可怕，不在造成政治上的黑暗时代，而在五胡首领用政治的力量来改变中国人的思想。西方经过了中世纪的黑暗时代，到文艺复兴运动兴起，便可重见光明；中国经过一次黑暗时代，因为在思想风俗，习惯，信仰，都渗透了印度文明的成分便长夜漫漫，在历史上发生了一重牢不可破的障碍。

古代中国对于外来民族向来是华化的，为何五胡乱华时代，竟被印度文明化合渗透呢？这一点就得注意当时的中国人种了。中国在两汉时代，实行迁戎内地政策，将征服外族，往往将降众徙居内地，最显著的如汉宣帝的徙匈奴呼韩邪于光禄塞，光武徙南匈奴于西河美稷赵充国，马援徙降羌等等，于是中国内地，便有许多外族，蕃衍孳生，而人种上起了一大变化。所以后来印度文明的输入，一经提倡，便风靡全国。并且佛教输入中国的最初二三百年，不过是宗教的信仰，与学术思想无甚关系；照常理讲，崇信佛法的，开化较迟的南方，多于开化较早的北方；而实际上适得其反，于此可以证明印度文明大规模输入的成功，为的是北方民族人种上已发生变化，这便是因人种的遗传，而影响到文化的一个巨大的关键；也是使中国到秦汉以后，成为孤独的东方古国的一大关键。

佛教到了唐朝，已是登峰造极，唐太宗为人，不仅经营八表，并且能兼容并蓄，对于各种宗教，俱能容纳，无所歧视，当日长安成了世界上各种宗教的陈列所，便是这个缘故。各种宗教中，有基督教的一派叫做景教的，按照《大秦景教流行中国碑颂》[3]，当时朝野知名之士，颇多信仰，不过佛教的势力太大了，景教徒中既没有精通汉文的人，所译经典以及术语，大都模仿佛经；加以政治上的压迫，和佛教出世思想的束缚，所以不能和佛教一样地风行。西来的宗教既然不为中国人所注意，西方的文明也便无缘向东方输出，而中国的出世思想，遂以没有和第二种外来文明接触，陷于不能自拔的境地。

自此以后，一部中国史，便是几个周而复始，更迭递转的大节目，刻板的排演下去。这大节目的顺序，是外族的侵陵，人口的移徙，政治的混乱；并且外族的侵陵时期，也就是内部的混乱时期，而内部的混乱时期，又必是外族的侵陵时期；而这三个节目的排演，和环境变换，人种选择两种现象，亦息息相关，互为因果。同时还有一种在东方历史上特多的旱灾和水灾[4]首尾衔接，此起彼落的活跃于三个阶段中间。这样的天灾人祸，里应外合，便陷开化最早的东方古国，永久地循环于一治一乱的状况之下。

东方古国，在那时既有这样不幸的遭际，东方文明泉源的大湖，满装着死水，因此在唐朝年代，虽有阿拉伯的海上贸易者通商和基督教的输入等历史事件，为了中国人对于海的观念的幼稚[5]，和基督教遭际的不幸，也不能成为什么动因和反响，连以前北方蛮族侵入在这人类大湖里所掀起的那样表面的波纹也没有。直到蒙古族建设了连结欧亚两洲的一大蒙古帝国的元朝年代，才把东方古国大湖里激起了排天的浊浪。然而这个浊浪，也仅仅浮动于这悠久的大湖的水面上，并没有像西方日耳曼人侵入罗马那样掀起了根本倾覆湖床的怒涛。百年中武功彪炳的“上帝之鞭”[6]，在欧洲竟然受这西征的震撼，而使黑暗时代，渐有拨云雾而见青天的动向；在中国除了侵略者的马蹄越过大江，踏遍全国，把中国南方人种混合了一些从沙漠里带来的蛮人血液外，只有把这大湖中的死水，进一步的腐化。本来衰老的民族，混合些蛮族的血，总会新民族与新文化产生，而中国偏偏在宋朝时候，只闹着“儒表佛里”与“儒表道里”的理学[7]，在儒家成为一尊的维护之下，把印度文明咀嚼消化，遂使中国民族愈益颓隳。所以在五胡乱华以后，由于蛮族同化与混合的结果，还得唐朝比较光明的一个时期；南宋到元朝，蛮族同化与混合的范围几及全国，却引不起丝毫的反响。马哥孛罗居留中国十余年，从中国回到欧洲，可使欧洲人对于东方有深刻的热情；比马哥早一千四百余年前，汉张骞居留西域也有十余年，从西域回到中国，相隔二百余年才有班超仰慕这极西大秦的富庶，要与之通使。到了元朝，欧洲各国到中国做官的，经商的，传教的，不知道已有多少人，同时蒙古军队已深入欧洲的腹地，引起了欧洲人口的大移徙，而中国人还是好整以暇，空谈心性，一般人的目光，不但想不到西方的欧洲，就是汉唐以来累世经营的西域地方，因非礼义之邦，也不欲有所注意。所以元朝覆亡以后，东方与西方给西亚从中横隔；海洋方面又为突厥人封锁，和汉朝时候安息人横阻中国和大秦的情形一样，东西交通因此阻隔，东西文化，更无接触机会。时代愈近，东方与西方隔离愈远，汉唐两代，把西域开辟，几乎与欧州连贯起来，至此反断绝往来，如隔鸿沟。自此以后，在那外族侵陵，人口移徙，政治混乱的三个历史轮回中，尽管忙着一治一乱的扮演，终于仅是朝代的更替，没有政治制度和经济制度的革新；倘使十九世纪西洋资本主义的哨兵，不来撞破这闭关自守之古国的门，就是再过几百年，这静穆的大湖，亦断没有新的变化。

但是中国民族，究竟是务实的民族，只要有人提倡与鼓励，便可做出惊人的事业。明朝初年，中国海军纵横于南洋一带，帆影所扬，远达非洲东岸，这便是永乐宣德两朝（公元一四〇五年至一四三二年）三保太监郑和七次下西洋的故事。假使郑和真正抱着经营南洋和航行西洋的志愿，说不定好望角的发现，不必等到五十五年之后[8]；而哥仑布之发见美洲，与麦哲伦的回航世界，即由郑和诸人开其端，亦未可知。惜乎七下西洋，乃为私而不为公，所以郑和以后，不惟继起无人，即中国在南洋已有的势力，也逐渐衰微，仍给后来的西洋人占领，中西两方在这十五世纪的时候，一先一后，一东一西的在那里努力开发海运，终于西胜于东，后胜于先，和在中亚陆地上的史迹如出一辙，这不能算是偶然的罢。

至此东方古国文明的力量，似尽于此了，伟大的文明创造的时代，早已成为历史上的陈迹，这重要的因素，为了印度文明的输入，这纯粹出世思想的热带民族哲学，即永久被人征服的印度宗教，确是麻醉中国的惟一毒铲。直到现在，社会的基础，已被西洋物质文明震撼得一刻不能安宁，然而还有浮在社会上层的人们，要从东方的印度哲学中间，掏出精神救国的法宝，以为只要耐心地株守在东方文明源泉的死湖中，总有否极泰来，回复到二千年前万邦来朝的周天子时代。

但是这样大的罪名，不可全部加于印度文明身上，我们且把世界史检查一下，古代的东方和西方，各有两支文明的火炬：在东方是中国和印度的两支火炬；在西方是希腊和犹太。这四支火炬，最初循环各自的历史而燃烧着，到了中古的汉朝以后，西方犹太的一支和希腊混合起来后，由罗马的承继，再经过欧洲中古时代，而终于脱胎换骨，成为光焰万丈，照耀全世界的大火炬。回头再看东方的两支，同样地亦以交通的发达，在相差不多的时期，印度的一支也和中国混合起来，成为富于东方色彩的暗淡的烛光。在古代犹太和印度同样的是世界大宗教老家之一，其传教的凭借是政治力量，以成为一时期的文化中心，亦有类似之处。基督教因为逢着日耳曼蛮子，使欧洲成为基督教世界，亦如佛教为着胡族的西侵与南下，使中国成为佛教世界。不过，欧洲经过了一度的黑暗时期，转变其出世思想而重反于希腊时代的入世思想；东方的中国，竟以佛教的输入，而停止其社会的史的发展，其中必另有重大原因，便是以下二章所述的二事象所造成的。

参考

[1]《华年》第一卷第三十一期，潘光旦《不着实地的民族议论》；及第三卷第三十八期，《民族复兴的一个先决问题》两文，均以遗传，环境，文化，为复兴民族三要素。

[2]《东方杂志》第二十六卷第二号，何炳松《中华民族起源之新神话》摘译法国书（*Henri Cordier* 的 *Histoire de Chine*），对于西人讨论中国民族和文化起源诸说列举尚称详尽。

[3] 此碑为唐德宗建中二年（公元七八一年大秦寺僧景净所立，明末在陕西出土。

[4] 亨丁顿（Ellsworth Huntington）在《种族的品性》（*The Character of Races*）中有："中国所受荒年的苦，比世界任何国家要深刻。"又云："在全部中国史里，似乎没有一个时期，有过连上几十年的风调雨顺物阜年丰，除非是历史初期之黄金时代中。"关于中国荒灾之详细记载，可参阅三种《文献通考·国用考》下之《赈恤》一门。

[5] 中国民族自西亚大陆向东发展，与西洋靠地中海发展者不同，

自古对于海洋观念，即很薄弱。元朝以后，对于海运，以遭逢数次挫折，更视为畏途，当时只留意于海的防御不注意于海上的发展。明朝虽有三保太监下西洋的奇迹，后以倭寇猖獗，海禁加严，养成国人对于海的隔膜，此后昧外与轻外的观念，也由此蜕变而成。

[6] 成吉思汗灭货勒自弥，对货勒自弥人说道“上帝生我如执鞭之牧人，用以棰挞群类”。故欧洲人即以上帝之鞭称成吉思汗，至今成为欧土的流行语。

[7] 宋儒在表面上，辟佛辟老，而实际上与佛老思想，实无二至，参看胡适《中国哲学史大纲》卷上导言，钟泰《中国哲学史》卷下第三编及杨东莼《中国学术史讲话》第八讲。

[8] 明成祖既做了皇帝，还怕惠帝逃在海外，要去搜寻他的下落，遂有郑和下西洋的壮举。他最远到非洲的木骨都索等地（即今意属索马利兰一带），倘再往南一些，便可发现好望角，而其所经各地，亦即后来葡人华士葛达伽马发现的印度航路。

第二章　孝的宗教之发展

东方文明本身的缺陷　中国二千余年思想的中心　亲亲是宗法社会的极致　孝是家族成员行动的规范　孝的宗教化　祭礼的力量　造教的苦心　无形宗教的惨酷　商业资本的不能抬头　重农轻商政策　遗产分配的奇特　跳出孝的宗教的伦理圈

东方与西方的阻隔，西方的欧洲仍循其社会的史的发展；东方在二千年来，便陷于停滞的状况；是则东方中国的文明，必有其本身的缺陷。其缺陷为何？便是支配中国人心的伦理：近人对于旧制度有所谓“吃人礼教”和“封建遗毒”的诅咒，亦惟此伦理之赐。

中国古代社会上支配人心的，为思想学问及礼俗制度两大部，思想学问仅为少数人所得享受，礼俗制度可普及于全部社会，孔子有其任何哲学家，政治家，教育家，对于人群所不能有之伟大而长久的势力，便是这构成数千年礼俗制度之中心骨干的伦理；从伦理思想而演成宗法社会，又从宗法社会而演成家族制度：这种以家族为基础的伦理思想，自春秋以后，经儒家的发扬传布，遂成为中国二千余年思想的中心。古代罗马也曾努力于保持家族制度，几使罗马社会濒于破产，幸而基督教侵入欧洲，把这民族发展惟一的障碍冲破了，使欧洲人在中古时代思想上少一重枷锁。但在中国从来不受基督教徒宣传的影响，反使基督教徒有家族化的倾向；就是普渡众生看破色相的佛家，一到中国，也不免降在家族制度的脚下；这固然是中国和欧美社会中间横着的一大沟渠[1]，也是东方停滞下来赶不上西方的最大原因。

宗法社会的组织和思想，是古代从神权时代转变到人权时代的产物，家族制度便是人权政治的中心。中国在周朝以前，尚在神权时代，到周朝才渐入于人权时代，故宗法观念具体的表现，是开始于周朝。后来儒家用托古改制手段，以周公旦的制礼作乐、开创一代的规模当作佳话。我们现在固然知道儒家许多礼意礼文，不一定就是周朝的定制，而周朝必自有其礼制，因为在宗法社会产生的封建制度国家，一切社会组织与政治组织，都以礼之一字贯串之。[2]在宗法社会中，政治与社会没有分别，社会与家族也没有什么分别；往往政治的首领，便是家族的首领，其中维系的根本精神，全在“亲亲”[3]的意义上，故宗法社会中“亲亲”的观念，便是宗法社会思想之极致。

宗法的家族制，与中国的农村经济有关，惟其有农业经济之长期的稳定与存续，宗法的家族制才能够稳定，才能够存续下去。因为中国历来的经济组织不曾脱离农村自然经济的阶段，而农业的生产，又以安土重迁与家族成员的劳作为前提，则家族之重要，便远在个人之上，而国家之构成元素，亦以家族为本位，不以个人为本位，国家不过是家族之扩大体，或是家属之集合体。同时宗法的家族制，是以家长为一族的首领，而家长之所以能够维系其权力，就全恃有“孝”来做家族成员的行动之规范。国家既是以家族为其组成的单位，则一国的元首，自然就是诸家长之上的一个最大家长，因此元首所借以维系其权力的东西，便是从“孝”字推演出来的“忠”字[4]做教条。由此可知从血统关系组织之宗法社会的国家，“孝”不但是家族道德的首要，也是一切道德的根据。曾子对于“孝”字说得最透彻，他说：

> 夫孝，置之而塞乎天地，溥之而横乎四海，施诸后世而无朝夕，推而放诸东海而准，推而放诸西海而准，推而放诸南海而准，推而放诸北海而准，诗云：自西自东，自南自北，无思不服，此之谓也。

于是“孝为百行先”的教条，就成为中国人一举一动的规范之规范。更以历代帝王的提倡，诸儒的渲染，这礼教藩篱，也就随着封建统治存续至二千余年之久而莫敢突破的了。

但是，要人人尽孝道，要人人做一个“儿子”，要使做儿子的帖帖服服埋没在家庭伦理里面，不得不把孝来宗教化；孝而入于宗教化，则家长可借宗教的力量来裁制子孙。不过宗教是迷信的玩意儿，中国古代所以没有有力的宗教产生，因为中国古代哲人，大都不信鬼神的缘故（墨子也说儒家不信鬼神），何以反把伦常中心的孝，采用宗教的手段呢？这或者古代哲人认为在农村自然经济社会中的人群，只有鬼神可以用来做人生道德的裁制力，孔门虽不信鬼神，但也无从否认这种力量的伟大。胡适《中国哲学史大纲》上也有如下的一种见解：

> 宗教家要人行善，又怕人不肯行善，故造出一种人生行为的监督，或是上帝，或是鬼神，多可用来做人生道德的裁制力。孔子是不很信鬼神的，他们的弟子，也多不深信鬼神，所以孔门不用鬼神来做人生的裁制力。但是这种道德的监督，似乎总不可少，于是想到父子天性上去；他们以为五伦之中，父子的亲谊最厚，人人若能时时刻刻想着父母，时时刻刻惟恐对不住父母，便决不致做出玷辱父母的行为了；所以儒家的父母，便和别种宗教的上帝鬼神一般，也有裁制鼓励人生行为的效能。

孝既然宗教化了，于是不得不定出些仪节来，不但可使做儿子的有所遵循，就是在观瞻上也可从庄严中越益显著其威武；又要使做儿子的可以法则起见，自身不得不向已死的祖宗设法纪念，如此，不但可以以身作则，即使死了以后，做儿子的亦时时刻刻“必有闻乎其容声”，而不致忘却了，于是便有丧，葬，祭祀的礼。礼虽有五种——吉，凶，军，宾，嘉——但祭礼却是一切礼的核心，《礼记·祭统》篇上说：

> 凡治人之道，莫急于礼，礼有五经，莫重于祭。……祭者，所以追养继孝也。……是故君子之教也，必由其本，顺之至也，祭其是欤，故曰:“祭者，教之本也已。”夫祭有十伦焉：见事鬼神之道焉，见君臣之义焉，见父子之伦焉，见贵贱之等焉，见亲疏之杀焉，见爵赏之施焉，见夫妇之别焉，见政事之均焉，见长幼之序焉，见上下之际焉，此之谓十伦。

宗法社会的伦理观念，尽于以上的“十伦”，而十伦却全包括于祭义之内，可见祭在古代之重要了。再看下面抄的《祭义》篇中的一段文字，便可证明孝的宗教的成熟了。

> 斋之日，思其居处，思其笑语，思其意志，思其所乐，思其所嗜。斋三日，乃见其所谓斋者。祭之日，入室，僾然必有见乎其位，周还出户，肃然必有闻乎其容声，出户而听，忾然必有闻乎其叹息之声。

儒家虽不深信鬼神，却又自己造出鬼神来崇拜，例如孔子明说“未知生，焉知死”；他却又说“祭如在，祭神如神在”。一个“如”字，已把祭祀的心理，形容尽致，他们要维系宗法社会，使人人恪守其分，力行弗替，所以不惜自己造出鬼神来崇拜。这里，他们当然也有一番苦心，曾子说“慎终追远，民德归厚矣”；孔子说“君子笃于亲，则民兴于仁”。一切丧葬祭祀的礼节，想用“慎终追远”的手段，以达“民德归厚”，“民兴于仁”，其用意所在，与其他宗教并无二致。

在宗法社会组织之下，孝的宗教便从伦理观念之中建立起来，各人去崇拜各自的祖先，犹之各人去信仰各自的上帝，遂使中国人一个个在孝的宗教信条之下，终身埋没在家庭伦理里面，人人自认并不是“我”，而是我的父母之“我”；家族观念既牢不可破，国家观念遂渐次消灭，就是出来替国家效忠，其目的还是在“显亲扬名”和“增光门楣”，所以父母便是严君，正家可以定天下，在这种伦理观念之下，不承认个人在社会上自有其独立的人格，并不承认个人为组成社会之一员，戕贼个性，窒灭人性，使人消磨勇往冒险的胆气，养成妥协麻痹的行为，其为害之烈，有不堪言喻者。一般人以为中国没有宗教，故在思想与行为上不若西方拘束之甚，不知中国实际上也有宗教，此无形宗教拘束人生之惨酷，十百倍于其他宗教，日本福泽谕吉对于中国礼教，曾有如下的批评：

> 支那旧教，莫重于礼乐：礼者，使人柔顺屈从者也；乐者，所以调和民间郁勃不平之气，使之参顺于民贼之下也。

人人既不认得个人存在的价值，则个人不过是家属的附属品，不过是帝王的奴才，一齐屈服于礼教纲罗的重围之下，只知顺受，只知屈从，福泽氏实以一语而道破礼教之罪恶。

为了历代孝的宗教的演进，宗法的家族制度益以稳固。同时，我们知道宗法的家族制度，又与中国的农村自然经济有关，惟其有农村自然经济之长期的稳定与存续，宗法的家族制度亦得历长时期而不至于崩溃。家族制度既然适宜于农村自然经济，所以家族集团的国家元首，势必用政治的力量，来稳定农村自然经济；生存在家族制度之下的士大夫阶级，亦以安定自足自给的农村社会，为他们最大的任务。因此，中国在春秋战国时候，虽然手工业已日渐发达，商业资本亦随商人的抬头而日见重要，如猗顿以贩盐起家，郭纵以冶铁为业，其财富与王侯相埒，至于魏国的白圭，却更以商人而兼政治家，《史记》一书中对于商人的记载很多，例如：

周人之俗，治产业，力工商，逐什二以为务。——《列苏秦传》

周人以商贾为资。——《游侠列传》

鲁俗好儒，及其衰，好贾趋利，甚于周人。——《货殖列传》

由这几段话看来，足见当时经商的风气，已是很厉害。但是一般人对于商业既这样的热狂，商业资本亦既生出这样重大的效方，却为什么不能代替土地资本而走入另一个阶段呢——即中国的产业革命——这完全是受着孝的宗教的影响。因为在宗法社会政治之下，是不许商人阶级抬头的，倘使商人阶级一抬头，商业资本便可代替土地资本而兴起，寄托在农村自然经济之下的宗法社会的组织，也必失所依据而崩溃，所以重农抑商的政策便应运而生。中国在百家争鸣的春秋战国时代，学术文化与经济条件，均有转变的样子，中间突然停滞的原因，就是代表土地资本的统治阶级，把重农抑商政策用以维持宗法社会的封建国家，自从秦国的商鞅变法起，与宗法社会互相表里的重农轻商的一贯政策，从来没有变更过，例如：汉高祖既得天下，就令“贾人不得衣丝乘车，又重租税以困辱之”；晋代政府“欲使力农，故重征商税”；隋高祖禁工商不得仕进；唐高祖定工商什类，不与于仕伍；明代更颁布贱商之令[5]；清代则以重税病商：凡此都是一脉相传的重农轻商的政策。

这种重农轻商政策，不过是代表土地资本的统治阶级，用以维持封建势力的有效方法；也是宗法社会国家，用以维持伦理观念的有效政策：换句话说，就是利用孝的宗教而产生的大地主富人，勾结王侯官僚来剥削农民的传统勾当。所以二千年来，在以农立国的口号之下，任何朝代，总是农人未得实惠，商人已无立锥之地，到处是无田可耕无业可执的失业群，到了无可维持的地步，狡黠之徒，便趁着统治阶级纲纪解钮的时候，利用农民骚动，以攫取统治者的地位，因此朝代尽管变换，而封建制度的经济组织与政治组织，却依然如故；即使有一时代商业资本较为雄厚，然其力量也仅足以摇动封建社会的秩序，不能代替土地资本而独树旗帜。

重农轻商的结果，同时还影响到交通。本来古代文明的传布全赖交通，交通的发展，靠着战争与商业；中国累世采用重农轻商政策，对于发展交通上，便缺少一种因素，不但在国内文明的传布很是迟缓，就在国外无论是陆路或水路，数千年来，几乎完全在闭关自守的状态中，虽汉唐以后，东方与西方已经开始来往，国内且有好几处城市，已成为中外互市的场所[6]，终以中国压迫商人政策的严厉，遂使互市成为朝贡的余事[7]，失去国际贸易的意义。重农轻商政策，不但维系封建势力，使中国社会停滞在土地资本的一阶段中，即在传布文明的交通方面，也以缺乏了商人的一因素，而使东方与西方的阻隔又延长了千余年。

复次，在宗法社会的家族制度之下，对于遗产的分配，中国又有奇特的习惯。就是对于承继遗产与债务，长子与其他嫡出诸子，是平均分配的，这显然与宗法的家族制度违背，因为孝的宗教的成立，既着眼于男统，故儒家言孝，特重男统，伦常名分，便是尊重男统的教条，遗产的承继，当然限于长子一人，这在欧西与日本封建时代，遗产亦仅限长子一人承继，何以中国有此奇特的习惯呢？这非本章的篇幅所可详尽，概括言之：即以中国自民族制度衰颓后，对于土地的分配，往往取井田制度的遗意，以求土地之均众庶，抑并兼，而近于均产的政策。例如王莽的王田，晋朝的占田制度，后魏的均田制度，唐代的班田制度，虽富豪兼并，史不绝书，然而经过这二千余年的封建社会，国民的资力，比较还不算悬殊，直接的原因，乃是诸子平均承继遗产的家族制度。宗法的家族制度之下，所以有此不合于宗法的习惯，和土地均产制度，实有绝大的关系。中国宗法的家族制度，既适应于中国农村自然经济，遂以农村自然经济之长期的稳定与存续，宗法的家族制度，亦因之而能稳定与存续；同时以孝的宗教为中心的伦理，亦天经地义，成为万世不灭的定律。

由孝的宗教而可束缚个人的思想与行为，由孝的宗教而可限制社会的变革与进化，由孝的宗教而阻遏文化的发扬，由孝的宗教而丧失民族的进取，于是民族因此而衰老，文化因此而停滞，举凡今日中国社会上成为问题的，类多与它有关。近代西方的胜利，固应归功于文艺复兴，然无宗教改革，则文艺复兴无从完成，产业革命更无从爆发。中国孝的宗教的恶毒，尤甚于欧洲中古时代的基督教，所以复兴民族当从孝的宗教的革命着手。这是打破传统观念的起点，铲除封建思想的根源；这亦是改造家庭的要素，建设社会的基础：要把停滞在古代东方民族阶段中的中国孝子，赶上二十世纪现阶段中做一个社会的成员，那就不要再上宋儒的当，跳出孝的宗教的伦理圈才是！

参考

[1] 日本稻叶君山《中国社会文化之特质》一文中，谓家族制度为民族惟一的障壁。

[2] 孟德斯鸠《法意》中亦有谓："……是故支那孝之为义，不自事亲而止也。盖资于事亲而百行作始，惟彼孝敬其所生，而一切有于所生表其年德者，皆将为孝敬之所存：则长年也，主人也，官长也，君上也，且从此而有报施之义焉。以其子之孝也，故其亲不可以不慈；而长年之于幼稚，主人之于奴婢，君上之于臣民，皆对待而起义。凡此谓之伦理，凡此谓之礼经：伦理礼经，而支那所以立国者胥在此。"见严复原译本十九卷十九章。中国伦理力量之伟大，西欧哲人亦早见及，无怪严氏按语中有"不觉低首下心服其伟识"的了。该书在同卷十六、十七两章一再言及伦理，可以参考。

[3] "亲亲故尊祖，尊祖故敬宗，敬宗故收族，收族故宗庙严，宗庙严故重社稷，重社稷故爱百姓，爱百姓故刑罚中，刑罚中故庶民安，庶民安故财用足，财用足故百志成，百志成故礼俗刑，礼俗刑然后乐。"见《礼记 · 大传》篇。

[4] 古代阐发孝字最多的，首推曾子，他说"事君不忠，非孝也"；"孝子善事其君"等语。

[5]《农政全书》上说："太祖加意重本抑末，下令农民之家许穿绸纱绢布，商贾之家只许穿布，农民之家，但有一人为商贾者，亦不许穿绸纱。"

[6] 汉代和西方交通的，陆道要算敦煌，水道当推徐闻合浦（即今广东海康、合浦二县）。

[7] 向达《中西交通史》第九章有："……番船入港，有舶脚进奉，收市等名目。舶脚相当于今日进口税；进奉则是专指进贡的货物而言；收市则是宫廷收买所需各国货的名称。收市的价格大概比普通要高两倍，宫廷收买过以后，才准一般人民自由买卖。"这样看来，人民的买卖，不过是宫廷挑选下来的残余。

第三章　述而不作的一贯精神

抛开自家向外求逐　中国比不过日本　每次转变的是始盛继衰终穷　今日所食之果已往自己所铸之错　述而不作的儒家开山祖　中国伦理思想　忠恕与中庸　儒门中不出人才　创造我的前途

中国在近百年间，谈洋务，办新政，以致于革命共和，都是抛开自家根本精神，向外以求逐自家前途，一切落于被动而失其自觉与自主。及至方法已穷，焦闷不知所出，遂不惜昨日之所是，今日之所非，依违无常，取舍不定。即此百年中间，前后不知换了多少方式，卖了多少气力，牺牲多少生命财产，终于屡试无效，愈演愈糟。

或者以为中国自鸦片战后，感受外来新颖剧烈的刺激，亟亟于摹取追踪，大都是觉悟的智识分子，尤其是甲午以后，凡民族自救的维新运动与革命运动而兴起之新兴势力，其领袖人物，类皆沐受西洋教育，或得西洋风气之先，初非传统势力老旧人物所可比，何为而颠倒迷扰，每况愈下呢？

这也是中国的一种传统观念所形成，因为一民族生命之所寄，寄于其固有环境与固有文化，抛开了自家固有的环境与文化，便断送了自家前途。自家前途和自家新生命，全在循其固有环境与文化而求进，而向上。在西洋，无论是一种制度或是一种方法，它的政治背景，它的经济条件，往往数百年间，一气呵成，与我国数千年赓续活命之根本，固大异其趣。倘一切不顾，惟亟亟于摹取追踪，于是乍见其强在力，则摹取之；乍见其强在学校，则摹取之；乍见其强在政治制度，则摹取之；举凡西欧资本主义国家之所以致富强的方案，无不摹取之追踪之，资本主义经济的产物，悉以置办于此农村自然经济社会，而欲成为东方资本主义国家，以达富国强兵的企图。[1]结果是邯郸学步，并失故步，西洋的法术未曾懂得透彻，自家的宝贝早已毁坏无遗。当时中国以东方大国的身份，在国际上还有相当地位，然而德国的毕斯麦早就看出中国不会有富强的一天；并且又从留学欧洲的中国学生志趣上，也早就看出中国比不过日本。[2]因为中国所谓办洋务，讲富强，目的不过是整军裕财，方法不过是摹取追踪，只会抄袭别人有效的药方，不去检查自家所患的病症，迨所求既不得达，正在穷思极异，而西洋风气又变，于是向所摹取追踪的，掉头一变，又另有所摹取追踪。将这数千年长久不变的庞大而静穆的东方社会，从此卷入涡漩，发生大转大变。

历来所摹取所追踪的，都是抛开自家根本，故所发生的大转大变，常见其始盛，继衰，终穷，由极有力的高潮，退落归于无有。自其加于社会的结果言之，每一转变，始而气象一新，继而利害参半，终则百弊丛生。此种劳民伤财有害而无利之举动，亦非无人看到其错误失败，例如清代同为谈洋务的郭嵩焘，因为他久居欧洲，其经历自必胜于国内之觉悟分子，而亦不能改变李鸿章的留学政策。[3]盖当一世之人心思耳目有所蔽时，要转移这社会倾向，却非容易事情；近百年来，每当民族命运危殆之际，我民族志士仁人，先知先觉，未尝不急起图存：甲午以前，其所震惊艳羡于西洋者，为船坚炮利，故其所学在于“物”；甲午以后，才知仅去摹取西洋物质文明，不足以图富强，不得不更进一步，要求师法列强，改革政治制度，故其所学在于“法”。同是法也，又以西洋思潮的转变，其所以为我刺激者不同，而其所学于“法”者亦前后分殊。欧战以前所取法的，为东邻的日本，即如讲富强，办新政，以至于革命共和，虽其间再转再变，不可同语，而其歆羡资本主义的目标，则固有一贯之的。欧战以后所取法的，为西邻之苏联，即如谈思想主义，采取直接行动（五四以后各种运动），以至于国民党改组容共，十五年北伐[4]，纵其间或左或右，不尽一致，而其趋向反资本主义的目标，则亦有一贯之的。其所学于物者，民族工业迄未树立，而军阀互哄之局，竟于船坚炮利的企图之中，演绎而成焉。其所学于法者，以言政治，封建思想的根性未除，社会主义的温梦已作；以言经济，艳称商战之言犹在耳，咒骂经济侵略，又如若不及。模仿日本之后，菲薄日本；迷信苏联之后，怨诋苏联：结果还是屡试无效，愈做愈糟，吾人今日所食之果，何莫非以往自己所铸之错。

从谈洋务办新政以致于革命共和，其间颠倒迷扰以自贻戚者，乃真不可胜计，种此因者，必有其果，有此果者，亦必有其因，因果循环，百历不爽。抛开自家根本，一味摹取追踪，固为近百年间铸成大错的惟一原因。但是我们再进一步问，为何中国人喜欢抛开自家根本，一味摹取追踪？这是历史上的传统观念所致。历史上传统观念很多，何者为其首要呢？便是儒家的述而不作的一贯精神，二千年来文化停滞不进，民族日就衰老，至今社会上种种现象皆成问题，与孝的宗教并行不悖的，便是述而不作的一贯精神所致。

何以二千年前儒家的一句话，影响到二千年后的今日呢？并且这不过是孔子的一句话语，他的弟子，以及二千年来一脉相传的儒教中人，从没有把这句话语，做了些补充的工夫，更无论其发挥光大，何以有这样伟大而悠久的力量呢？

原来中国在春秋战国时代，诸子蜂起，百家争鸣，但其势力最大而影响于当时最巨的，虽只有道，儒，墨三家。汉代以后，直到今日，二千余年来，只有儒教独盛，中国成了“二千余年来无是非，皆以孔子之是非为是非”的中国。道家思想虽一度流行于魏晋之世，然不久即已归于无声无息。墨家学说，司马迁做《史记》时，即已消灭，所以“中国之历史，即孔子一人之历史”[5]。孔子对于传统的学术与信仰，是极端尊重的，中国古代的文献，至周公始集大成[6]，故孔子力崇周代的文献，又极崇拜周公，他在《论语》上也说：“如有用我者，吾其为东周乎。”后世便称他为承继上古文明的大圣人，也是儒家开山的大祖师。

孔子既崇周公，而周公之学，在于六艺，所以孔子亦以六艺教人。六艺虽不一定是周公所作[7]，孔子下过整理工夫是可相信的[8]，他不但删《诗》，《书》，定《礼》，《乐》，还根据原有的《周易》作一部《易经》，根据鲁国的《史记》，作一部《春秋》，这都不是孔子的创作。此外还有许多书，名为是孔子所作，其实都是后人依托的，例如一部《孝经》，称孔子为仲尼，称曾参为曾子，这里便可证明不是孔子手笔。《论语》一书，虽极可靠极有用，更不是孔子所作。他只有整理周代文献，把它发扬光大罢了。

孔子对于传统的学术，既如此尊重，从而对于传统的信仰，也就保持守旧的态度。因为当时是“邪说横行，处士横议”的时代，非得借重富于神话意味的先哲言行，也不容易压倒群伦；并且从这“天下无道”的时代，社会上产生二种反动——极端的破坏派与极端的厌世派，在这“滔滔者天下皆是也”的环境中，要是不从古代文献中找些四平八稳的温和药方，也不会引人入胜，于是他便把相传尧舜的“中”的伦理思想，以为祖述尧舜的根据，并示人以述而不作的态度。尧舜的“中”的伦理思想，可从下面的一节文字中表现出来：

> 尧曰：咨，尔舜，天之历数在尔躬，允执其中，四海困穷，天禄永终，舜亦以命禹。

孔子既祖述尧舜的“中”的伦理，不得不把中庸之道，力为阐发，为儒家不偏不倚，无过不及的改良主义立下基础，而为修己治人的出发点。他对于中庸的重视，从下列所举各节中可见一斑：

> 中庸之为德也，其至矣乎！民鲜久

矣。——《论语·雍也》

不得中行而与之，必也狂狷乎？——《论语·子路》

君子中庸，小人反中庸。君子之中庸也，君子而时中。小人之反中庸也，小人而无忌惮。……天下国家可均也，爵禄可辞也，白刃可蹈也，中庸不可能也。——《中庸》引孔子语

可知孔子的一贯之道，乃是中庸之道，后人误解曾子“夫子之道忠恕而已矣”两句，便说孔子以忠恕为一贯之道，这是误“目的”为“方法”了。因为忠恕乃是做到一贯之道的方法，而中庸实为一贯之道的目的。[9]所以孔子对于“中庸”二字，不知道提到好几回，例如：“回之为人也，择乎中庸”；“君子依乎中庸”；“中立而不倚”；“执其两端，用其中于民”；“知者过之，愚者不及也”等等。他既把尧，舜，禹，汤，文，武，周公的传统学术与传统信仰，在“中”的伦理思想之下，用述而不作的态度，把当时异端邪说一齐镇压下去；更用同

样的方法，使天下后世，皆能循规蹈矩，埋没了自我的个性，抛开了自家的立场[10]，在传统的学术与信仰中死兜圈子，虽至焦头烂额而不自稍悔，其入人之深与误人之烈，可与孝的宗教的伦理观念，无独有偶。

孔子的述而不作主义，最适宜于宗法社会的封建制度之下，它在经济基础上，亦有存在的根据，儒家由此而成为专制一尊，学术却至此而中途停滞。孔子究竟是气魄伟大的人，所以虽然说是述而不作，还有伟大的成功。可是常人就不兴了，即在他的及门弟子，那么多的人里，找不到一位非常的人，就是孔子死后到现在已有二千余年，儒门中人也不曾出几个出类拔萃的人物。因为埋没自我个性，足以毁灭创制的天才；抛开自家立场，无从培养论理的识见：中国在西洋文化未输入前，所以停滞不进，日渐衰老的，与西洋文化既输入后，所以摹取追踪，愈演愈糟的，都是给这种历史的传统思想所束缚的关系。二千年来儒家虽然抛开自家前途，还是在一脉相传的故纸堆中讨生活，尚且找不出什么东西，干不出什么成绩；现在把自家固有环境与固有文化都抛开了，断送了，去拿人家数百年间一气呵成另有其政治背景与经济条件的制度与方法，也用述而不作的老方法去追踪摹取，颠倒迷扰，自在意中。在过去的儒家，虽然陷于传统观念中，不过多兜些圈子；现在因为追踪摹取的，往往与我国数千年赓续活命的根本，大异其趣，故即欲兜圈子而不可得。

这里，我并不是希望中国倒退过来，去兜那永远钻不出头的圈子，更不是希望中国不去追踪摹取近代西洋文明：我所希望的是本着自家前途和自家新生命，循其固有环境与固有文化，再去追踪摹取西洋近代文明的精华，而求进，而向上。我有我的前途，我便应创造我的前途，述而不作是维持封建制度的精神，不是创造自我前途的方法。

参考

［1］参考《河南村治学院旨趣书》。

［2］李剑农《最近三十年中国政治史》绪言中引用德国毕斯麦批评中国和日本的留学生云："中国和日本的竞争，日本必胜，中国必败，因为日本到欧洲来的人，讨论各种学术讲求政制原理，谋归国为根本的改造；中国人到欧洲来的，只问某厂的船炮造得如何，价值的贵贱如何，买了回去，使用就完事。"

[3] 郭嵩焘为清季热心洋务的重要人物，以其喜谈洋务，故于出使英国回来的时候朝野一致反对，竟致不敢进京。他在英国时，对于派遣留学生政策，反对甚力，其所见与毕斯麦同；光绪三年，郭氏从伦敦致李鸿章信中，详言日本留学政策之可畏，中国仅学兵法，买兵器之非是，李氏的答信有“兵乃立国之要端，欲舍此别图其大者远者，亦断不得一行其志，只有尽其力所能为而已”等语。李氏的短见，影响中国前途甚大，讲富强，办洋务的失败，这也是重要原因。

[4] 梁漱溟《中国民族自救运动之最后觉悟》中对于四十年来民族自救运动，分为二期：前者为感受着欧洲近世潮流，后者为感受欧洲近代潮流。

[5] 参考夏曾佑《中国历史教科书》第一篇第二章第三节。

[6] 章学诚《文史通义》中有云：“自天地而至唐虞夏商迹既多面穷变通，久之理亦大备，周公以天纵生知之圣，而适当留传道法大备之时，是以经纶制作，集千古之大成，则亦时会使然，非周公之圣制能使之然也。”

[7] 六艺照经古文家说是周公所作，而今文家则谓孔子作《春秋》，自比文王；其实《春秋》确经孔子手定，六艺未必为周公所作。

[8]《淮南子·要略》谓：“孔子修成康之道，述周公之训。”司马迁《史记》自序中谓：“周公卒五百岁而有孔子。”古书上说孔子承继周代文献者甚多。

[9] 章太炎《章氏丛书 · 检论》订孔论忠恕为孔子的根本方法，他说：“心能推度曰恕，周以察物曰忠。故夫闻一以知十，举一隅而以三隅反者，恕之事也。……周以察物，举其征符，而辨其骨理者忠之事也。……身观焉，忠也。方不障恕也。”以忠恕作

为孔子的根本方法的章氏为第一人。又胡适在《中国哲学史大纲》上也说："孔子说的一以贯之，和曾子说的忠恕，只是要群出事物的条理统系用来推论，要使闻一知十，举一反三。这是孔门的方法论，不是推己及人的人生哲学。"胡氏以"一以贯之"与"忠恕"合为一谈，则误目的为方法。

[10] 西欧文艺复兴的酵母，其实只是个性的复活，即是史家所谓"人的发现"。个性复活后，就觉得处处有一个我，在宗教方面如果没有我，那就须得改革，智识方面如果没有我，那就找求真理；其他如政治经济方面，亦以解除个人的束缚，以求平等自由。故中国之所以停滞与西洋之所以突进，便在这个性的能否复活上分别。

第三编　西力东渐与东方的沉沦

第四章　鸦片战争前的中国社会经济

中国近代史的一个关键　封建剥削的经济基础　历代重农的一贯政策　社会生活形成相反的极端　民反为农民生活上的挣扎　西欧的产业革命　中国没有产业革命的条件　五种理由

鸦片战争是中国近代史的一个关键，因为在鸦片战争以前，中国从政治上说是一个独立国家，从经济上说是自然经济占优势的封建社会。虽然鸦片战争以前，西方资本势力已开始侵入，可是中国社会生活，还能保持一种自足自给的状态。鸦片战争以后，西方资本主义开始其露骨的侵略，使中国在政治经济各方面都发生了巨大的变动：在政治上，中国由“上国天邦”的独立国地位，降低到受帝国主义压迫的战败国地位；在经济上，封建的农村经济开始动摇，造成了使中国陷于半殖民地的状态。鸦片战争对于中国既有这样大的关系，所以要研究中国近代社会的转变，先要对于鸦片战争以前的中国社会状况，作一个简单的说明。

在鸦片战争发生的时候，西欧资本主义已有长足的发展，但是中国的经济状况，还和欧洲中世纪的封建经济没有多大差异，产业革命在中国固然连影子也没有，就是一般的商业，也还很落后。自足自给的小农经济，和西欧的先进资本主义比较起来，当然有天壤之别，所以鸦片战争以前的中国经济状况，和二千年前的秦汉之世，没有多少质量上的差别。

中国历代统治阶级的经济基础，是建筑在农村中的封建剥削，在古代如此，在鸦片战争以前，亦复如此。工商业的发展，可以破坏农村中封建剥削关系，所以历代统治阶级就要以全力制止工商业的发展，自春秋战国以至于鸦片战争，从没有例外的变更：这便是第二章中提及的中国历代的重农主义政策。重农主义政策创始于周朝末年，商鞅变法，树立了重农主义的基础。[1]至汉代而农政成为立国大本[2]，晋朝继承汉代的统治，在经济政策上，依然扶植农村中的剥削关系[3]，历经唐，宋，元，明，每代的统治阶级，无不以保障农村中的封建剥削及打击工商业发展为己任，到清代一仍其旧。统治阶级为要维持其对农民的剥削，以重农的美名，鼓励农民增加生产，这正和资本主义制度下资本家鼓励工人努力生产，以遂其多量的掠夺，是同样的意义。

历代统治阶级既然把重农轻商为一贯的政策，工商业就很难发展，所以直至西欧资本主义侵入中国以前，中国还完全是一个落后的农业国家，中国人口的大部分，也都集中在农村生产。在鸦片战争前，全国人口总数的百分之九十以上，从事于农业劳动，他们在统治阶级的“勤劳俭朴”的鼓励之下，终年辛勤于极度的劳动，过着最艰苦的生活，任凭着统治阶级的榨取；重重的压迫，重重的榨取，就在这样剥削关系之下，一年年维持下去。

这样重视与奖励的重农主义政策，维持了对于二千余年农业生产，丝毫没有改进。十九世纪初期，西欧从北方森林里赶出来的蛮子，已经过了产业革命的阶段，开始其农村中大规模的机械生产；但在开化最早的中国农村中，不但没有梦见机械的影子，还在憧憬着井田制度的复活。

在鸦片战争前，机械生产的新式工业，固然没有，就是手工业也限于范围极小的家庭之内，手工业既不发达，农产品又没有多少地域上的差异——甲省的产物，往往乙丙丁均有，而且人民的消费，大部分是由于自己生产，所以市场的交换关系，不能扩大，商业更不易发展；因而社会经济也就保持着自足自给的小农经济的特色。在这自足自给的农村经济中，物价的低廉，较之现在，相去有数十倍[4]，生活程度之低，可以想见。

在这自足自给的农村经济中，人民的生活，本来可以相当的安定，但是统治阶级残酷的剥削，使社会生活形成相反一极端：一方面是统治阶级由剥削得来的穷极奢侈的享受，另一方面是农民生活的极度艰苦。这两种相反的社会生活，虽没有像资本主义制度下有产者与无产者之趋于激烈的斗争，但以统治阶级之残酷无厌的榨取，终于引起了不安定的骚动。鸦片战争以前，这种骚动，早经在南北各省普遍的发展，“民反”两字，已成农民生活上挣扎的名称，而非作奸犯科的可比：至此，中国社会基础，已有了裂痕，不安的骚动，也将愈演而愈烈了。

这里，我们很怀疑西欧在十八世纪中叶，就开始其产业革命，何以中国到十九世纪四十年代，经济还如此落后，这是研究中国近代史的最重要的一点。我们如果要明白中国为什么相隔了一世纪，产业革命还没发生，那就先要明白，西欧的产业革命是怎样发生的？马克思恩格斯对于这个问题，曾有一段详细的解说：

> ……新大陆的发现，好望角的过航，就供给有产阶级一块新的发展地。东印度和中国的市场，美洲的殖民地，对殖民地的贸易，交换机关和商品的增多，都使当时的商业航海业和制造工业，受一种空前的刺激，因此使那革命要素，便在颓废的封建社会中急激的发展起来。（一八四八年“宣言”第一章）

接着又说明这种革命的情形！

> 在封建时代的工业组织底下，工业生产是由同行组合一手把持，可是到了现在，这种工

业组织已不复能应付新市场上日益增加的需要了；于是工场手工业便起来代替了它的地位。各业行东被工场制造家这种中等阶级挤倒了；联合的各行组合间的分工，也被各个工场的分工代替了。

接着，市场一天比一天扩大，需要也一天比一天增加；这时候，就连工场等工业组织，也不复能应付了。于是又有蒸汽及大机器出来，演了一场工业生产的革命。从此大规模的近代产业，便取得了工场手工业的地位；豪富的实业家，产业军的总领袖，近代的有产阶级，便把产业界中的中产阶级降服了。

近代产业建设了世界市场，其引线全在美洲的发现。有了这种市场，商业，航业和陆路交通，便会绝大的发达；这种发达，又转而促进了产业发展。产业，商业，航业，铁路，既这样发达，有产阶级，也照这比例发达起来，资本愈加增多，且将中世纪遗留下来的，一切的阶级，都尽情推倒了。（同上）

由此可知新市场的发现，是引诱近代产业革命的第一个条件；由于发现了这些新市场，所以商品销路愈加推广，而增加生产也就成了必要了。这种必要又必然地引起了生产力的改进；生产力的改进，使生产方法进展到一个较高的阶段，于是急激地由手工而进于机械，完成其产业革命。我们可以从西欧先期发明机械的，不是科学大家而是工人，便可知那种发明，全由于新市场增加把引起增加生产的事实所“逼”出来的。[5]当时如果没有新市场的发现，那就没有增加生产的必要，因而这些新式机械也不会发明，产业革命也不会成立了。

新市场的发现，不但使商品销路增加，而且是增加原始蓄积的最有力的方法。资本主义经济组织的基础，是建筑在对于工钱劳动者的剥削；因此，资本主义制度的构成和发展，其第一个条件，就是需要能够自由出卖劳动力，而且非出卖劳动力不能生存的劳动者的存在。资本主义经济组织是一种大规模的生产组织，生产机关的设备，工钱劳动者的雇用，就需要大量的资本。集中的大量资本的存在，是资本主义制度构成和发展的第二个条件。创造这些条件的过程，就是原始的积蓄。这原始的积蓄，便是资本主义生产方法的出发点。关于这种例子，马克思在《资本论》一书举出很多。形容资本主义国家对于新发现的殖民地的贸易，常取露骨的掠夺的方式，卫特曼在他的论著中曾有这样的一段：

> 所谓基督的种族，对于他们所能征服的世界上每处地方和每种人民所施的残暴及凶悍行为，在世界，历史上无论那一个时代，无论那一个种族——不论这种族如何狞狰，如何野蛮，如何无情，如何无耻——是没有能和他们比拟的。

由此，可见产业革命完全是导源于新市场的发现。他们为手工业的进步，交换范围的扩大商业资本的发展，国内市场的不能容纳，于是不得不向国外寻觅。哥仑布就是适应这种需要去完成他发现新大陆的伟业：这完全和英国许多工人发明机械一样地适应客观的需要。

这种需要在中国是不存在的：第一因为中国的封建制度的剥削，甚于西欧，妨碍了商业资本及手工业的发展；第二因为中国物产丰富，各地均可维持一种自足自给的状态，这种半自然经济的自足自给的状态，没有向外发展的必要；第三因为中国很早就有广大的市场，更使其没有向外发展的必要。所以当西欧各国对于美洲、非洲和亚洲的新市场侵略时候，中国还是维持其二千年来闭关自守的状态，中国既没有寻觅新市场的需要，自然也没有改进生产力以增加生产的需要；客观上既没有这种需要，自然不会凭空发生产业革命。

在另一方面，中国之社会的经济基础，是一种自足自给的小农经济，要集中大量资本是办不到的。而中国的农民，因为土地肥沃，即使榨取得厉害，也没有被迫离开土地，成为一身以外别无长物，不能不卖劳动力而成为劳动者的地步。这样，中国便无发生产业革命的条件，无怪其在鸦片战争以前，还停滞在和二千年前一样的自足自给的小农经济状态之中。

但是有人也许记得中国历史上也有向外发展的事件。虽然说中国在鸦片战争前是闭关自守的，可是在历史上在汉朝以前，已有中外通商的记载。在汉朝曾与西域诸国通商，汉武帝时中国与西域各国通商的范围更大，地中海，里海的沿岸，亦有中国人的足迹；南方与印度，安南，也在这时开始通商了。后来与阿拉伯通商而到红海西岸，波斯湾东岸，及非洲的北部。隋唐以后，陆路水路，均有中外商人的来往。中国既在很久以前，即与这些国外市场贸易，为什么不能作为中国产业革命爆发的引线呢？又为什么二千年前已与外人往来，到了鸦片战争前还称之为闭关自守的呢？这便是在春秋战国时候，不能从土地资本进而为商业资本，这是二千年来不能发生产业革命的一大原因；也是西欧产业革命成功了一世纪后，还不能引起中国生产力和生产方法改进的重大原因。中国没有爆发产业革命的所在，可以分成五项来说明。

第一，中国虽然很早便和国外发生贸易，但这种贸易，并不是由于手工业的发展，和商业交换范围扩大的结果，而是由于国家邦交关系的发生。因为中国在鸦片战争以前，一向以天朝上国自居，视海外各国都是蛮子[6]，外人非朝贡不许其入境；另一方面欲夸示中国物产丰富，故国人外出，也带些丝帛之属，间或允许外人朝贡以后，将其残余，与民互市，也视为“夷人慕义而来”[7]，从不加以注意。因此，此种贸易决不能有多量的发展，更不能引起生产方法改良的要求。

第二，中国在闭关时代输出的丝，独占世界市场已有千余年。西欧产业革命，不过开始于纺织工业的一部门，由纺织业发展的需要，引起了煤和铁的生产方法的改革。然则何以中国不能从丝的发展进而发生其产业革命呢？这因为丝的生产区域大，而国外需要，又不若棉织物的普遍，国外既无大量的输出，便不能引起国内市场缺乏的恐慌，并不能引起生产方法的改进，这是中国丝的产生不能像英国纺织工业的足以激成产业革命的理由。

第三，中国自汉唐以来，对外贸易，大都是物物交换形式，不能换得大量的金钱；又以上国自居，反而常把金银财物资赐外邦，对于资本之原始的积蓄，没有丝毫顾到，故历代通商虽盛，终无引起产业革命的可能。

第四，世人共认近代产业建设了世界的市场，其引线全在美洲的发现。但是中国历史上对外贸易的国家，都没有像美洲那样丰富的金银矿可供掠夺；而且中国商人在西域诸国贸易，也不像欧洲诸国远征队在美洲那样的穷凶极恶。南洋群岛虽较西域诸国为富，但中国往南洋的，也没有像欧洲人有政府做后盾，施行整个计划，所以通商以来，没有掠得大量金钱，足使影响到资本之原始的蓄积。

第五，西欧产业革命前期，先经过了十六世纪向落后国家侵略热狂的时期，当时中国正陷于极度的混乱状态，所以不但不能趁个热闹，连三保太监七次下西洋所开拓的都不保。在这紧要关头，不去参加商战的阵营，老闭关自守。静穆的农村社会中，便引不起生产方法的革命了。

至此，中国在鸦片战争以前，是怎样一种状况，也可以明白它的大概了。在鸦片战争以前，是这样一种社会经济状况，到鸦片战争后，西欧，资本主义的种种侵略，那是必然的现象；侵略一经开始，中国的农村经济即陷于总崩溃的悲运中，也是必然的结果。

参考

[1] 商鞅《垦令篇》中："重关市之赋，则农恶商，商有疑惰之心；农恶商，商疑惰，则草必垦矣。以商之口数使商，令之厮、舆、徒、重者必当名，则农逸而商劳；农逸则田不荒，商劳则去……则草必垦矣。……"

[2] 龟错《论贵粟疏》有："农，天下之大本也，民所恃以生也。"又

陈灿《中国商业史》:“我国古代学者之理想，政府之设施，莫不重农轻商，至汉益甚，名之为逐末，斥之为兼并，立国未久，即颁贱商之令。”

[3] 陈灿《中国商业史》:“晋人趋重商业，政府欲使力农，故重征商税，…… 南朝即属行商税，北朝亦踵而行之。北齐，北周，篡夺相继，乘乱取国，商业虽极凋零，而军事所需，仍仰给于商税。”

[4] 龚炜《巢林笔谈》中有:“清河与太原联姻，两家皆贵而赡，其记顺治三年（即公元一六四五年）婚费，会亲专席十六色，付庖银五钱七分。盖其时兑钱一千，只须银四钱一分耳。而猪羊鸡鸭贱甚，准以今之价钱；斤不过一二分有奇，他物称是，席之所以易办也。”

[5] 例如一七六四年英国发明吉尼纺织机的哈格里夫（John Hargreaves），一七七一年发明水力机的阿克莱（Richard Arkwright），一七七九年发明骡机的克朗登（Samup Crompton），一七七四年发明纺织机的加特来特（Edward Cartwright）等都是工人出身而非科学专家。

[6] 在清朝嘉庆十年及二十一年（公元一八〇五年及一八一六年）英使两次来华，要求通商，清政府仍当作朝贡，英使以英为独立国家，要求互相答赠，竟为清政府逐回。在清乾隆五十七年（公元一七九二年）英使马戛尔尼（Earl of Macartney）还强迫其行三跪九叩首礼，几经周折，始许其行谒见本国国王之礼，其对外自大如此。

[7] 明朝永乐年间，西洋剌尼等国来朝，附带胡椒等物，与民互市，有司奏请征税，帝不许，曰:“夷人慕义远来；征税则亏辱大体。”

第五章　资本主义侵略的序幕

中国迟至十九世纪始行屈服的原因　英人侵华的先声　初期输进鸦片的数量　鸦片贸易为一切支付的手段　鸦片战争的必然发生与必然失败　一八四二年的历史纪念　战后引起的六种影响　近代中国史的展开　中日战后的急转直下　五十年中的宰割　门户开放后的新局面　免却瓜分陷入次殖民地　国际投资的开始　赔款生息的创举　两次战争完成次殖民地的条件

鸦片战争，并不是单纯的鸦片问题，也不是单纯的战争问题，乃是资本主义先进国家掠夺落后国家的侵略战争，鸦片问题不过是一个导火线而已；即使没有鸦片战争，英国侵略中国的暴行，也难免要发生的，不过时间上的迟早罢了。

西欧资本主义侵略中国，虽把鸦片战争作为划时期的界限，可是西欧商业资本发达的国家，在明朝（约当十六世纪）就开始到中国来。当时中国为何不跟着美洲和非洲那些野蛮民族，给资本先进国家所屈服呢？因为中国有悠久的文明历史，有繁庶的人口，有广大的疆土，当然不会像美洲，非洲那些落后民族那样容易屈服。这样一个庞大的国家，无论它的内政如何腐败，究竟不是资本先进国家所能随便吞下去的；所以在十六世纪就有西洋人到中国来，直到十九世纪初期，这庞大国家的人群，还没有给西洋人屈服。到后来资本主义大工业生产的发展，已非仅仅是商业资本所可比，它可使国家武装的势力随着强盛起来，不但可以掠夺落后的民族，而且可以压倒其他商业先进国家。这是中国自十六世纪以来，葡萄牙、西班牙、荷兰那些商业先进国家，不能完全侵略中国的志愿，仍须等到十九世纪西欧资本主义最先进国家的英吉利来完成的原因。

英国在十八世纪的后半期，已积极向东方侵略，到十九世纪初期，由征服印度全部而进占中国保护的缅甸及南洋群岛。至此，英人在亚洲的力量乃益强大，当时西欧那些商业先进国家如葡萄牙，西班牙，意大利，荷兰诸国，早已被英国的威力所屈服。可与英国对抗的法国，自从滑铁卢战败，拿坡仑被俘之后，也不能与英国争胜，在当时世界上只有北方的俄国，还可与英国争一日之长；然在水路上，西方势力的东侵便为英国独占去了。

英国既并吞印度及南洋群岛，便集中视力于中国。中国以有传统的闭关自守政策，故对于欧洲通商，限制极严，英国受种种侮辱苛待，已忍无可忍；加之中国以与俄国发生邦交较早[1]，情感较厚，英人尤为愤慨，遂于清道光十九年（公元一八三九年）借口鸦片问题，用武力侵犯广东；激成东方人类历史上最大污点的一次掠夺的战争。

鸦片战争虽然不是单纯的鸦片问题，不过鸦片问题，也自有其严重性，沙发诺夫在《中国社会发展史》中对于英人把鸦片当作商品的输入中国，曾这样地说着：

在资产阶级历史家的描写中，很有诗意地把资本主义毒害中国和束缚中国的东西，视为外国贸易。事实上鸦片输入中国，根本改变了国际贸易的意义，从此，中国便处于无法清偿的债务者的地位，他们已不是站在平等的地位。他们和外界的贸易，变为特殊的征纳赋税：鸦片代替了银子，毒品代替了价额，中国人成了自己的毒害者的债务者。

鸦片的输入，远在唐宋之际，惟在昔数量不多，流毒不大，当十七世纪时，始由英人及荷兰人从印度地方，大宗输入，为害渐烈。到清乾隆年间，始知鸦片之害，乃下令禁止，并以所存的一千箱烧去，从此以后，禁令时严时弛，而鸦片输入，仍年有增加。在道光十八年（公元一八三八年）时，已有二八三〇七箱之多，各处输运进口，当不止此数。[2]又在道光二十二年（公元一八四二年）时，据另一统计[3]，当时合法的入口货物，如棉纱，棉织品，丝线，毛线品，五金等物合计起来有一千一百二十万金圆，而当时偷进的鸦片价值，却有一千三百八十万金圆。出口货的价值仅当于非法的鸦片的价值。这样，在数字的表面上是出超之年，为了鸦片的输入，中国每年已在暗中用银币来抵补一千一百万金圆以上的重债。

英国正因为中国人吸食鸦片的增加，就利用东印度公司的特殊地位，把印度大量生产的鸦片输入中国，除获得他们所需要的中国商品外，还可攫得巨额的现金，而鸦片便成为第一种实行于中国的“西方的”货币本位，难怪印度总督哀略特将军在一八四〇年时，直接报告他的政府中，说废止鸦片贸易，足使英国人在中国市场上失去了一切“支付的手段”。这种口气，当然足使资本主义正在膨胀的英帝国格外注意中国；后来义律领事奏请派兵援助，英议会遂在三天激烈的论辩中间，竟以九票的多数，决议援助在华“不义”的商人而轻启战端。[4]

至此，我们可以明白鸦片战争发生的原因，并不是谁是谁非的法律问题，而是资本主义先进国家对于落后国家侵略的一幕不可或免的悲剧。至于中国战败的原因，一方面当然是为了清朝政府的庸弱无能，但是根本的问题，在于一个是先进国家，一个是落后国家。在资本主义先进国家的暴力压迫之下，无论落后国家有如何伟大的天才英杰，也是不能挽回这种失败的悲运。所以鸦片战争在十九世纪中期是必然发生的一种侵略战争，而战争的结果，中国失败也是理所必然而势所必至的。

因鸦片战争失败而订的《南京条约》，除了赔偿二千一百万元的巨款外，还开辟商埠，割让香港，并且损失了海关自主权，为近百年来资本主义侵略的开场戏。其影响的重要，甚于历史上一切的变动。从此，英国生产的商品和鸦片一齐闯入中国，美国，俄国，法国，德国及其他原始积蓄的资本主义代表的商人们，也随着英国接踵而至。二千余年闭关自守的东方古国，遂于道光二十二年（公元一八四二年）七月二十四日在停泊在南京城外的英舰上，更换了一副场面，转变了一个时代。

从鸦片战争失败而订立的《南京条约》以后，便有如下的六种影响：

第一，不平等条约的继续订立。在以前中国与外国所订的条约中，虽不免也有不平等的，可是中国总在有利的地位。从《南京条约》以后，各国即继英国之后，向中国要求缔结最惠国条约，如道光二十四年（公元一八四四年）美国订立《望厦友好通商条约》；同年法国亦援例订立《中法黄浦条约》。越三年，又与瑞典，挪威缔约。明年，又订立《中英天津条约》。这些条约中，处处显示着中国站在最不利的地位，都是《南京条约》开其端。

第二，帝国主义武力侵略的发展。在以前中国虽已懦弱，因有东方古国的虚名所以西欧先进国家还不敢作露骨的侵略。经过鸦片战争，中国的懦弱无用，已为外人窥破，于是帝国主义的武力侵略，大胆尝试，一无顾忌。主要的有咸丰八年（公元一八五八年）的英法联军之役，光绪二十一年（公元一八九五年）的中日之役，光绪二十六年（公元一九〇〇年）的八国联军之役等。此外，如缅甸战争，安南战争，琉球战争，台湾战争，朝鲜战争等，每战必败，每败必失地。

第三，疆土的损失。在《南京条约》中虽只割让香港一处，然而此风一开，帝国主义相继威胁索求，如英割九龙、缅甸，俄割黑龙江北岸及乌苏里地方，法割安南，日割台湾、朝鲜及澎湖列岛，葡割澳门。又有实际等于割地的租借地与专管租界，满布于国内重要都市。

第四，商埠开放与商品侵略的急进。在以前中外虽有贸易，但除俄国外，均未正式缔约通商，外商在中国所受阻碍甚多。鸦片战争后，条约中即有开广州等五处为通商口岸，其后又续开商埠多至一百余处，而资本主义商品侵略，因此遍于全国。

第五，关税主权的丧失。本来海关税则的高低，完全由自己国家订定，可以限止外货而提倡国产。在《南京条约》中虽没有明白规定关税的高低，但在翌年所订的通商条约上，即有值百抽五的限止，从此中国自己已无权增加税额，保护关税的作用亦完全丧失，外货就如水之下流，无法遏止，二千年自足的小农经济，也遂见崩溃，一泻千里。

第六，巨额赔款的流出。中国在清朝中叶，因为连年内乱，国家财政，本已穷困；自鸦片战争后，除每年巨额的入超，历次军事的消耗外，更有巨额的赔款[5]，于是更促进农村崩溃的速度。

以上所举的六点，表现着资本主义开始侵略后长躯直入的结果：一方面使中国原来的自足自给的农村经济开始崩溃；另一方面由于这样经济基础的变动，使它的上层建筑，也开始动摇，于是展开了一部近代的中国史。

中国的近代史是开始于资本主义露骨侵略的鸦片之役，所以中国的近代史，乃是一部资本帝国主义的侵略史。在这九十余年侵略的过程中，开急转直下之端的，实为中日之役：因为在中日之役以前，中国尚为世界庞然一大帝国，各国纵有野心，亦相制而不敢发，每次侵略的动机，都还带有尝试性质。不意甲午一役，中国在大败于白种以外，又大败于黄种的日本，从此积弱之势，曝露天下，国际地位，亦一落千丈，列强各群起角逐，几陷中国于瓜分运命，在中国近代史上又开辟了新境地。

这样看来，中日战争之于中国，关系极为重大，从此资本帝国主义乃公开逐鹿，中国想用“以夷制夷”的方法，去克服日本。乃于中日和议的明年，李鸿章借俄皇加冕的机会，亲自出使，订立了攻守同盟的《加西尼密约》[6]，不料进狼拒虎，日本没有克服，俄国的势力反深入东三省。俄既得志于我国，德国首先借口于教士之被杀，遂以海军进占胶州湾，并要求山东胶济铁路的建筑经营权，同时俄国更进而从我租得旅顺大连，以为极东军事之根据地，可使西伯利亚铁路，经中东铁路直达南满，以逞其南下侵略的雄图。法国为便于向我之云南广西发展起见，遂有广州湾租借条约的缔结，并进而获得滇越铁路的建设权。英国为抵抗俄国的南下政策，遂有威海卫的租借，京奉铁路建筑权的获得，长江流域不割让条约的缔结等。日本在福建亦有同样之要求。这一种瓜分的局面，多起于中日战争后三四年中。我们试看当时资本帝国主义在我国发展的大势：俄国已并有西伯利亚全土以席卷之势而南下；德国则以山东为根据，而渐扩张其势力于中原；法国则以安南广州作为根据，而伸张其势力于两广云南；至于英国则不但有垄断扬子江流域一带的形势，并且在南方以九龙湾香港为中心，而进窥两广，又于西南以缅甸为根据，进窥云南。因为在云南广西，英法之形势，日相冲突，而有《英法协约》。在京奉以英俄之势力日相错综，而有《英俄协约》。二千余年闭关自守的东方大国，给资本帝国主义者侵略，前后不过五十余年（公元一八四二年至一八九九年），国土和主权，丧失过半，所以中日战争在中国近代史上，亦是一个最大的关键。

当时西欧资本主义国家，对中国之情势，俨如十九世纪初对待阿非利加的样子：或直接迫中国政府认可，或间接列强协商。中国全局，已十分危险，而在列强间利益冲突，亦已到了一触即发之势。美国遂以第三者的超然地位，谋世界公共的和平，在光绪二十五年（公元一八九九年）向英德俄法日意六国，宣言开放中国门户。自是中国的形势一变，各国以相互的利益，为相互的约束，从前各对中国单独竞取的利己主义，一变而为列强统一合议的缓和行动；中国的领土保全与商工业利益均沾的新局面，遂为列国所公认。前者在华各国狼吞虎咽之下，所谓利益范围与势力范围的意义，便是垄断范围内的一切权利利益，不准他国政治权的侵入，更进一步，即可促成中国的瓜分，所以开放门户的宣言，实在是起死回生的续命汤。

美国的宣言，固出于公平正义，以谋世界的和平，然亦迫于本国的利益。因为在十九世纪末，美国产业发展甚速，海外新市场已到处开殖，对于有四万万人口落后国家的中国，当然不能忘情；倘列强各据要港，占中国贸易的特权，则美国将无发展之路，遂不得不放弃门罗主义而转入帝国主义的趋向，名为保全中国领土，调和列强冲突，实则扩张本国经济势力于中国。故门户开放的宣言，虽救出中国于瓜分场中，重复陷入中国于次殖民地，这是中日战争后的一大转变。

中日之役除了直接进行瓜分中国领土外，尚有重大意义表现在别的方面，便是国际投资的开始。国际投资是国际资本的移动，在近代资本主义史的发展上，实有重大关系。原来资本主义最重要的两个条件，就是市场扩张与投资获得二种：前者是一货物的移动，要靠市场来吸收消费者，在第四章中所说资本主义国家竞争新市场的意义，就在于此；后者是一资本的移动，要靠这投资地来销纳，为资本主义国家用来吸人经济灭人国家的最终目的。市场扩张，发生于鸦片战争以后；投资获得，开始于中日一役。[7]

国际投资，分直接投资与间接投资二种。一国家的资本家，将自己所有资本，不经被投国人的手，直接投于其国内所发生的营业关系。换言之即一切事业的经营管理，和由经营所得的结果，皆归彼投资人的独占，叫做直接投资。直接投资的目的物，如铁路，矿山，制造工场，航业，银行及其他一切的经济利权。至于间接投资，即一国的资本家，将自己所有资本，购入他国国债或地方公债，和贷与他国的私人或私团体的借款。直接投资有百弊而无一利；间接投资其在没有偿还能力的国家，害处与直接投资等；最近国联对华技术合作，便是最好的例子。[8]

中日战争所订的《马关条约》，既开国际投资的例，又开赔款加息的举。从来关于战争的结果，割地输钱，本属常事，输钱加以利息，则从中日战争的赔款始。[9]赔款一经生息，亦已变为资本，于是实际支付的数目，竟有多于赔款总额的，庚子赔款，即其一例。[10]赔款如此，借款亦如此，当时在大炮威胁之下，所缔结的对外借款，代替了鸦片，成为调节中国对外贸易的一个主要的手段，借以保护对外贸易方面不绝的负的比差。

国际投资的开始，其直接投资因为《马关条约》始作之俑；而间接投资，我国人亦有若干自动的要求。因为当时历次对外的军费，与巨额的赔款，财政上已受创不少[11]，又以国内起伏不断的内乱，更使国库一贫如洗，已有不得不以借债为生活之势。而收回路权矿权，亦须以重价赔偿各国，才可自修自开，帑藏既经告罄，遂亦不得已而利用外资。列强对于市场扩张的一步本已成功，遂亦利用机会，竞起而从事于投资的获得，众矢一的不数年而经济侵略的基础，又告完成：所以鸦片战争，是列强武力侵略的开始；中日战争为列强经济侵略的序幕。

因鸦片一役而继续与英国所订《通商章程》与《天津条约》，把国定税率，变成协定税率，遂使数十年太阿倒持，主客易位，外货横行，国产惨败。因中日一役而订的《马关条约》中，把工业投资权轻轻送掉，关税权既限制于先，工业专有权又丧失于后，凡可以促进我国工商业发达的条件手段，无一不受外人束缚，中国陷于次殖民地的境地，已在此时备具其条件。

参考

[1] 近代我国对外交涉最早为清康熙二十八年（公元一六八九年）的中俄《尼布楚条约》，实开我国对外交涉之始。三十二年订通商条约，俄国获此通商特权为英国等所妒羡。俄又巧博清政府之欢，并离间其他各国，以获垄断之利益，尤为英人怀恨。英人来华虽远在明代，然系商人的自由贸易性质，而非正式邦交的形式。

[2] 清道光十八年，鸿胪寺卿黄爵滋《请严塞漏卮以培国本疏》中有："外洋来烟渐多，另有趸船载烟，不进虎门海口，停泊零丁洋中之老万山，大屿山等处，粤省奸商，勾通巡海兵弁，用扒龙快蟹等船，运银出洋，运烟入口，故自道光三年至十一年，岁灭银一千七八百万两；自十一年至十四年，岁灭银一千余万两；自十四年至今，漏至三千余万两之多；此外如福建，浙江，山东，天津等海口，合之亦数千万两。……"

[3] *The Foreign Trade of China*，by Chong Su See.1919 New-York. P.279.

[4] 详见刘彦《中国近时外交史》上册第十六页。

[5] 鸦片战争之赔款为二千一百万两；英法联军，中俄伊犁之役，中日台湾之役，中日战争，八国联军之役，这几次共计赔款七亿零五百零五万两。

[6]《加西尼密约》不见于中文所记，或系李鸿章拟日本为假想敌，联俄以拒之。但因此却招到俄人势力的深入，见陈登原《中俄关系述略》六〇页；又刘彦《中国近时外交史》二四七——二五〇页。

[7] 借款虽开始于同治四年，在中日之役前已有四千万两外债的往来，惟当时我国财政收入有余，国际投资的机运亦未至。

[8] 此次国联与中国的技术合作，一方面促进中国国内军事性的建设，加强中国作为军事根据地的作用；另一方面则能加强国防间，特别是日本和欧美列强间的冲突，即成为促进第二次大战的主要契机，亦即对华促进共管或瓜分的主要动因。可参考中国经济情报社《中国经济论文集》总论第二篇。

[9] 赔款加息，中国向无此例，外国在普法战争媾和时，其赔款金额为五十亿佛郎，除于一八七一年支付其一部分外，其他加以

五分年利于三年内偿还，为世界史上赔款加息之始，此亦为近代国家商人化的特征也。

[10] 庚子赔款为四亿五千万两，年息四厘，至三十九年偿清，共须支付利息五亿三千二百三十余万两，较赔款总额，尚多八千余万两。

[11] 光绪二十年到二十四年，以军事赔款两项，所负外债，达五千四百四十五万五千镑，当时每年偿还外债之本利，合计须支付二千五百余万两，而全国关厘收入不过二千二百万两，悉数偿还，尚有不足，我国财政入不敷出的原因，已种于此时。

第六章　国民经济不振的原因

初期产业的步骤倒置　兴办洋务的目的　军用工业到官办工业　销售废料的大主顾　农村停滞于原始状态　侵略中国的三害　工业专有权的丧失　中国产业不发达的七条件　树立了新的历史力量

中日战争以后，资本主义便开始其露骨的侵略，凡可以促进我国工商业发达的条件手段，无一不受外人束缚，既如上章所述。不过在中日战争以前，虽已受到不平等条约的限制，总究还有奋发的余地。并且在中日战争前三十余年间，曾国藩，左宗棠，张之洞，李鸿章诸人，采用西法，兴办实业，在当时也曾轰轰烈烈，建立了不少新事业，何以输入机器三十余年，仅仅完成了中国资本主义的初步建设，引不起中国的产业革命？又何以中日战争后，中国资本主义的初步建设，也便一蹶不振，而使国民经济日即于穷困的境地呢?

当时主办新政的曾，左，张，李诸人的见解错误，所以开始便把发达产业的步骤倒置了。在欧西工业生产方法的革命程序，是轻工业先于重工业，特别是纺织工业的生产扩大的需要。英国的纺织工业，在十八世纪七十年代，已经完成生产方法的改良，但是那时煤铁的生产还很落后。到纺织工业方面机器的发明，使煤和铁的需要，急激地增加起来；遂促使煤铁矿业开始了生产方法的革命。[1]但是中国完全相反。中国煤铁的开采，固然是运用西欧已经发明的方法，而开发的动机，是为着军用工业的需要，不是应轻工业的需要。换言之：西欧煤铁工业的开发，是适应资本主义的发展；而中国煤铁工业的开发，是适应封建统治阶级保护它的残余统治的需要。

在本书前几章中，已历述中国为了种种条件阻碍之下，内部不能发生产业革命的原因。自鸦片战争及英法联军两次惨败后，曾国藩等遂于剿平太平天国及捻民运动的时候，才注意到洋务；然而曾氏总究是一个纯粹代表守旧的封建势力的人物，因之他所想学西方的，不是西方的文物制度，而是他们的长枪大炮。所以当时所谓洋务，不过是限于船炮建设，因而中国初期工业的生产方法革命，是限于重工业，而且是重工业中的军用工业。因为当时中国的封建统治阶级地位，已万分危险，不得不舍去向来鄙视外人的成见，以为保护残余统治最需要的船炮。在同治二年（公元一八六三年）以后，满清政府兴办了许多军用工业与对于军用工业有关系的新政，便是这样用意。李鸿章与张之洞因为比曾国藩迟三四十年逝世[2]，在这三四十年中，所受西方资本主义侵略的压迫深入了一步，落后的封建农村经济的崩溃，也更显著，所以在李张时代，他们不仅知道西洋枪炮武器远胜中国，就是其他实业，以及文物制度，亦已承认有优于中国的，他们除了造洋炮，买洋枪外，还要开工厂，办铁路，并且喊出“中学为体，西学为用”的主张。因此，曾国藩到李鸿章张之洞的过程中，从国内的经济意义上说，已由军用工业发展到官办工业的阶段。

然而严格说来，李张二人的事业，因为时代的演进，虽比曾国藩较为进步；但是他们仍和曾氏一样的立场。他们既然看到西洋的富强，并不单是坚甲利兵的政策，而他们所办事业，主要的着眼，还是在于军事方面，有许多因为军用工业的发展，必然的引起其他重工业部分，如煤铁工业的产生，和交通机关的革命。

在中国统治阶级一方面，为兴办军用工业而开发煤铁，为运输煤铁而开发交通；资本主义一方面，为要在中国发展商品推销，所以要开发中国交通；为开发交通，因而需要煤与铁，所以要开发中国的煤铁矿业。资本主义与中国封建统治，在不同的出发点之下，开始了中国初步资本主义的初步建设，李鸿章与张之洞就是完成这个初步建设的代表人物。这初步建设到甲午年中日一役，几乎全部击毁，而资本主义的商品侵略，因此而更得扩大发展。

资本主义破坏中国的小农经济，第一步就是破坏中国农村和都市借以生存的源泉的家庭工业与小手工业。在中国因为封建统治者对于初步建设时的观点不同，产业发达的步骤，与西欧相反，所以从军用工业转入官办工业后，已经引起轻工业部门的萌芽；同时，列强商品的侵略亦以交通机关的开发，而有加速的发展。然而在中日战争前数十年间，并没有达到以资本主义的工业来替代已经日渐破产的家庭工业及小手工业的地步。这是为了中国在产业革命开始时，还是销售先进国家工业之全部废料的大主顾，同时又是供给他们原料的根据地。落后国家当作先进国家原料的根据地，还是资本主义侵略的铁则之一；销售废料并且以废料为主要商品，那是中国特有的奇迹。在同治十年至光绪十年间（公元一八七一年——一八八四年），五金的入口从二百万增至五百万海关两，占入口总额百分之六十，直到光绪二十四年（公元一八九八年），入口的五金中，还是旧铁与锡占重要位置，当时上海某一位海关监督指出这种贸易的原由："工厂，造船厂以及炼钢厂的一切竹头木屑，格兰斯齐、利物浦及伦敦等地的荷马车的马和运货马的一切用过的马蹄铁，一切旧的铁轨，都能在中国找到销路。"[3]

铁与锡的大量输入，本可很快使中国工业化。可是当时铁是用来一部分制造农具外，很多做民间的武器——刺刀，长枪，铁棍等；锡是用来一部分制造家用及寺院器皿外，大多数盖伪造的纸钱——锡箔。这两种重要的入口货，前者是助长农民原始暴动的气势，后者是增加关于迷信的巨额消费；不但引不起中国工业化，反而使中国农村停滞于原始状态。

西方资本主义最初侵入中国的鸦片和五金的废物，鸦片盛而中国农田的产量减，废物多而中国农村的崩溃速。所以鸦片，铁和锡三种的输入，是资本主义侵略中国的三害。中国从军用工业转入官办工业，不能走上产业革命的路者以此，列强资本主义破坏了中国家庭工业与手工业后，不能立时把中国工业化者，亦以此。

不过在官办工业的一阶段中，因为政治上的援助，在轻工业部门方面，也有不少的建设：如左宗棠办织呢厂，张之洞办缫丝厂，李鸿章张謇办纱厂织布厂等，由官办而进于官商合办，或官督商办，虽以带有腐败的官僚气味的工厂，不能和先进资本主义工业竞争；也得立下基础，待机而动。何以甲午以后，这嫩弱的轻工业部门的萌芽，未曾发育滋长，即摧残殆尽？这当然还有更重要的原因。

这重要的原因有二，就是上一章提及的关税国定权与工业专有权之丧失。对于关税国定权丧失的害处，国人已经相当的明白，而于工业专有权丧失的利害关系，至今仍鲜注意及此，殊不知二者对于我国工商业有同样的重要。本书为节省篇幅计，关于关税国定权的丧失，略而不谈，单以工业专有权丧失的原因与影响，详为阐发，用以证明中国在同治光绪（十九世纪后半期）年间，外铄的工业革命终于不能进于工业化而立时引起中国产业革命的症结。

先说我国工业专有权丧失的原因。一国国民经济的生产能力与消费能力保持其略相一致，全靠市场调节，所以中国工业专有权的丧失，为市场独占权的丧失。自五口通商后，因为中国统治阶级的昏庸，国民对于经济常识的缺乏，外人在商埠开设工厂，视为无足轻重，当时虽无明文规定，历久已成为习惯。至中日战后所订《马关条约》中，在第六款第四项中有如下的规定：

> 凡日本臣民，得在中国通商口岸城邑，任便从事各项工业制造。……

这种条文，在昏庸的中国统治阶级看来，原为不足介意的文句；可是日本人已踌躇满志，从此倾销于中国的商品，即可搬运当地原料，榨取当地劳工，即于当地制造而销售于当地，恶例既开，凡与我有单方最惠条约之国家，皆可援利益均沾的成例，获得货物制造权。中国的工业专有权遂向国际开放，而列强资本主义侵略中国的步骤，至此已获得最后的胜利。

在经济上可以致富的要素，为劳力，原料与资本三种。中国有四万万人口，有丰富的原料，可以致富的三要素中已得其二，所以不能与人竞胜者，自杀的关税政策外，即为工业专有权的丧失。工业专有权丧失后，从生产上必需的条件观察，即可知其关系的重大。所谓生产上必需的条件，有工场的位置、资本、技术、经营能力、劳动力、原料与市场等七种。[4]

工场位置何以关系重要？因为工场第一要求的，须位于交通方便之地。原来交通机关的设备，实为使生产事业发达的一重要手段。试从生产事业而论所需的是货物之卖出与原料之买进。然生产货物，数量必大，如有剩余，不能不靠交通机关为之分散于各处；又如缺乏原料品时，亦不能不靠交通机关为之从各处集中。所以交通机关的发达与否，实为生产事业生死所关，这是工场位置须设置于交通方便地方，不说自明。而号称交通方便的地方，具体言之，不外航业，铁路经由之地。如从我国而论，合此条件的，当首推通商口岸。综合我国全部的通商口岸观察，非火车之所经，即为轮船必由之路。所以我国工业的发达，第一当以通商口岸为首。孰意我国对日本有《马关条约》第六款第四项的缔结，外人在通商口岸，都有工业制造权，而工场位置之一重要条件，已为外人均分去了，这是中国产业不易发达的原因之一。

如欲产业易于发达，当然要原料丰富。中国地大物博，宜乎对于这个条件，占有特别的优胜，产业亦可受重大的利益。其实不然，因为产业上所需的原料，大概不外二种：即特殊原料与一般原料，前者最显著的即是煤铁。无论何项产业，都应该需要的。而中国关于此两种原料的出产，大概非在崇山峻岭，交通不便之处；便在帝国主义势力支配之下。占中国煤产量首位的东四省的煤业，早非己有，即河北河南山东各重要煤矿，已鲜纯粹华资之公司。铁矿亦与煤矿相等，绝无希望。[5]

至于一般原料虽比较收集容易，然在我们自己收集，除少数享有减税特典的机械式工业外，其他一切的工业材料，其所经过沿途，关卡，须要纳出种种捐税的。在外国人则仅上一回子口税，即可任运各处加工制造。质言之，外国人在中国采取材料，反较中国自己更为容易是原料之条件，已不是中国能享其利益，这是中国产业不能发达的原因之二。

复次，如欲产业的发达，要大市场的存在，这个条件好像对于中国的产业有最大的利益。因为产业上所必需的，就是要自己货物能源源畅销，要得自己货物源源畅销，就是要大市场的存在。中国面积之大，人口之多，自然是个大的销货市场无疑，对于货物的畅销，确是一个理想地，如从这点而论，中国工业，确有发达的可能。但是自关税自主权丧失后，海关的门户洞开，外货便如潮涌至。自《马关条约》第六条第四项规定后，工业专有权丧失，外国商品在中国遂得大批制出，而中国之消费市场，遂与各国人共有，而演成供过于求之现象，货价当然跌落。轻工业才经萌芽的中国产业，如何能经此种压迫呢！这是中国产业不能发达的第三原因。

又次，资本亦是产业发达必要条件之一，这为资本主义之国家最所擅长，而为非资本主义国家之所短。因为现代工业，实以大规模的制造为其特质，顾此种大规模制造，非有巨额的固定资本与流动资本，不能与人竞争。其在资本未曾集中的国家，如欲经营此种事业，实为困难；然在已得集中的资本主义国家，其资本皆用工业式商业式借贷式的循环方法而得无限的膨胀，以之投资于制造事业，正是他们发挥本能的地方。在大鱼吃小鱼的铁则之下，演出大资本并合小资本，先进国压倒后进国的事情，当然就出现，这是经济上一般的原则。但在中国的情形又是如何？不消说正是资本缺乏的国家，如中国允许外人直接投资，他们大资本的公司，当然在中国高视阔步，垄断一切，中国小资本如何能抵抗，岂有不受压迫之理？这是中国产业不能发达的第四原因。

其次，劳动力为生产事业的一种要素，已成为一般通论。中国对于劳动力的供给，确是无限，中国的生产事业，应当立于最有利之地位。但是由《马关条约》外国人可以自由在中国雇用当地劳动者，使之从事制造事业，于是中国在生产上最有利的条件，亦被外人共通享有；他们资本既富，根基又固，中国产业家反立于受压迫地位。所以从劳动的条件而论，亦以工业专有权的丧失，从有利之地位，降于不利之地位。这是中国产业不发达的第五原因。

最后，为生产事业所必需的，尚有企业能力和技术人才两个条件，中国都立于不利地位。我们试分析来说，企业能力是经营事业的经验，与公司的内部组织，前者在后进国的人民，固甚缺乏，而在中国更形不足。至后者的要点，则在一国法律的监督保护问题，在资本主义国家，皆可以监督保护公司与股东的权利，而在中国，则各种公司皆为大力者所操纵，又加以连年政局纷乱，军阀专横，法律威严，堕地以尽，保护监督实不可期，无论公司有如何不端的情事发生，亦都置之不问，此即中国公司内部组织易生不良的原因。至技术人才，与一国科学发达的程度为正比例，中国科学既未形发达，则举凡专门的智识，熟练的手腕，当然不及各先进国的优良，此从企业能力和技术人才的条件上观察，中国产业不易发达之最后二原因。

据上述七种条件看来，我们可以得到结论，即劳动力，原料品，工场位置，市场四种，是为我之所长，外人之所短的；至资本企业能力，技术人才，则为我之所短，外人之所长的，但至《马关条约》一缔结后，为我们之所长的，外人已得而与我共有，为我们所短的，外人愈得发挥，在我仍是缺乏，遂使中国在初期的资本主义建设，不能使嫩弱的轻工业的萌芽，发荣滋长；同时亦是使资本主义破坏了中国的家庭工业与手工业后，没有达到以资本主义的工业来替代它们的地步。中日之役后的中国产业一蹶不振，与欧战后的民族工业一败涂地，都是必然的结果。

列强资本主义用枪和炮开辟了自己的道路；用鸦片和废物麻醉和毒害了中国的人民；用关税和价额的投机事业，束缚和绞死了中国产业：把中国在半世纪内变成了实际的殖民地。他们在中国内部树立了新的历史力量，在这种力量的影响之下，新的和旧的，前进的运动和停滞之间的矛盾，终于爆发着反抗的斗争。

参考

[1] 煤和铁，在公元一七五〇年以前，还为人所鄙视。到一七五〇

年后，煤才开始被采用为燃料，制铁业也渐次旺盛起来。不过那时还没有新式的熔矿炉，而是设置大风箱，以水力马力去运动而送风，这是一种很笨拙的方法。到了一七六〇年，斯米顿（Smeaton）发明了冲风炉（Blasthurnace），在这冲风炉中，设置了送风筒，比较以前的风箱是方便得多了，不过动力还是不能不利用水力。一七六九年，牛康门（Newcommen）的机关里，利用了瓦特（James Watt）蒸汽机的初步改良，使熔矿炉增加了许多方便。到一七九〇年，瓦特蒸汽机关才被采用于制铁工业，从此制铁工业的发展，乃有一日千里之势。在一七九〇年以后，关于精炼，碾铁及其他方面还有许多新的发明。一八二八年，纳尔逊发明热风法（Hot Blast）以代冷风法（Cold Blast），这个发明可以节省煤的消耗。一八五五年拍塞（Bessemer）更有新的发明，能够把熔解了的铁，直接从矿炉里变成钢铁。一八六四年，西门司和马丁（Pemeus and Martin）发明了开炉法，一八七五年，托马斯和季尔克立斯（Thomas and Gilchrist）发明了基性法（Basic Process）。由以上这些发明，使近世的煤和钢铁的生产，才有了可惊的增加，而这些关于开发煤铁工业上的发明，都是轻工业发达所引起的需要。

[2] 曾国藩于同治十一年（公元一八七二年）逝世，李鸿章于光绪二十七年（公元一九〇一年）逝世，张之洞于宣统元年（公元一九〇九年）逝世。

[3] 关于中国在十九世纪后半期，专销列强的废物，历来没有人注意到；在兰谟（C. F. Remer）的 *The Foreign Trade of China*，第三十五和五十五页中曾有此种记载。

[4] 漆树芬《经济侵略下之中国》第三编，关于国际投资的利害与

工业专有权丧失的关系，分析详尽，可以参看。

[5] 参考中国经济情报社《中国经济论文集·工业门》，《帝国主义控制下的中国煤矿业》一文。

第七章　里应外合的日祸

资本主义侵略的三时代　日本获得东亚宗主国身份　日本初期侵略的外交路线　民国成立时的屈服　改变了侵略政策　二千五百万金镑的卖国大借款　攻取青岛的蛮横　破坏国防惯例的“二十一条”要求　威吓利诱的交涉　袁氏称帝与日本的播弄　天地变色的日俄协约　苟延了若干年的国脉　八面下网的侵略手段　欣然同意的卖国照会　二年投资几达五万万元　兰辛受骗　和会中的失败　外交方式的转变

资本主义侵略中国，从鸦片战争至中日战争为第一期，英帝国为侵略的先锋，西欧五强步其后尘，各亟亟于势力范围与利益范围的拓殖，以侵略非洲者侵略远东，不到半世纪，停滞在农村经济的东方古国，已成为资本主义国家的新市场。因为资本主义相互间的利害冲突，到了十九世纪末叶，远东的中国问题也和近东的土耳其问题同样地陷于严重状态。

中日一役，向称为东方大国的中国竟为后起的日本岛国所惨败，从此，中国的庸弱无能，大暴于天下，而列强侵略的形势，亦急转直下。西欧六强各于已得之利益，巩固其势力范围与利益范围的基础，日本亦以战胜国的地位，并借其近水楼台的优势，作露骨的侵略。所谓势力范围与利益范围，实即垄断范围内的一切权利利益，不许他国政治权的侵入，更进一步即为造成中国瓜分之局。美国门户开放的宣言发出后，列强即以相互之利益，为相互之约束，从前对中国单独竞取的利己主义，一变而为列强统一合议的缓和行动：这是资本主义侵略中国的第二期。

日俄一役后《波子玛斯和约》中，日本虽未获得一元的赔款[1]，而极东岛国已一跃为世界一等国的班次。日本既为世界列强之一，则其在东亚的地位，好像欧洲六强之于欧洲，与美国之在美洲，取得领袖国的身份，以后任何国家有事于东亚，非经日本认可，不能进行。

至此，日本遂利用西欧资本主义国家在东亚统一合议的缓和行动之下，括列强的轨道于一致，而自居于中国的宗主国之地位，开始雄霸东亚，独占中国的政策。列强虽在利益均沾的成约之下，仍得加紧侵略中国，然中国问题的处分，其原动力已由西欧六强转移于日本一国，这是资本主义侵略中国的第三期。这一期的侵略，肇始于光绪三十一年（公元一九〇五年）的《日英新同盟条约》[2]，成熟于袁世凯的称帝，活跃于段祺瑞的主政，三十年来一脉相传，至今犹在急进的过程中，中国政治上经济上的任何问题，均与日帝国主义的侵略政策有关：倘谓近百年来的中国史，为资本主义的侵略史，则近三十年来的中国史，可称为日帝国主义的侵略史。

日帝国开始侵略中国，虽远在中日战争以前，然其雄霸东亚，独占中国的野心，则开始于战败俄国之后。日本因在外交上获得英帝国的同情，遂引起法俄美诸国的不安，而有日法，日俄，日美的缔约，造成东亚外交上重要地位，升入世界列强的伴侣。自此以后，列强有事于东亚，必先商承于日本，而日本有事于中国，则又单独进行，力避各国的牵制；清末的大借款事件，日本不参加四国借款，另成铁道公债借款一千万元，即其明证。惟当时日本经过两次战事，元气亦损伤不少，虽以战胜而跻于一等强国，究其实力尚远逊于英法诸国。且俄虽战败，仍为日本大陆上的劲敌；美纵唱门罗主义，而太平洋上海军的实力，日本不能望其项背；其他西欧列强在东亚的势力范围亦已根深蒂固，远非后起的日本所可轻侮。因此，在这一时期的日本，仅在外交上活跃，而其最大目的在并吞韩国，对于中国的侵略，仅在外交上利用利益均沾的局面，获得若干利益而已。

日本在外交上既获胜利，并吞韩国，当然没有问题，遂作进一步的侵略，而有日俄第二次密约的缔结。日俄第二次密约成而长春以南内蒙古的一部分归于日本，长春以北及其余的蒙古地域，归于俄国，约以互相援助，不相牵制，更许西藏的权利与英国，于是保全中国领土的约束，已由日本开始侵略大陆政策而潜为变化。[3]此种密约的进行，正值民国成立的第一年。北京政府几经交涉，蒙藏独立名义，始得取消。然于承认民国政府的时候，英俄二国以中国承认藏蒙自治为附带条件，日本以满蒙五铁道的建筑权为附带条件，故在中华民国成立时已将满，蒙，藏三大区域，在恢复前清外交状态时，已拱手让人。民国第一次外交，即这样屈服，过去痛骂清朝政府的觉悟分子，不知作何感想？

日本侵略中国，到民国成立已经成熟。过去以国力未充，尚用外交手腕，使远东维持均势的局面，而自处于领袖国的地位；至此，西欧资本主义国家已在欧洲大陆利害冲突，日趋于尖锐化，他们对于远东，仅能维持其既获的利益，无暇再事拓殖。中国虽经革命成功，而革命政府已为北洋军阀与亲日政客所盘踞，于是日本对于中国的侵略，放弃其过去运用外交手腕的间接侵略，采取其直接的武力压迫。并利用政客，勾结汉奸，以造成内应外合的侵略局面。

民国成立初最关重要的事件，即为民国二年五国银行团的二千五百万金镑大借款。这次借款的条件中，竟有聘用外人稽核盐务及审计用途的订定，实为前清历次借款所未有，而开外人干预财政的开端；岂但干预财政而已，国民党的被压迫，二次革命的失败，以及袁世凯的专权，都是这次大借款的力量。当这借款成立时，五国银行团各仰本国外务部的意志，故有许多苛酷条件。

及至契约订成而欧洲战机日迫，日本获此千载难逢之机会，遂大事活动，想把并吞韩国的故技，再以施之中国，以完成其大亚细亚政策。

大借款成立的次年（民国三年），世界大战爆发，中国昧于世界情势，宣言中立。日本对德宣战，临时由驻京日公使通知中国外交部，袁氏接此通知，也要求与日本共同出兵攻青岛，终为日政府所拒绝。日本虽云用兵青岛，其实志在山东全省，以为臣属中国的入手。故其出发海陆军二万余人，不径攻青岛，偏由龙口上岸，横穿半岛以达胶州；所过城镇与邮电机关，尽行占管，征发物品，役使人民，视同敌国。袁氏无可如何，乃宣告中外，画莱州、龙口及接近胶州湾为交战地，此外各处，仍严守中立。而日兵步步进逼，驱逐中国军队，直趋济南，并占领胶济铁路全线及附近矿产，并以占领的机关悉用日本人。青岛降服后，袁氏以战事已结束，要求青岛以外山东内地的日军，撤回青岛并宣告取消中立。日公使答复谓奉本国政府训令，此项取消之举，实属独断，没却国际情谊，帝国政府不胜惊愕，并不胜愤懑，决不令山东的帝国军队，受此取消之拘束云云。同时日本报纸及伦敦《太晤士报》的日本通讯皆诬中国欲与德国同盟，将效土耳其助德国与协约国宣战，以淆惑英德各国的视听，以为征服中国的张本。当初对德最后通牒中，明言胶州湾归还中国的宣言，至此亦已狡赖。因为那时日本政府已决定向中国积极处分，故四年一月九日日公使拒绝撤兵，而同月十八日大隈内阁乘袁氏要求撤兵的机会，命驻华公使日置益破国际惯例，径向中国元首袁世凯提出五号二十一条的要求。

“二十一条”提出时，正当欧战方酣，列强无暇干涉远东；加之协约国以日本助战之故，不愿以中国问题与之为难。中国方面，袁氏方潜图帝业，民党方潜图反抗，左推右挽，悉在日本操纵之中。而北京部员早经日本养成为韩国一进会李容九第二者，争先卖国，力事内应，所以即使没有山东事件，斯时亦有“二十一条”的提出。因为日本侵略中国，至此已是“只达目的，不择手段”[4]的时期，故日置益提出条件后，即诱惑袁世凯[5]，运动外交官[6]，指定中国所派之人员[7]，不准会议时设正式记录，不准中国另提对案，故意更改中国总代表的言论，反诬中国擅自涂改，故意坠马延会，辱中国全权，就床前会议[8]；又于谈判紧急之时，日派海陆军并进，且正式提出最后通牒，侮辱之甚，已达极点。此种要求，纯是帝国主义灭人国家之条件或战胜国压迫战败国的条件，今无端向中立国为此要挟，实历史上国际间的创举。计自中日战争以来，不过二十年光景，日本已雄霸东亚，西欧资本主义国家为之侧目；中国的积弱无能，已在土耳其，波斯，暹罗之下：一强一弱，犹如云泥，盖有中国之自侮而始有日帝国之侮中国也。

袁世凯称帝之志，始于民国二年解散国会，驱逐民党于海外的时候。最初欲德国的承认，密与德国公使及青岛总督有所接洽。民国三年，德将与俄法宣战，为维持中德和平关系，青岛总督有秘密承认袁氏称帝的文件。此等文件，于青岛降服后落于日本人之手，日本始悉袁氏称帝的决心，视为奇货可居。日政府即密电袁氏称帝，至再至三，袁氏亦知日人将以此为条件而有所求，故佯为拒绝[9]。日本深知袁氏称帝之欲甚高，故在民四借山东撤兵问题，不惜破坏国际惯例，直接向袁氏提出“二十一条”，乘机引诱袁氏的帝欲。日本引诱袁氏称帝，其意乃在借此以启中国内乱，并非变共和为君宪，对于日本国体有益而出此。故当帝制初步进行，彼邦有力人物及报界论载，多表赞成，及至各省代表组织的国民代表大会实行投票，帝制行见成功的时候，日公使小幡酉吉忽约同英俄两国公使，提出警告，继又一再单独质问，终于联合五国公使明显地作干涉帝制的警告。袁氏至此，万分狼狈，拟牺牲某项权利，为日本承认帝制的交换条件，遂借祝贺日皇即位大典的名义，派周自齐为特使，日政府竟以俄国大使，将至东京，不便迎接中国特使，以避两国的误会为辞，拒绝周氏赴日。同时派多数军人策士，参加中国之抗袁运动，一面于满洲召集清室的宗社党，组织讨袁军，亦名勤王军[10]，更招蒙匪南犯，以壮勤王军的声势，而图扰乱中国全局。以攫取无上权利，其侵略的野心，盖已昭然若揭。

日本乘欧战初起，假英日同盟的名义，驱逐德国势力于山东而代领之；又假袁氏称帝而威迫签订“二十一条”，事实上完全破坏中国独立与各国均势之局。不过独占中国的优越地位，列国终有所不显。美国已于日本对中国提出最后通牒时，发表不承认侵害美国与中国条约上的权利，或侵害中国的独立及领土，与列强工商业均等主义云云。日本恐欧战结束时，外交上陷于孤立无援，故于“二十一条”的签订后，急欲乘大战未了之先，使英俄法美承认日本在中国的优越地位。如得此种保障，则以后对于中国何等自由行动，皆可从心所欲。然此种政策，英美法三国不易赞同，惟俄国所处地位，与日相若，且自对德宣战后，日本曾竭全力以接济俄之军火，并示十分好感，俄政府亦以大敌当前，东方得此有力之助手，遂乐于同盟。袁氏为称帝事件拟派周自齐东渡疏通，而为日政府挡驾的原因，即为俄国派遣大使赴日订盟之事，此即民国五年七月日俄政府发表的新协约，此约成而中国的天地变色。因为民四“二十一条”的中日约协，虽已破坏中国之独立与领土保全，又破坏列强均势之局；然不过为日本一国单独行动，其他有关系列强，尚未一致承认。现在欧亚两大陆军国结为一体，明白宣布中国的权利利益，为日俄两国所垄断。在条约中两国之互相承认既无范围，又有协商对付被侵迫的手段，则势之所及，中国宁有完肤：故曰此约成而中国的天地变色。

且本协约外，另有密约，这是民国六年十二月俄国革命后劳农政府反对专制侵略政策，宣布废弃，而后才知道。密约的主要部分为防御同盟，假使列强中对日本有实际干涉时，日本势必要求俄国执行密约的义务，而以中国为第二次大战的战场；假使竟无第三国出面干涉，则中国惟有为日俄两国垄断吞噬而已。所以这次密约，实已制中国的死命；亦即资本帝国主义对付中国的最后一张契约。幸而签约的次年，俄国忽起掀天动地的大革命，李宁举所有沙皇时代的侵略性条约，一律废弃。日本获得意外的打击，而中国亦于梦寐间苟延了若干年的国脉。

欧战勃发后，中国人多数主张中立。日本攻取青岛，袁氏即拟共同出兵，为日本所拒，对德宣战，又为日本所不许。及至“二十一条”签订后，英国亦悟中国不加入协约国之不利，且以中国中立之故，对于德国的庚子赔款，照常给付，德人即以此为妨害协约国的活动，尤为英法俄三国所不快；三国公使乃诱袁氏加入战争，袁氏答以中国此前自请加入，既被拒绝，现在亦有所未便。三公使一再邀请中国加入，并拟邀请日本共同与中国交涉，仍为日本所拒绝，且有“如中国加入战争，四百兆人民，一旦发扬对外精神，于日本大不利”等的措词；更声明以后与中国交涉，必先通知日本，英政府对此不敢有异议，法俄亦不敢再请中国加入作战。嗣以德国宣布无限制使用潜航艇，美国首先对德绝交，并请世界各中立国一同对德绝交，中国乃亦对德提出抗议；日本知大势所趋，无可强制，惟一面仍要表示干涉中国外交，故于对德抗议提出后，日公使至外交部有“此等大事，中国不告知日本，甚为遗憾，此后应请中国政府注意”云云。一面竭力与英法俄意四国驻日大使，为个别的秘密交涉，以为日本承认中国加入协约国的条件。并要求各国保证日本接收德国在山东的一切权利，与已经日本占领南洋赤道以北诸岛屿，次第得各国承认。此等约束，异常秘密，除当事国的政府外，无有知之者。及俄国革命后，始为劳农政府所发表[11]。此种险辣外交方略，固为当时我国政府与国民所梦想不到。惟俄国劳农政府在民国六年十二月中发表此种密约时，我国驻俄使馆中人，对此生死关头的重要文件发表，竟亦未曾注意，并无只字报告本国政府，以致我国全国人民和当时的南北政府，直至民八欧战终止之后，还兴高采烈，希望议和大使在和会中间，收回青岛，取消“二十一条”的中日协约，一场春梦，到了开议山东问题时，才知列强均为密约所拘束，爱莫能助，我国人才知两年以前，已被日本制其死命。日本对于中国竟用八面下网之计，而中国政府与官吏的昏庸，与满清时代如同一辙。

日本既以攻取青岛而占领山东，将胶济铁路全线及附近各矿业的中国人员，悉数躯逐，改用日人，更于民六在青岛设行政总署，在坊子，张店，李村，潍县，济南各处设分署，受理山东人民的一切民刑诉讼，抽收捐税，视同本国领土，虽中国政府先后抗议，皆不理会。及中国对德宣战，亦为协约国的一员，日本对于山东，不便永久视同征服地，又逆知中国将来在世界和会中必诉日本的侵害，虽英法俄意已有密约，然尚有美国出而作梗，故欲使在和会中遏止中国的控诉与抵制美国的援助，必须为万重之保障。于是民七驻日公使章宗祥与日本兴业银行副总裁小野英二郎缔结济顺、高徐二铁路预备借款契约的勾当，突然成立。当时中国内战方殷，饮鸩止渴，亦所不惜，章氏在答复日本外务大臣的照会中竟有“欣然同意”的话头，此四字实巴黎和会山东问题失败之毒根，亦即中国政府断送山东的契约。

盖自日本占领山东后，先以民四“二十一条”迫中国承认山东权利归日本为第一重保障；民六日允中国参战为条件，迫英法俄意承认山东权利移归日本为第二重保障；章氏更以“欣然同意”四字的照会送去，不啻为日本洗刷“二十一条”的中日条约，并非出于日本的威迫，以塞将来反抗的口实，此为第三重保障。章氏“欣然同意”的复文，原为日本所拟的稿，中国政府以依此可以解决山东问题，又能得二千万元十足垫款，故不顾一切而照书之，不但异日巴黎和会山东问题根本失败，且又断送了超过“二十一条”以外的许多权利[12]。日本寺尾内阁下野后，也自夸侵略中国的功绩，谓大隈内阁向中国要求“二十一条”，惹得中国全国的怨恨，而日本并无实在利益；本人在任期内，借与中国的借款，三倍于从前之数，实际日本对于中国所得的权利，何止十倍于“二十一条”云云。查中国自前清至民国六年八月以前，其所借日本之款，共为一亿二千万元，而寺尾于二年之内，竟达五万万元之多，且其所借大半为对西南军费之用，南北战争的惨酷，与战争期间的延长，实原于此！故中国国内惨酷的战争，日本造成之，战争的延长，亦日本造成之。换言之，北方主战派不啻奉日本之命，攻伐西南，而西南殆间接与日本宣战。

日本所以延长中国内乱，有三大原因：一使中国在欧战期内，以内战而不能尽参战之职任，以免增高国际上的资格；二则使中国以内战而不得不仰求于日本的借款，以掠夺中国种种权利；三则可以消磨中国国家元气，阻害其发展图强的希望。以此三种原因便利用欧战机会以资助北洋军阀为惟一之手段，遂在民六民七两年内，除《军事协定》为日军阀利用参战名义，实行侵略中国外，其他各项借款契约，都是寺尾内阁以促进两国财政金融互相提携的名词，实行其助长中国内乱掠夺中国种种权利的阴谋。

日政府对于中国既获全部胜利后，惟美国尚未入壳，急思用他种方式，使美国入其网罗，适值美国禁止金铁出口，影响于日本不利，日即借此遣派石井菊次郎为全权特使，赴美协议。美初以为石井之来，亦如英法等国的特使专为致谢美国参战而来，不疑其于东亚外交上有特殊的使命，而石井亦再三表示与对华毫无侵害的用意。嗣与美国务卿兰辛会见，在普通酬酢中，轻轻骗上兰辛，签订协定；此民六十一月二日事也。日本既订《日美协定》，即曲解条文，对于中国自认有特殊地位。

至此，日本对于异日和会席上，已可高枕无忧，侵略中国的策略，亦大告完成。

欧洲大战至民国七年十月初旬，协约国完全胜利，德奥自请休战，事实上战事将告结束，而召开和会之期不远，日即以中国参战不力，中伤中国于和会之资格；继又窃偷陆全权文书，以妨碍中国代表的活动[13]，加之巴黎和会仅有外交公开为标帜；实际仍是闭门独断的机关。和会实权，既为五强垄断，威尔逊亦已孤掌难鸣，一切重要事件，不过四头三头在私邸私自取议。我国代表提出的希望条件，概为和会拒绝，要求青岛直接交还，亦遭失败；又以和会代表均非亲日派，日本因有制止中国代表发言的要求。美以中国代表数次请求援助，乃有以青岛交五强处置为调处，仍不成立。是时和会中意以阜姆问题退出，英法均为密约束缚而无置喙余地，能为中国出力者仅一美国；然以中国另有"欣然同意"的束缚，遂使美国亦感困难。中国代表以步步退让，终不得和会接受，故拒绝和约签字；数年来全国上下一线希望，至此尽成泡影。北京政府始终主张签字的，接到陆全权等的报告，惊愕失措，大为不然，惟亦无法挽回，深悔代表人选之不当，盖出席和会之代表，没有一人是亲日的。

先是，在四月二十二日威尔逊于最高会议向我国代表声明美国不能贯彻主张后，陆全权等向北京政府电告情形，谓此项和会失败的原因，一由于民六二三月间，日本与英德诸国有青岛让归日本的密约；二由于民七九月我国当局与日政府有“欣然同意”的“山东换文”，遂使美国无从为力云云。此电一到，群情愤怒，便激成全国学生空前的爱国运动。

巴黎和会的压迫中国，固为中国千古痛史的一页，然从此中国已由旧式外交一变为新式外交，盖我国九十年来的外交事件，专由政府少数人秘密包办，帝国主义利用此弱点，挟持少数人以掠夺我国的权利，我国军阀官僚亦利用此弱点，以实行其卖国利己的企图。至此，乃一变而为公开的国民外交之趋势，因为此项不签约的原因，出于留欧学生团和华侨竭力反对，且围陆徵祥住宅以示威。及至电告本国，又有空前的爱国运动，到了直接交涉问题发生，而全国更有一致罢课的表示，使中国对外精神发挥于世界，卒使直接交涉的政府，不得不从国民的主张，这是以前所未有的现象。故山东问题的失败，是我国一部外交失败史，是一部国权丧失史，同时也是一部日帝国主义侵略成功史。中国真能从此转弯回头以求一线生机乎？曰，否！否！“九·一八”之后，又有“一·二八”，继“一·二八”之后的，只见其急进，未见其中止[14]；然则外交上何以一度转弯回头，东方的古国还是沉沦下去呢？这是后话，且看下文。

参考

[1]《波子玛斯和约》谈判时，日本向俄国要求报偿十二亿元、归还桦太岛北部之地。俄国以此役日军未进俄国领土一步，仅失所获中国的利益，不以战败自居，赔款分文不肯承认，故谈判几经波折；结果，俄国仅割桦太岛南半部与日本，日本为战争而消费的十五亿八百四十七万元的军费，在此和约中未得一元的偿金。

[2] 日英同盟第一次为光绪二十八年（公元一九〇二年），第二次为光绪三十一年。第二次同盟条约中，与旧约不同的，为旧约不过防守同盟，新约则为攻守同盟；旧约日本对于韩国有特殊利益而止，新约则有指导监督之必要处分权。故第二次日英同盟，为列强承认日本并吞韩国的先声，而种日本单独侵略中国的根源。

[3] 日俄第一次密约订于宣统二年（公元一九一〇年），第二次密约订于民国元年（公元一九一二年），英国对付西藏的政策，以俄

国对外蒙的办法为标准，遂于民国元年助西藏独立。

[4] 当“二十一条”未提出时，加藤高明秘密训令日使有“宜用种种方法，以求达到此目的”等语。

[5] 日置益对袁氏谓日本臣民，大半以为贵总统反对日本，若不开诚交涉，是反对日本之证；若开诚交涉，则日本希望贵总统高升一步。袁氏心怀疑惑，卒堕计中，虽经十九省将军及全国各界苦请宣布，卒以“外交秘密”四字搪塞国人，而委托于日置益指定之陆徵祥、曹汝霖二人，遂铸成大错。

[6] 当时外交总长陆徵祥主将条件宣布，次长曹汝霖为日人运动，终于以民气嚣张，一经宣布，舆论沸腾，措施益难而为之阻止。

[7] 当日谈判代表陆曹二氏，系日置益指定。

[8] 议至第二号第二第三两项时，几度让步，已无转旋之余地，日本忽海陆军并进，以示威胁，中国政府表面虽示镇静，而极欲会议进行。日使忽称坠马受伤，不能出席，陆、曹二全权乃亲赴使馆，又以不能下床，终致到私室床前会议，开外交界未有之创闻。

[9] 二十三年十月十八日《时报》苍松通信稿，题为“烈士暮年”，中有“揭穿秘戏”一节，说及张伯烈在民八广州非常国会议员任内，曾作一篇《政潮秘史》，对于山东问题，归咎于研究系的汤、梁，新旧交通系的曹、陆、梁等，其事虽未必尽确，然足供参考。张谓帝制发动于宋芸子倡君主之时，在“二十一条”之先。邻国跋相屡次密电袁氏称帝，袁曰“称帝须自动”，以不就范围，故激出“二十一条”的交涉，帝制遂停顿，直至交涉案了，杨某的筹安会出。

[10] 清朝亡国后，日本罗致清室宗社党一班首领，住于大连，至袁氏

称帝时，日政府即拥肃亲王纠合宗社党，谋于满州举勤王军，以讨袁氏，其军费由日本大仓喜八郎出名借贷日金一百万元，以肃亲王的财产作抵，内以三十万元由肃亲王召集宗社党三千人（马贼占多数）至大连，由日本军官编练成军，余七十万元由日本陆军大佐土井等率领日本后备军人另组一军，混入于勤王军内。犹恐军力单薄，更招蒙匪南下，供给蒙古巨匪首领名巴布哲布者，以多数武器，嗾使举兵南犯，以与勤王军援应。后以袁氏病死，日本不肯即罢休，仍促蒙匪南犯，遂酿成“郑家屯事件”。

[11] 参看刘彦《帝国主义压迫中国史》下卷第二十三章，中国对德奥宣战及南北战争之日祸中，有俄使关于山东密约的函件。

[12] 参看刘彦《帝国主义压迫中国史》下卷第二十三章一三三页。

[13] 陆徵祥自本国启程，政府预备和会应用一切重要文书，由陆氏携带，船经日本，被窃丁字文书一箱，盖日本急欲探悉我国在和会的提案，故出此不择手段，当时外报亦指此事为日本不道德的举动。

[14] “九·一八”后虽失了东北四省，而民气消沉更甚于前。日本在华霸权的增加，更是一日千里。国人仅知军事侵略的凶横，不知经济侵略已把整个中国殖民地化了。东北原为出超，“九·一八”后亦已成为入超。华北方面自从《塘沽协定》签订后，黄河以北，已如“九·一八”前的东三省，即以山东一省而论，日人投资于工商两业的已达九亿七千万元。其在华南，也有急转直下之势，绝对不输入日货的广东，最近也已公开输入，汕头方面，尤为充斥。总之日本于占有东四省后，即企图独占整个中国的市场，企图控制整个中国的经济，现在已达到一个新的阶段了。

第四编　赶上歧途的民族运动

第八章　原始暴动的演进

近代民族运动的第一颗种子　从双重剥削而激成的群众革命运动　团结太平天国的中心信仰　资本主义的土地政策　为了资本主义革命条件未成熟而失败　从原始暴动转变到近代民族运动　封建统治的妥协外夷以安内　封建统治又复稳定　借用外力外资的开始　初期民族运动的一种过渡形态

在鸦片战争前，因为鸦片的输入，以致社会生活发生变动，已如第四章所述。这种影响最深的是广东，因为广东是最早与外人贸易，也是鸦片输入最多的地方；所以在鸦片战争前，广东的农村生活已经起了变化：本来是安定的能够自给的社会，到这时候已渐渐地感觉贫乏与骚乱的现象了。

鸦片战争开始后，广东首当其冲，当鸦片战争第一次在广东议和时（公元一八四一年），广东方面出赔款六百万元与英国，这六百万元中，除了四百万元由藩司、运司、海关三库发给外，余二百万元直接取诸广东人民，而其三库所拨的四百万元，自然也是间接取诸人民。广东本已感受经济贫乏的压迫，加上这笔巨额的赔款，更引起社会的不安，又加以英军在各处恣意骚扰，终于大战之后，又激起农民的原始暴动——平英团运动。农民的原始武装暴动，在历史上是一件极常见的事，不过向来原始的农民暴动，是对准着封建统治阶级，这回平英团运动是因为资本主义的经济侵略；所以平英团运动是开始了中国近代的农民暴动，也是中国近代民族运动的第一颗种子，它是由鸦片战争直接所激起的，所以鸦片战争结束以后，平英团运动也就随着消沉。

这样，平英团运动在史的意义上是很有价值的，因为关于它的记载很简单，不足以充分表现当时农民的原始暴动的精神；但在《清史》中一段简单的叙述[1]，已可看出当日农民暴动的力量，足使资本主义者畏怯。

如果以平英团运动为中国近代民族运动的第一颗

种子，那么太平天国运动便是中国民族运动的第一支萌芽。因为太平天国运动是真正的自发的群众运动，它是推进中国民族运动最有力量的一次农民原始暴动。

经过了鸦片一役，遂使满清统治阶级对于资本主义先进国的投降，于是中国应付的赔款，由六百万元增加到二千一百万元。而且鸦片战争后：一方面资本主义侵略的长驱直入，很快地引起了农村经济的破产——资本主义的商品经济，战胜了自足自给的小农经济，遂使资本主义商品侵略的发展，与农业经济的破产，在同样的比例发展起来；在另一方面，中国战败的结果，不仅在国际上揭破了“上国天邦”的纸老虎的弱点，而且国内暴露了统治阶级的无能。农村经济的破产，使统治阶级在税收上不能不受影响。而战后的赔款与种种善后布置，在在需费，税收既因农村经济的衰落而减少，支出反因战败的结果而膨胀，战前的收支已不能相符，战后又来了这样相反的现象，财政困难，临到山穷水尽的境地。要维持这残余的统治，只有加重于民众的剥削。于是农村经济更快的崩溃，生活在落后的封建社会的农民，在资本主义与本国统治阶级两重剥削之下，为饥寒压迫所驱使，必然地使那局部的零星的暴动，成为伟大的群众革命运动了。

一个群众的原始暴动，在短时间内发动几千万的人民，占据十几省的区域，支持至十余年之久，这种伟大的群众革命运动，并不是一种简单的争天下夺江山的把戏，而带有浓厚的民族感情的运动。它在客观上是接受了资本主义影响的反封建剥削的革命运动，在这种原始暴动中，当然不会有很正确的意识与路线，然在他们的《奉天讨胡檄》文中[2]充分地表现出他们运动的意义：一是反对满清，一是反抗帝国主义；所以太平天国是继续平英团运动的群众的反帝国主义运动之展开。虽然在太平天国运动中并没有鲜明的反帝国的旗帜，但这一点并没有减少其反帝国主义的意义；因为没有鲜明的旗帜，是一切原始的群众运动的普遍现象。

太平天国的领袖大都是天主教信徒，而天主教就成为团结太平天国群众的中心思想。本来西欧资本主义侵入中国后，传教已成了这些资本主义先进国家侵略中国的一种手段，这种文化的侵略，可以麻醉中国人民的民族精神，可以缓和排外的心理。但是太平天国的天主教宣传，事实上并不是替侵略国家尽了文化侵略的作用，而是用以团结群众作为群众共同的理想追求的目标。因为在一个原始的农民暴动中，事实既不能有正确的理论指导，而又不能不有一个共同信仰的中心信仰，所以原始暴动不能不染有迷信神怪的色彩，因为如果没有这种迷信没有这种神怪，就没有一种理想的力来团结群众，也就不能发动一种广大的群众运动。太平天国运动在鸦片战争以后，即在西欧资本侵略以后，它的本身是资本主义侵略下的一种反动；然而多少已受了资本主义的影响，所以已经相当程度的挣脱封建宗法社会的迷信，而以带有浓厚的资本主义色彩的天主教来用作团结群众的理想中心。不过我们深信是太平天国虽然利用宗教，并没有帝国主义之工具的作用，如果有了为帝国主义的工具的作用，那么帝国主义的洋枪队，再也不会帮助满清政府去打它们了，关于这一点可以从《原道醒世训》上面[3]得到有力的证据。

太平天国运动虽然有十余年的历史，但它无时无日不在与统治阶级激战中，事实逼迫它必须倾全力来与统治阶级周旋，因而顾不到内部政治经济的建设。但在太平天国占领的区域内，社会经济已起了极大的变化，它不但是一种反封建的运动，而且彻底地推翻了建筑在封建剥削关系上的旧社会经济制度。在太平天国统治的地方，旧有统治阶级被推翻，土地没收为公有，再由公家分给农民，这种含有积极的建设资本主义意义的土地革命的制度，其详细办法，规定在《天朝田亩制度》中，这是太平天国的最重要的文献[4]，研究太平天国运动的惟一资料。在这《天朝田亩制度》中，最可注意的如："凡分田照人口，不论男妇，算其家人口多寡，人多则分多，人寡则分寡。""凡天下田，天下同耕。""务使天下共享天父上主皇上帝大福，有田同耕，有饭同食，有衣同穿，有钱同使，无处不均匀，无人不饱暖也。"这种近乎原始共产主义的办法，是寄托于农村土地关系的封建剥削所引起的反响，也是含有积极建设资本主义制度的意义。太平天国运动之所以能够很快的发展，在乎它能够得到广大的群众的拥护，其所以能够得到广大群众的拥护，就在乎它的急进的资本主义的土地政纲，因为人民在残酷的封建剥削之下，已不能维持其自足自给的安定生活，而封建的剥削，是寄托在封建的土地关系之上，所以太平天国以解决土地问题相号召，很快就得到群众的拥护。

太平天国运动失败的原因，有的说是内部不能团结，有的说没有纪律，有的说单纯的军事上的错误，有的说没有与国际上取联络，也有的说它行为太激烈之故，其实这些都是次要的原因。太平天国之所以失败，其惟一的主要原因，就在资本主义革命的条件还没有长成，代表封建势力的统治阶级，虽然因为西方资本主义的商品侵略而开始动摇，然而整个的社会经济，还是封建的小农经济，庸弱无能的统治阶级，还是惟一有力量的统治者。群众方面因为缺乏独立的经济基础，即使为了国际形势的逼迫，而能一轰而起，终于不能坚持过久。并且农民本来是可左可右的二重性的分子，又是非常散漫与没有独立的阶级基础，如果没有先进阶级的领导，则农民运动便不容易脱离原始无政府的状态；太平天国犯了这种弊病，不是偶然的错误，也不是任何领袖领导不当的过失，而是必然的现象。统治阶级即使临了极度的动摇，极度的无能，他们终究还有独立的阶级基础，他们有数千年来遗留下来的精神工具——纲常名教，一切旧的封建道德的意识与习惯。一个没有阶级基础没有核心领导的原始的群众运动，要获到最后胜利，那是不可能的事。

太平天国运动伟大的历史的意义，因为它比过去一切农民原始暴动彻底得多，它已经跳出了封建宗法社会的圈套，开始接受先进资本主义的影响，它很勇敢地起来与封建宗法社会的一切礼教文化决斗，所以太平天国运动，已把中国数千年来礼义人伦诗书典则扫荡净尽。在过去任何一种暴动，总是敬畏神祇的，而太平天国对于先圣大贤忠臣义士，以及一切庙宇道院一扫而光，难怪尊王卫道的曾国藩看来，大声疾呼它是“岂独我大清之变，乃开辟以来，名教之巨变”了。[5]太平天国在一般人当它比过去的流寇还凶恶，就是为此；而太平天国运动从原始的农民暴动，转变到近代的民族运动，也是为此。

太平天国运动虽然已经倾向近代民族运动，它还是不能与资本主义先进国家的统治阶级妥协，这是因为资本主义先进国家的统治阶级，对于落后国家的资本主义的革命，必然取压迫的态度。他们不希望落后国家的经济发展，才可以永久地失去了抵抗侵略的能力，才可以容许他们诛求无厌的侵略。如果落后国家也去依样画葫芦，创造一个健全的资本主义的国家，那就先进国家失去了侵略的对象，资本主义先进国家既不愿落后国家的进步，必然地要压迫落后国家进步的革命运动，亦必然地要与落后国家的反动的统治阶级联系起来。封建的统治阶级，虽然一方面也感觉到先进国家侵略的痛苦，然而当国内发生革命运动的时候，他们便会立刻对外来的侵略者妥协，甚至不惜对外来的敌人，作最卑鄙屈辱的投降，而以全力来镇压革命。鸦片战争以后，代表封建统治的满清政府，何尝不深恨这些“外夷”的跋扈，然而临了太平天国运动起来的时候，觉得比“外夷”更可怕，有根本消灭自己的危险，他们便会把“攘外”暂时不提，而先与侵略国家妥协，甚至投降，做那“安内”的工作。这是太平天国运动受着资本主义先进国家，与中国统治阶级夹攻而更快的促其失败的地方。

太平天国运动的发生，起源于南方的两广，普遍到全国各处。两广之所以成了太平天国运动的发祥地，因为西欧资本主义的侵略中国，以两广为最早，其露骨的侵略，亦以两广为最甚；鸦片战争后广东人民牺牲最大，负担特重，所以广东的农村经济，比其他各省更为悲观，而群众的原始暴动也就继着平英团运动的往事，在两广重行开始爆发。

代表统治阶级的满清政府，虽然战胜了太平天国运动，然而他们不能解决农村经济的危机，所以群众暴动，暂时可以镇压下去，而回复安定无波的社会生活，已是不可能了。于是在太平天国运动失败以后，不久北方又发生了被称为“捻匪”的农民群众大暴动。在十余年惨酷的屠杀与长期的镇压期间，南方及中部各省，大都在太平天国手里；所以满清政府的筹饷筹款，只能限于北方，北方数省的民众，乃不堪其剥削；及至太平天国运动被镇压下去的时候，北方的“捻”民运动，就继之而起。捻民运动完全是统治阶级的残酷的剥削，致民不聊生，而所激起的反响。满清政府既能够把太平天国运动镇压下去，自然对于捻民运动的镇压，也可以得到胜利了。[6]

一切的群众的革命运动至此已到顶点，终于统治阶级在投降资本主义先进国家的条件之下，一齐镇压下去，封建的统治阶级暂时又复稳定起来。

这里，有两件事情应当加以注意，而为人所忽视的，就是镇压太平天国运动，淮军以外，还借重于洋枪队；镇压回民运动，左宗棠的成功，在于借到一千数百万元的外债：前者是统治阶级利用外力残杀国人之始，后者是统治阶级借用外资，挽救残局之始。从此资本主义先进国家，可得多方面的侵略，而代表封建统治阶级的满清政府，以及承继满清的统治者，亦得多方面的援助。中国统治阶级发现了这两条新的路线去勾结帝国主义，于是中国的民族运动，便成了他们的共同敌人，不但难以达到成功之路，并且也不容易抬头，这些毒辣而卑鄙的手段，已可决定以后民族运动失败的命运。

太平天国运动开始于道光三十年（公元一八五〇年），到了同治七年（公元一八六八年）的平捻，已有十八年，至回疆的平定，则已快到三十年了。在这三十年连绵不断的内乱期间，还有俄人的侵占东北和西北，与英法联军的入犯，民生憔悴，已达极点[7]；不过在这三十年运动之过程中，仍不失其历史上的伟大意义，因为太平天国运动是近代中国民族运动的萌芽，它虽然是失败了，但对于启发国人的民族思想，给予很大的影响。所以在太平天国运动失败以后，民族运动的种子，并没有消灭，一经相当的时节，便会茁芽向荣。国内的统治阶级，与外来的资本主义，确然可使民族运动不易抬头，同时也是促成民族运动的主力；所以在太平天国运动失败后二十余年，初期民族运动的兴中会，终于接受太平天国运动的影响，而由新的形式发展成功。兴中会的成立（公元一八九二年），自然是当时社会经济条件所决定的，它虽然是同盟会的前身，也可说是太平天国运动的蜕化，它是从原始农民暴动由新的形式，发展而成为初期民族运动的一种过渡形态。因为物质生产方法，是决定人类之意识形态的基本条件，一切社会之意识形态的表现，乃是社会的物质的生产方法的反映。中国产业自鸦片战争到兴中会成立的半世纪中，虽然已有若干部门的机器工业输入，它的发展，为了统治阶级的自私自利，颠倒其缓急轻重；又遇到资本主义的压迫，与封建残余的束缚，不能完成产业革命的任务，因之不能形成一种新的独立的阶级意识。新的独立的阶级意识既不能形成，以树立着鲜明的旗帜，即使已有客观的条件，也只可以促成初期的民族运动，只要把兴中会成立的目标，一经分析，便可明白（详下章）。至此，我们可以得到这样的一个结论，就是太平天国还是一种农民的原始暴动，而兴中会则已经是比较进一步的有组织的民族运动的开始了。

兴中会之所以比较太平天国有进一步的发展，其原因是随着资本主义而来的一切西方的进步思想，也渐渐在中国发生起来，所以太平天国的指导机关（天王政府），实际上并不能真正作领导民众革命的核心。而兴中会已经具备了革命的政党的雏形，它有宣言，有纲领，有各种运动的步骤，都比太平天国有组织，虽然在现在看来是非常幼稚，但和太平天国运动时比较起来，不能不说是比较地进步了：这是比较太平天国的原始暴动进一步形式的兴中会，也就在这比较进一步的情形下产生的缘故。

参考

［1］平英团运动据《清史》所载，有如下的一段话："……于是粤民种种不平之感，一旦迸发。初十日英兵千余，方自四方炮台回

泥城，三元里居民，忽大树平英团之旗帜，于是一时鸣金揭竿而起者，联络一百有三乡。顷刻间，男妇数千人，各处庄丁云集，四面埋伏，誓与决一死战，义律（Cantain Elliott）闻变驰救，陷重围不得出。乡民愈聚愈众，顾至数万，英人突围不出，死者二百余人。义律移书告急于知府余保纯，保纯以英山命往解，竟日，始挟义律出围。翌日，偿金授受已毕，英军遂于十二日撤去广州，其大船有搁滞浅沙者，各乡民复思截而火之，夺回偿款之银。义律惧，复移文总督，于是祁出示晓谕，众始解散。而佛山义勇，从陆路攻英人于龟岗炮台，先从上风纵毒烟以眯敌目，歼敌数十；又击破应援之船。当时先后奏闻，诏责诸将调集各省官兵，何不如区区乡勇？……是时南海番禺两县团集义勇，昼夜演练，义律侦知内河有备，竟不敢报复，翻然更计，遂复有厦门长江之师。”又当时平英团有《讨英檄》一篇，兹录一段如下：“……尔自谓船炮无敌，何不于林制府任内攻犯广东？尔前日被围，何不力战自拔，而求救于首府？此次奸相受尔笼络，主款撤防，故尔得乘虚深入，倘再入内河，我百姓若不云集十万众，各出草筏沉沙石整枪炮，截尔首尾，火尔艘舰，歼尔丑类者，我等即大清国之子民！……”

[2] 太平天国的《奉天讨胡檄》较之曾国藩的《讨粤匪檄》来得重要，以其不易见到，现在录其原文如下：“真天命太平天国本乃师赎病主，左辅正军师东王杨，右弼又正军师西王萧，为奉天讨胡，檄布四方：若曰：嗟尔有众，明听予言：予惟天下者，上帝之天下，非胡虏之天下也；衣食者，上帝之衣食，非胡虏之衣食也；子女民人者，上帝之子女民人，非胡虏之子女民人也，慨自满洲肆毒，混乱中国，而中国以六合之大，九州之众，一任其胡

行而恬不为怪，中国尚得为有人乎？妖胡虐焰燔苍穹，淫毒秽宸极，腥风播于四海，妖气惨于五湖，而中国之人，反低首下心，甘为臣仆。甚矣哉！中国之无人也！夫中国首也，胡虏足也，中国神州也，胡虏妖人也。中国名为神州者何，天父皇上帝真神也，天地山海是其造成。故从前以神州名中国也。胡虏目为妖人者何，蛇魔（阎罗妖）邪鬼也，鞑靼妖胡，惟此敬拜，故今当以妖人目胡虏也。奈何足反加首？妖人反盗神州？驱我中国，悉变妖魔。罄南山之竹简，写不尽满地淫污；决东海之波涛，洗不净弥天罪孽。谨按其彰著人间者，约略言之：夫中国有中国之形象，今满洲悉令削发，拖一长尾于后，是中国之人为禽兽也。中国有中国之衣冠，今满洲另置顶戴，胡衣猴冠，坏先代之服冕，是使中国之人忘其根本也。中国有中国之人伦，前伪妖康熙，暗令鞑子一人管十家，淫乱中国之女子，是欲中国之人，尽为胡种也。中国有中国之配偶，今满洲妖魔，悉收中国之美姬，为奴为妾，三千粉黛，皆为羯狗所污，百万红颜，竟与骚狐同寝，言之痛心，谈之污舌，是尽中国之女子而玷辱之也。中国有中国之制度，今满洲造为妖魔条律，使我中国之人无能脱其网罗，无所措其手足，是尽中国之男儿而胁制之也。中国有中国之言语，今满洲造为京腔，更中国音，是欲以胡言胡语惑中国也。凡有水旱，略不怜恤，坐视其饿莩流离，暴露如莽，是欲我中国之人稀少也。满洲又纵贪官污吏，布满天下，使剥民脂膏，士女皆哭泣道路，是使中国人之贫穷也。官以贿得，刑以钞免，富儿当权，豪杰绝望，是使我中国之英俊抑郁而死也。凡有起义与复中国者，动诬以谋反大逆，夷其九族，是欲绝我中国英雄之谋也。满洲之所以愚弄中国，欺侮中国者，无所不用其极。巧矣哉！昔佻弋仲，胡种也，犹戒其子襄，使归义中国。符融亦胡种也，每劝其兄坚，使不攻中国。今满洲乃忘其根源之丑贱，乘吴三桂之招引，霸占中国，恶极穷凶。予细查满鞑子之始末，其祖宗乃一白狐、一赤狗，交媾成精，遂产妖人。种类日滋，自相配合，并无人伦风化，乘中国之无人，盗据中夏。妖座之设，野狐升据，蛇窠之内，沐猴而冠。我中国不能犁其窟而锄其穴，反中其诡谋，受其凌辱，听其吓诈；甚至庸恶陋劣，贪图蝇头，拜跪于狐群狗党之中。今有三尺童子，至无知也，指犬豖而使之拜，则艴然怒。今胡虏群犬也，公等读书知古，毫不知耻。昔文天祥、谢枋得誓死不事元，史可法、瞿式耜誓死不事清，此皆诸公之所熟闻也。予总料满洲之众，不过十数万；而我中国之众，不下五千万。以五千万之众，受制于十万，亦可云丑矣。今幸天道好还，中国有复兴之理，人心思治，胡虏有必灭之征。三七之妖运告终，而九五之真人已出。胡罪盈贯，皇天震怒，命我天王，肃将天威，创建义旗，扫除妖孽，廓清中夏，恭行天罚。言乎远，言乎迩，孰无左袒之心？或为官，或为民，当急扬徽之志。甲胄干戈，载义声而生色；夫妇男女，摅公愤以前驱。誓屠八旗，以安九有，特招四方英俊，速拜上帝，以奖天衷。执守绪于蔡州，擒妥欢于应昌。兴复久沦之境土，顶起上帝之纲常。其有能擒狗鞑子咸丰来献者，或能斩其首级来降者，或有能擒斩一切满洲胡人头目者，奏封大官，决不食言。盖皇上帝当初六日造成之天下，今既蒙皇上帝开大恩，命我主天王治之，岂胡虏所得而久乱哉！公等世居中国，谁非上帝子女？倘能奉天诛妖，执蝥孤以先登，戒防风之后至，在世英雄无匹，在天荣耀无疆。如或执迷不悟，保伪拒真，生为胡人，死为胡鬼。顺逆有大体，夏夷有定名，各宜顺天，脱鬼成人。公等苦满洲之祸久矣！至今而不知变计，同心戮力，扫荡胡尘，其何以对上帝于高天乎？予兴义兵，上为上帝报瞒天之仇，下为中国解下首之苦。务期肃请胡氛，同享太平之乐，顺天有厚赏，逆天有显戮。布告天下，咸使知闻。”

[3] 太平天国的理想上的原则，可以把《原道醒世训》一文为标准。

[4]《天朝田亩制度》，为太平天国的最重要的文献，兹抄录原文如下：“凡一军，典分田二，典刑法二，典钱谷二，典入二，典出二，俱一正一副，即以师帅旅帅兼摄。当其任者掌其事，不当其事者亦赞其事。凡一军一切生死黜陟等事，军帅详监军，监军详钦命总制，钦命总制次详军将、待卫、指挥、检点、丞相，丞相禀军师，军师奏天王；天王降旨，军师遵行。功勋等臣，世食天禄。其后来归从者，每年每家设一人为伍卒。有警则首领统之为兵，杀敌捕贼；无事则首领为之督农，耕田奉尚。凡田分九等，其田一亩，早晚二季可出一千二百斤者为尚尚田，可出一千一百斤者为尚中田，可出一千斤者为尚下田，可出九百斤者为中尚田，可出八百斤者为中中田，可出七百斤者为中下田，可出六百斤者为下尚田，可出五百斤者为下中田，可出四百斤者为下下田。尚尚田一亩，当尚中田一亩一分，当尚下田一亩二分，当中尚田一亩三分五厘，当中中田一亩五分，当中下田一亩七分五厘，当下尚田二亩四分，当下下田三亩。凡分田，照人口，不论男妇，算其家人口多寡，人多则分多，人寡则分寡。杂以九等，如一家六人，分三人好田，三人丑田，好丑各一半。凡天下田，天下人人同耕；此处不足，则迁彼处，彼处不足，则迁此处。凡天下田，丰荒相通，此处荒，则彼丰处以赈此荒

处；彼处荒，则移此丰处以赈彼荒处。务使天下共享天父上主皇上帝大福，有田同耕，有饭同食，有衣同穿，有钱同使，无处不均匀，无人不饱暖也。凡男妇，每人自十六岁以尚，受田多逾十五岁以下一半，如十六岁以尚，分尚尚田一亩，则十五岁以下减其半，分尚尚田五分。又如十六岁以上，分下下田三亩，则十五岁以下减其半，分下下田一亩五分。凡天下，树墙下以桑，凡妇蚕绩缝衣裳。凡天下，每家五母鸡，二母彘，无失其时。凡当收成时，两司马督伍长除足其二十五家每人所食，可接新谷外，余则归国库。凡麦豆苎蔴布帛鸡犬各物及银钱亦然。盖天下皆是天父上主皇上帝一大家。天下人人不受私，物物归上主，则主有所运用；天下大家处处平均，人人饱暖矣。此乃天父上主皇上帝特命太平真主救世旨意也。但两司马存其钱谷数于簿，上其数于典，钱谷及典出入，凡二十五家中设国库一，礼拜堂一，两司马居之。凡二十五家中所有婚姻弥月喜事，俱用国库。但有限式，不得多用一钱。如一家有婚娶弥月事，给钱一千，谷一百斤，通天下皆一式。总要用之有节，以备兵荒。凡天下婚姻不论财。凡二十五家中陶冶木直等匠，俱用伍长及伍卒为之，农隙治事。凡两司马办其二十五家婚娶吉喜等事，总是祭告天父上主皇上帝，一切旧时歪例尽除。其二十五家中童子俱日至礼拜堂，两司马教读旧遗诏圣书，新遗诏圣书，及真命诏旨书。焉凡礼拜日，伍长各率男妇至礼拜堂，分别男行女行，讲听道理，颂赞祭奠天父上主皇上帝焉。凡二十五家中力农者有赏，惰农者有罚；或各家有争讼，两造赴两司马，两司马听其曲直，不息，则两司马挈两造会卒长，卒长听其曲直；不息，则卒长尚其事于旅帅师帅，典执法及军帅，军帅会同典执法判断之；既成狱辞，军师又必尚其事于监军，监军次详总制，将军，侍卫，指挥，检点，及丞相；丞相禀军师，军师奏天王，天王降旨命军师，丞相，检点，及典执法等，直启天王主断；天王乃降旨主断，或生，或死，或予，或夺，军师遵旨处决。凡天下官民，总遵守十款天条及遵命令，尽忠报国者，则为忠；由卑升至高，世其官。官或违犯十款天条，及逆命令，受贿弄弊者，则为奸，由高贬至卑，黜为农民。能遵条命及力农者，则为贤为良，或举或赏；民或违条命及惰农者，则为恶为顽，或诛或罚。凡天下每岁一举，以补诸官之缺，举得其人，保举者受赏；举非其人，保举者受罚。其伍卒民有能遵守条命及力农者，两司马则例其行迹，注其姓名，并自己保举姓名于卒长；卒长细核其人于本百家中，果实，则其人并举姓名于旅帅；旅帅细核其人于本五百家中，果实，则尚其人，并保举姓名于师帅；师帅总核其人于本二千五百家中，果实，则尚其人，并保举姓名于军师；军帅总核其人于本军中，果实，则尚其人，并保举姓名于监军；监军详总制，总制次详将军，侍卫，指挥，检点，丞相；丞相禀军师，军师启天王；天王降旨调选天下各军所举为某旗，或师帅，或旅帅，或卒长，两司马，伍长。凡滥保举人者，黜为农。凡天下诸官，三岁一升贬，以示天朝之公。凡滥保举人及滥奏贬人者，黜为农，当升贬年，各省首领各保升奏贬其统属。卒长细核其所统两司马及伍长，某人果有贤迹，则列其贤迹，某人果有恶迹，则列其恶迹，注其人，并自己保升奏贬姓名于军帅；至若其人无可保升，并无可奏贬者，则姑置其人不保不奏也。旅帅细核其所统属卒长及各两司马伍长，某人果有贤迹，则列其贤迹，某人果有恶迹，则列其恶迹，注其人，并自己保升奏贬姓名于师帅。师帅细核其所统属旅帅以下官，某人果有贤迹，则列其贤迹，某人果有恶迹，则列其恶迹，注其人，并自己保升奏贬姓名于军帅。军帅将师帅以下官所保升奏贬姓名，并自己所保升奏贬某官姓名详于监军。监军并细核所统军帅，某人果有贤迹，则列其贤迹，某人果有恶迹，则列其恶迹，注其人，并自己保升奏贬姓名详钦命总制。钦命总制并细核具所统监军，某人果有贤迹，则列其贤迹，某人果有恶迹，则列其恶迹，注其人，并自己保升奏贬姓名，一同举于将军，侍卫，指挥，检点，及丞相。丞相禀军师，军师将各钦命总制及各监军及各军帅以下官所保升奏贬各姓名，直启天王主断；天王乃降旨主断，超升各钦命总制所保升各监军，其或升为钦命总制，或升为侍卫；谴谪各钦命总制所奏贬各监军，或贬为军帅，或贬为师帅，或贬为旅帅，卒长；超升各军帅所保升各官，或升尚一等，或升尚二等，或升军帅；谴谪各军帅所奏贬各官，或贬为下一等，或下二等，或贬为农。天王降旨军，师宣丞相，丞相宣检点，指挥，将军，侍卫，总制次宣监军，监军宣各官，一体遵行。监军以下官，俱是在尚保升，奏贬在下。惟钦命总制一官，天下准其所统各监军保升奏贬钦命总制。天朝内，丞相，检点，指挥，将军，侍卫诸官，天王亦准其尚下互相保升奏贬，以剔尚下相蒙之弊。至内外诸官，若有大功大勋，及大奸不法等事，天王准其尚下不时保升奏贬，不必拘升贬之年。但凡在尚保升奏贬在下，诬则黜为农。至凡在下保升奏贬在尚，诬则加罪。凡保升奏贬所列恶迹，总要有凭据，方为实也。凡设军每一万三千一百五十六家，先设一军帅；次设军帅所统五师帅，次设师帅所统五旅帅，共二十五旅帅；次设二十五旅帅各所统五卒长，共一百二十五卒长；次设一百二十五卒长各所统两司马，共五百两司马；次设五百两司马所统五百伍长，共二千五百伍长，次设二千五百伍长各所统四伍卒，共一万伍卒。通一军人数，共一万三千一百五十六人。凡设军以后，人家添多，添多五家，另设一伍长；添多二十六家，另设一两司马；添多一百零五家，另设一卒长；添多五百二十六家，另设一旅帅；添多二千六百三十一家，另设一师帅；共添多一万三千一百五十家，另设一军帅。未设军帅前，其师帅以下官，仍归旧军帅统属。既设军帅，则割归本军帅统属。凡内外诸官及民，每礼拜日听讲圣经，虔诚奠礼拜颂赞天父上主皇上帝焉。每七七四十九礼拜日，师帅，旅帅，卒长更番至其所统属两司马礼拜堂讲圣书，教化民，兼察其遵条命与违条命及勤惰。第一七七四十九礼拜日，师帅至两司马礼拜堂，第二七七四十九礼拜日，帅长又别至某两司马礼拜堂，以次第轮，周而复始，旅帅，卒长亦然。凡天下每一夫有妻子女三四口或五六七八九口，则出一人为兵，其余鳏寡孤独废疾免役，皆颁国库以养。凡天下诸官，每礼拜日，依职分虔诚设牲依馔奠祭礼拜，颂赞天父上主皇上帝，讲圣书，有敢怠慢者，黜为农，钦此。”

[5] 见曾国藩《讨粤匪檄》。

[6] 当太平天国运动兴起于南方后，北方便有捻民与回民的运动，反抗满清。“捻”的意义，相传谓当日在江苏、安徽、山东、湖南、湖北五省交界游民相聚劫掠一聚为一捻，又说捻是河南安徽乡民迎神赛会，燃油纸捻为龙戏的名目。当太平天国攻陷南京时，乘势兴起，与之结合，声势亦大，洪秀全命陈得才联合捻民攻入陕西时，渭南一带的回族，也起来反清。后来曾国藩镇压太

平天国，左宗棠镇压捻民与回民，清朝因此又稳定起来。

[7] 太平天国运动后，农村经济破产的危机极为严重。就是曾国藩也有"……自五季以来生灵涂炭盖无逾于今日"的话。见《曾文正公书札》卷一三《复冯鲁川信》。

第九章　民族运动之曲线的发展

初期民族运动的开始　不能形成独立的阶级意识　南洋群岛和美洲的华侨　不能完成中国经济革命的四原因　引起他们革命的要求　诱发中国初期民族运动的主因　广东成了革命策源地　政治上的要求　初期民族运动的特点　中产阶级的幻想　民族运动第一个转变　对于政治软弱的原因　军事暴动与单纯的政治活动　异军突起的邹容革命军　反资本主义的群众运动　一服烈性的兴奋剂　同盟会随义和团失败而成立　民族运动跨进了新阶段　民族革命运动进程上的一大缺憾　中国近代思想的集大成　民族革命运动又变换一种恣态　三种意识形态　辛亥革命失败的必然性

太平天国运动以及在北方兴起的捻民回民运动，虽然前后绵延三十年的奋斗，终于被封建统治阶级勾结资本主义，共同镇压之下失败了。但是对于启发国人的民族思想，给了一个很大的影响；所以太平天国运动失败后，民族运动的种子，潜伏若干年后，仍由新的形式发展起来，光绪十八年（公元一八九二年）兴中会的成立[1]，就是这种发展形式的表现。兴中会的成立，不仅是接受了太平天国运动的影响，而且还有当时的社会经济情形，造成了这种初期民族运动的开始。

太平天国运动所以失败的主要原因，既如第八章中所说。兴中会成立的时代，中国资本主义革命的条件，是否已经备具？同时它的阶级基础是什么？它的核心领导又是什么？关于这些先要了解“物质的生产方法，决定人类的意识形态”的前提之下，才可以了解中国民族运动进展的情况。

鸦片战争后因为先进国家商品的侵入，资本主义在中国已有长期的历史的发展。但是商业资本不是代表一种生产方法，它只是永久地在流通中——商品交换的媒介中——活动，它不能改变原来的生产方法，只可在旧的生产方法的范畴中活动，因而与当时的封建剥削，发生利害的关联，使商业资本与土地资本混合生长起来，所以中国经过几乎半个世纪的时期，还不能形成一种新的独立的阶级意识。

但是在南洋群岛和美洲的华侨，与中国内地的资本家，显然有本质上的不同。他们不但做简单的庸俗的商品交换媒介的任务，他们本身就是新式机械工业的主人——树胶工场或制糖工场的主人，在东印度群岛还有一小部是锡矿工人的主人，他们向落后民族的土人，掠夺着其他资本主义侨民掠夺剩余下来的财富，所以他们的资本积累，远非国内商业资本家所能及，但是这种侨居国外的中国资本家，仍不足以完成中国经济革命的任务，因为：

第一，他们的基础，不在国内而在国外帝国主义的殖民地上，他们本身的基础，异常薄弱，而其生产事业，与国内市场毫无关系，不能促成国内旧生产方法的解体。

第二，他们积累的资本，虽然远过国家的商业资本，而还远不及其他资本主义国家的资本；他们为了本身事业备受外国资本家的压迫，已无余力发展本国国内市场。

第三，当他们有相当发展的时候，帝国主义已经侵入了中国，他们的力量，决不能和已经侵入国内市场的帝国主义相竞争。

第四，国内残酷的封建剥削，使他们没有到国内发展其产业的决心。

他们虽然不能回到祖国完成产业革命的任务，但是他们在国外既有相当发展，必然引起他们注意国内的政治。换句话说，必然引起他们的革命的要求，因为：

第一，他们远在国外，眼见他国侨民都有他们祖国的保护，只有中国的侨民，不但得不到祖国的保护，反而遭到种种的压迫。

第二，他们常在居留地给殖民地政府虐待，祖国没有力量来援助。

第三，他们因为帝国主义先进工业的压迫，有回到祖国发展的意向；但是祖国政府不仅不加援助，且反重捐苛税剥削他们。

这些原因，引起了他们的革命的要求，成了诱发中国初期民族运动的主要动力；同时在国内也有若干力量，因为：

第一，先进资本主义的侵略，引起了中国农业经济的崩溃。自鸦片战争后，中国所受经济上的损失，主要的有：

甲，赔款的损失：在兴中会成立以前，巨额的有中英鸦片之役二千一百万元，英法联军之役一千六百万元，中俄伊犁之役九百万元，中日台湾之役五十万元。在鸦片战争前，中国财政已极穷困，经过了几回战争以后，财政已濒于破产，连年强度的榨取，增加了农村破产的速度。

乙，对外贸易的损失：资本主义以商品输入中国，掠夺中国的财富，这是促进中国农村经济破产的最大原因；在兴中会成立前，商品输入的入超数目，已年有增加，洋货支配了中国市场，使农业手工业经济，开始破产，成千成万的农民手工业者，失去了土地和失去谋生技能，成为无家无业的游民，因而引起社会的不安和骚动。

第二，这时代新式工业已开始出现，虽然这些工业，都是官办的，或官督商办的，但是这种新式工业的出现，总究使旧生产方法的崩溃。

第三，太平天国运动的影响。太平天国运动和连带而起的捻民回民运动，前后三十年的长时期，直接间接益使农村破产的日益严重，统治阶级不能解救这些危机，于是不安的骚动，不以太平天国已被镇压而稍有顾忌。

至此，初期民族运动的出现，及其开展的主要动力，已经成熟，但是华侨资本阶级革命的要求，比之国内所有的条件为重要。因为如果单是国内农业经济破产，只能引起一种原始暴动，在兴中会成立以前，中国没有民族运动而仅有原始的农民暴动就是为此。初期民族运动之所以在广东及海外为中心点，因为广东与资本主义接触最早，其受压迫也最甚，而在海外的言论行动，亦比较的可以自由，所以初期民族运动，往往集中在海外，而民族运动又以广东人为多数；且广东又每为民族运动的策源地的原因。

初期民族运动是由上述几种动力，即：一，华侨资产阶级的革命要求；二，国内农业的破产；三，国内新兴企业的出现，在构成这三种动力的分子上加以分析，便可成为当日政治上的要求，其主要的是：

一，富国强兵与列强并驾齐驱。

二，要求政府革新自强，恢复中国五千年来历史上的光荣。

初期民族运动的有异于过去的原始暴动，便在它的显明的政治要求。这两个政治要求，在兴中会的宣言上，很具体的表现出来[2]，随后所附的纲领第二项及第三项，更明白说明他们的宗旨[3]。

从这兴中会的宣言和纲领中，可以知道初期民族运动的几个特点：

一，当时对于满清政府，仅在反面表示不满，并没有公然表示颠覆政府的主张，这固然是避免专制政府的压迫，可是在初期民族运动的革命分子，虽有一部分对于满清政府的政治设施，极不满意，而大多数人却以满腔的热忱，希望满清政府能图自强，恢复“数千年声名文物之邦，累世代冠裳礼义之族”的光荣，而成为“无敌于天下”的强国：前者是受着明末革命思想的暗示；后者是受着历来传统观念所束缚。

二，当时从“忠君爱国”的出发点下手，所以对于民权思想，还没有充分的发达（国民党的民权主义思想，是后来完成的）。

三，当时因为艳羡列强，希望能够与各强国“并驾齐驱”，所以对于资本主义，不加反对。

四，当时因为参加民族运动的分子是资产阶级与觉悟的智识分子，所以对人民生活状况的改善，没有注意到；虽然在纲领第三项中，有拟办利国益民的话头，可是“利国益民”四个字，在资产阶级中人，不过是一种口头禅，兴中会中人，亦不能例外（国民党的民生主义思想，是后来完成的）。

从这四个特点中，可以看出初期民族运动仅仅是一种“力图自强”，其最终的目的，是和各强国“并驾齐驱”罢了。这当然自有其历史上的革命意义，他们的宣言中，所谓“上则因循苟且，粉饰虚张，下则蒙昧无知，鲜能远虑”，所谓“有心人不禁大声绝呼，亟拯斯民于水火，切扶大厦之将倾”。从这里可知所谓“有心人”不是上，也不是下，而是中间一个阶级，这阶级当然也由于某种物质条件所决定的某种阶级的意义。换句话说，这“有心人”便是当时有严重的历史的意义之中产阶级，也就是初期民族运动中的中坚分子。他们是一些进步的智识分子，和华侨的资产分子结合而成，他们的出身，是社会的中等阶级，一方面他们在国内因为受着资本主义的侵略，家庭环境随着农村经济的崩溃，一天比一天恶劣起来，这种日常生活的压迫，使他们要求新的政治上的出路。在另一方面，他们在海外或在国内积累了一点资本，给封建贵族的统治，受尽压迫与剥削，不仅使他们无从发展，而且日益趋向崩溃；同时封建贵族统治的腐败，引起了他们窥取政权之最初的企图。但是他们大部分是出身于所谓“冠裳礼义之家”，所以虽环境压迫，对于目前的政治，表示不满，要求新的出路，而又依然恋恋于旧日的光辉，舍不掉传统的观念。例如说科举害人，而于“登科”“及第”的虚荣，仍不能忘情于怀；说专制不好，而于“花翎”“顶戴”的服饰，犹多依恋于此：在这样一种矛盾心理之下，自然没有彻底推翻现制度的决心，而有种种幻想产生。

他们的幻想，是希望满清政府能够自动的维新改良，恢复国家数千年来的历史光荣，使这班破落户子弟，也得光复旧的门楣；等到政治上有相当的地位时，再可利用政治力量来发展产业，他们的目的，至此已经达到，而初期民族运动，亦告完成。

关于初期民族运动没有推翻旧制度的决定，除在兴中会的宣言及纲领中可以看出外，在孙中山《上北洋大臣李鸿章书》中，更可明白当日民族运动中的全部要求。[4]这封长信，对于我们研究中国近代史是一种非常重要的文献。在这封信中，不仅可以看出这位民族革命领袖初期的政治思想，而且可以由此看出中国初期民族革命运动的根本要求。孙氏在上李鸿章书中，他已能了解“欧洲富强之本，不尽在于船坚炮利，垒固兵强，而在于人能尽其才，地能尽其利，物能尽其用，货能畅其流，此四者富强之大要，治国之大本也”。所以他希望李鸿章辅助满清政府，力行此四事，便可“修我政治，宏我规模，治我军实，保我藩邦，欧洲其能匹哉”。但是陈腐的封建贵族，在那时无论如何不能容纳这改良要求，初期民族运动的中心分子，在和平的要求失败以后，于是转而积极的反对满清政府，这是中国民族革命运动展开了一个新的阶段的标志，也是中国初期民族运动的第一个转变。

在兴中会时代，虽然指出“强邻环立，虎视鹰瞵”的危险；可是对于资本主义没有反对的表示。他们以为中国所以受列强的欺侮，是中国自身的不争气，只可恨自己，不可恨外人，外人的文明是可以效法的，如果排斥外人，那就是排斥文明。当光绪二十六年义和团运动失败后，兴中会分子给香港总督请求援助的信，把这种矛盾心理，充分的表现出来。在初期民族运动中，对外政策之所以如此软弱，决不是由“中产阶级”的天然的妥协性，而是由于当时实际条件所决定。因为当时中国产业，刚才开始萌芽，不但没有发展到与列强资本主义的工业冲突，而且中国产业还在列强资本主义的协助之下，开始发展；因此初期民族运动的中坚分子，只看到满清政府的压迫，还见不到列强是自己致命的敌人，这是当时对外政策软弱而不反对资本主义之又一原因。

又在给香港总督的信中，附有“平治章程六则”[5]没有一字提到改善民众的生活；同样，在兴中会的实际行动中，也没有下层群众，这果然是他们没有看到群众的力量，同时也是因为他们本身的基础过于薄弱，还不能组织群众。所以当时所谓革命的动作，不过从事于军事暴动与单纯的政治活动而已。

兴中会到了邹容的《革命军》发表后，已发展到较高的阶段，他的主张比兴中会的宣言与纲领为具体，为明确，狭义的民族感情，显然已表示其有觉醒的意识，所以已由反对满清统治而进于诛杀满洲人了。至革命军出而中国民族运动，将由兴中会而转入同盟会时代了。

在兴中会成立后的第八年（光绪二十六年，即公元一九〇〇年），北方发生了反资本主义的原始暴动——义和团运动，计自鸦片战争后至义和团运动爆发时，列强资本主义侵略中国，已有六十年。在这六十年间，资本主义的经济侵略，最初输出商品，继之以输出资本，他们不仅在中国进行商品侵略，而且进一步的在中国境内经营铁道、轮船、矿山、工厂、银行等，资本主义在中国的经济掠夺，已经树立了很强固的基础；陪着而来不可避免的现象，就是农村经济的崩溃，也就更严重的表现出来。加之中日战争时，北方饱受蹂躏，由生活的压迫而起的动乱，已无可避免。再加以教士的横行，政府的媚外，以及官吏豪绅的鱼肉乡民，使一般人愤无可泄，于是杀洋人，烧教堂的原始排外暴动，由是而起。

义和团与兴中会的不同，在于义和团是破产的农民手工业者，及一切劳苦的群众，他们没有受过资本主义的洗礼；另一方面他们对于中国数千年来的圣贤名教所给的毒，也并不甚深，所以他们很简单的一个求生存的概念，他们受了不能生存的威胁，终于燃烧了他们反抗的火焰。义和团之所以成为“野蛮”的“拳匪”，就是为此，但也正是这种地方，它才是真正伟大的反资本主义的群众运动。

有人以为义和团既是下层平民的“反帝运动”，为什么又勾结了满清政府而揭起“扶清灭洋”的旗帜呢？其实义和团并不和满清政府联系起来。当时满清的重臣，如李鸿章、袁世凯、张之洞、刘坤一等，都是反对的；不过为了西太后一人要想借此报仇，与以援助。在义和团方面，并不是为了“扶清”而“灭洋”，乃是要“灭洋”而“扶清”。因为如此，所以义和团不但杀洋人，烧教堂，就是平日借教堂势力欺凌乡民的地主豪绅，也目为二毛子而杀之不赦，在有产阶级的智识分子看来，这当然是更野蛮的举动，而义和团的伟大的革命意义，也就在这些地方。所以义和团运动失败了，中国民族革命运动展开了一个新的局势。兴中会发展到同盟会，反对满清的民族运动，蓬蓬勃勃的发展，以及辛亥革命的出现，固然还有旁的原因促成，可是“野蛮”的“拳匪”的义和团运动，总不失为中国初期民族运动中的一服烈性的兴奋剂。

义和团运动虽为客观的条件，决定了它的失败的命运；然而每一伟大的革命运动失败以后，必然地有第二个运动随之而来，所以义和团运动失败以后，同盟会运动即继之而起。

由于义和团运动所引起的庚子八国联军之役的结果，缔结了《辛丑条约》。中国的国际地位，自从鸦片战争及英法联军之役以后，已开始江河日下；及至中日战争失败，更下降至最低下弱小之国；及至庚子八国联军之役以后，则中国事实上已完全失去了独立国家的资格，而成为列强共管之殖民地。在经济方面，这四万万五千万两的巨额赔款的支出都是从各省所加的苛捐杂税而来，中国农村经济已经崩溃，再经此重大剥削，乃益加速破产。因这政治经济两方面的影响，便成为诱发革命最有力的条件，也是产生革命最有力的信号，因为这样，同盟会遂在社会经济极度的贫乏，与社会秩序极度的混乱的光绪三十一年（公元一九〇五年）宣告成立。

同盟会的成立，对于中国革命有极重要的历史意义，它的产生，与义和团的失败，当然有不可分离的关联，看了孙中山记述义和团运动后革命之新形势的展开[6]，便知同盟会是紧接着义和团运动而产生的。

同盟会的政治主张，比兴中会更进步得多，只要看同盟会成立后，以军政府名义所发表的宣言，就可知道。兴中会仅仅希望“富国强兵”的自强运动，而同盟会已公然说出“前代为英雄革命，今日为国民革命”，他们国民革命运动，有下列两个特点：

一，同盟会注重民权思想，民主革命精神表现得非常清楚。

二，同盟会注重平民生活，民生主义到这时已占了重要的政治思想的一部分，他们的急进的土地政策——平均地权，就是以民生主义的理论为其基础。

这两点不见于兴中会而见于同盟会的宣言，就是表现中产阶级的意识形态，跟其阶级势力的发展，已经进展到新的阶段。这并不是天然的或是领袖个人智识的进步，而是进步的物质条件所决定的。因为在同盟会时代，中国新兴的产业，总不若兴中会时代而有多少进步，这种新兴产业的进展，便引起阶级意识跟着发展。

但这里所谓发展，当然也很有限制的，它还没有到资本主义的经济侵略，所以还没有受到资本主义雄厚资本的工业组织的致命伤，于是同盟会的对外政策，仍如兴中会一样的没有反资本主义的表示，甚至处处表示对列强资本主义妥协。他们在“维持世界和平”的标题之下，发表了与虎谋皮的议论，这是表现着中国中产阶级的不合理的空想和智识分子的世界眼光的幼稚，看到军政府发表对外宣言的一再申述革命军保护帝国主义在华既得权利的诚意，几乎对于这些掠夺与不平等条约都极力承认，加以保护；这虽然还有因为初期革命运动，往往在国外活动而且有时还得到各国的援助关系，以致对外政策，这样的软弱，总究是中国民族革命运动的进程上，成了一种最大的缺憾。

从同盟会成立后，中国的民族革命运动，跟着中国资本主义之曲线发展，形成了意识形态各种不同的脸谱。当同盟会与立宪派对立笔战的时候，各有完整的思想体系；可是过了一个短促的时期，复杂的中国经济状况，终于汇合而成为孙中山的三民主义思想。因为三民主义的曲线的阶级背景，就是决定它的理论体系之最实际的条件。有人以为三民主义太复杂，太广泛，从尧舜禹汤文武周公孔子起，到卢梭、亚里斯多得、亚丹·斯密斯一直到马克思、李宁、蒲鲁东、克鲁泡特金止，无所不有，无所不包，其实这完全是中国工业资本曲折多变的发展的反映，所以孙中山不但是中国民族革命的领袖，也是中国近代思想的集大成。

孙中山的三民主义思想，虽然这样复杂，这样广泛，可是他总究是中国社会经济的反映，所以无论他怎样说及社会主义、共产主义以及大同主义这些名词[7]，他不过借此说明民生主义的终极目的，并不是真的走上马克思的路线，否则他何必把唯物史观攻击得体无完肤，而偏要创立民生史观的学说呢？

孙中山不但有异于中国一般的智识分子，并且和其他资本主义国家的思想家，也有不同之处。因为他能看到资本主义的经济组织，不是一种恒久性质制度，私有财产制度，决非历千万年而不变的东西，世界终于免不了走上共产主义与大同主义的一日；他虽然反对马克思的唯物史观与阶级斗争，而他的民生主义的理论的体系中，带着实现共产主义的理论。所以三民主义思想成熟以后，中国的民族革命运动，又变换了一种新的恣态。但在普通的智识分子，他们往往一方面追慕着行将崩溃而自己没有尝到的资本主义的民主政治；另一方面又感觉到共产主义大同主义之必不可幸免的悲剧的到来。这种矛盾的境遇，造成了矛盾的意识形态，遂使日后同盟会分子同在三民主义旗帜之下，产生了许多不同的政治主张，这是中国工业资本曲折多变的发展的反映，也是落后国家中产阶级矛盾张皇的写真。

中国民众运动革命家的思想，如此奇特而多角，是中国特殊的经济条件所决定的，现在再总括地一说，因为是：

一，中国产业不能充分发达，封建势力依然是经济结构中的主要成分，所以智识分子的思想，还不能完全从封建意识中解放出来，这是三民主义所以有继承尧舜禹汤文武周公孔子的道德的成分。

二，中国果然是产业落后的国家，但现在的整个时代，已经是资本主义没落的时代，所以智识分子的急进思想家，不能不感受社会主义的影响；尤其是中国的智识分子，他们知道不去发动广大的群众，就不能肃清封建残余，产业也不能充分发展，所以国民革命必须采纳近于社会主义的经济政纲，这是三民主义所以包含社会主义思想的原因。

三，中国智识分子一方面是处于资本主义没落时代，一方面又外受帝国主义的压迫，内受革命势力的威胁，在这样三面夹攻形势之下，必然地会倾向到独裁的法西斯蒂的一途。

中国民族革命运动到同盟会时代，三民主义思想成熟后，便由一种新的恣态而演成上述的三种意识形态，这些意识形态到辛亥革命后，益见显著。

辛亥革命不是突然发生的，自鸦片战争以后，农村的暴动，很普遍地发展起来。这种农村暴动之普遍发展，无疑的是有革命意义，并且必然地要成功一个总的政治暴动：辛亥革命就是这些暴动的总汇。我们不必计算太平天国、义和团等伟大的农民暴动，单就一九〇一年到一九一一年这十年间，大大小小的农民暴动，无虑数百起，这数百起的农民暴动，终于产生这一九一一年的大革命。不过这一次的革命，仍不能完成它的历史任务。因为在辛亥革命以前，革命运动集中其目标于代表封建贵族的满清政府，但是满清政府不过是代表封建势力的一个上层建筑，如果毁坏了这个上层建筑而没有彻底破坏它的真实基础，则它还可以用别一个形态表现出来。所谓真实基础，便是落后的农村中的封建剥削关系，要破坏这种封建的剥削关系，必须诱发广大的农民群众，来参加革命，根本推翻封建的下层基础。辛亥革命没有注意到这一点，他们只集中于单纯的政治活动与军事暴动，所以大革命后，只推倒了封建贵族的满清政府，没有动摇它的下层基础，在满清政府倒台以后，封建政治的上层建筑，由一种别的形态代之而起，这不能说袁世凯之破坏民主政治，实在是革命运动只完成了一半的原因。

在辛亥革命以前，代表封建贵族的满清政府，只有屈服于帝国主义，而帝国主义亦只有来压迫满清政府。到辛亥革命以后，代表封建贵族的北京政府，勾结帝国主义来压迫民族革命；帝国主义亦利用北京政府，来把持中国政权，所以辛亥革命成功，反使帝国主义的侵略，与国内的封建剥削联系起来，而益陷中国民族革命运动于绝境。

参考

［1］兴中会成立的时期至今传说不一，兹姑根据邹鲁所编的《中国国民党史稿》第一篇第一章所记“纪元前二十年（壬辰）总理创立兴中会于澳门”而来的。

［2］兴中会宣言的原文如下：“中国积弱至今极矣！上则因循苟且，粉饰虚张；下则蒙昧无知，鲜能远虑。堂堂华国，不齿于列强；济济衣冠，被轻于异族。有志之士，能不痛心！夫以四百兆人民之众，数万里土地之饶，本可发奋为雄，无敌于天下。乃以政治不修，纲维破坏；朝廷则鬻爵卖官，公然贿赂；官府则剥民刮地，暴过虎狼。盗贼横行，饥馑交集，哀鸿遍野，民不聊生，呜呼惨矣！方今强邻环立，虎视鹰瞵，久垂涎我中华五金之富，物产之多，蚕食鲸吞，已见效于接踵，瓜分豆剖，实堪虑于目前。呜呼危哉！有心人不禁大声绝呼，亟拯斯民于水火，切扶大厦之将倾，庶我子子孙孙，或免奴于他族。用特集志士以兴中，协贤豪而共济，仰诸同志，盍自勉旃。”

［3］宣言后所附的纲领第二项：“……本会之设，专为联络中外有志华人讲求诸学，以振兴中华，维持国体起见。盖中国今日政治日非，纲维日坏，强邻轻侮百姓，其原因皆由众心不一，只图目前之私，不顾久长大局，不思中国一旦分裂，则子子孙孙世

为奴隶，身家性命且不保。急莫急于此，私莫私于此，而举国愦愦，无人悟之，无人挽之，此祸岂能幸免？倘不及早维持，乘时奋发，则数千年声名文物之邦，累世代冠裳礼义之族，从此沦亡，由兹泯灭，是谁之咎？识时贤者能无责乎？故特联络四方志士，切实讲求富国强兵之学，化民成俗之经；力为推广，晓谕愚蒙。使举国之人皆能通晓，联智愚为一心，合遐迩为一德；群策群力，投大遗艰，则中国虽危，无难挽救，所谓'民为邦本，本固邦宁'也。"

又纲领第三项："……本会拟办之事，务须利国益民者，方能行之。如设报馆，以开风气；立学校，以育人才；兴大利，以厚民生；除积弊，以培国脉等，皆惟力是视，逐举渐行，以期上匡国家，以臻隆治，下维黎庶，以绝共残。必使我中国四百兆生民各得其所，方为满志。倘有藉端舞弊，结党行私，或界限互分，彼此歧视，皆非本会志向，宜痛绝之，以昭大公而杜流弊。"

[4] 孙中山上李鸿章书，在光绪二十年，即公元一八九四年。洋洋数千言，读之可以知道这位民族革命领袖初期的政治思想，对于中国革命史方面实为一重要的文献。

[5] 兴中会致香港总督信中的"平治章程六则"是：(一)迁都于适中之地；(二)于都内立一中央政府，以总其成，于各省立一自治政府，以资分理；(三)公权利于天下；(四)增文武官俸；(五)平其政刑；(六)变科举为专门之学。

[6] 参考《建国方略》中，《孙文学说》第八章"有志竟成"。

[7] 在民生主义第一讲中有"故民生主义，又名共产主义，即是大同主义"。

第十章　民族运动之曲线的发展（续前）

初期民族运动的两柱石　两位领导人物最初的差别　初期运动领导权的落到康氏身上　中国思想界的第一颗炸弹　东西乌托邦的比较　民族运动领导权由康氏转移到孙氏　还有不可忽视的两个人物　晚清思想的彗星　民族运动含有社会主义幻想的由来　一时代言论界骄子的梁启超　新民说与三民主义　为革命利器的权利与自由　打破现状的影响　谭梁思想的权威　立宪革命的貌离神合　扭入狭义的民族革命运动　没有中心信仰与中心力量　从复杂的理论中决定了不同的脸谱

初期民族运动，在政治上及思想上发生重大影响的，除了孙中山领导的兴中会及同盟会运动外，尚有康有为一派的维新运动。他们俩是十九世纪末叶中国新政治运动的两个柱石：孙中山在光绪十一年（公元一八八五年）已决志倾覆满清[1]，康有为在光绪十五年（公元一八八九年）也就以诸生伏阙，上书请变法；孙中山于光绪十八年创立兴中会，康有为于光绪二十四年领导戊戌政变。他们俩的思想，有许多不同的地方，也有许多同的地方：康有为的年龄比孙中山大十一岁[2]，在政治上开始活动的虽然孙氏比康氏较早，而于初期民族运动的环境，适宜于康氏而不宜于孙氏。故在初期政治上及思想上，康氏比孙氏为有力量。

康有为与孙中山思想上有许多不同的地方，这是由于他们不同的物质环境所决定的。他们俩虽然都是出身于西方文化接触最早，受到外来侵略最甚的广东海滨[3]；但是他们所处的家庭环境，幼年时所受的教育熏陶，却大有差别。[4]康氏出于“世以理学传家”的家庭，祖父做过教官，从祖官至巡抚，读书作官的家庭，纵然“以理学传家”，那种理学本身的内面，就不免含着多少不健全的质素，不流于虚伪，便拘于网罗。孙氏出于先世业农的家庭，过着农村生活的家庭，在生活上是须奋斗的，在思想上是单纯素净的，虽也脱不了几千年传统的习俗与观念，但是所受名教思想的束缚，比较薄弱，所以孙中山在十二三岁时，便表现着一种自然活泼的思想，以不作洪秀全第二为遗憾。康有为在成童时，便套入理学的圈子里，去憧憬圣人的风味。孙氏幼年，即受西方新式教育，以科学为基础，对于西方文化的观感，是直接的，所以他发出来的思想，不涉于玄想；康氏所受的教育，是东方的旧式教育，以玄学为基础，对于西方文化的感受，是间接的，所以他发出来的思想，总免不了玄杳空洞：这是两位维新领导人物最初的差别。

他们俩也有相同的地方：孙山中接受了全部西方资本主义文化以外，对于中国固有的伦理道德，并不彻底反对，而且有许多地方，是非常留恋的，他对于“数千年声名文物之邦，累世代冠裳礼义之族”的光荣，始终没有忘情的，这是与康有为的思想，是没有根本的冲突；在康有为虽然出身于这样一个陈腐的家庭，死抱着圣人的牌位，但他对于西方资本主义文化，也有部分的接受下来，这是与孙中山的思想，也没有根本的冲突。

何以初期民族运动的环境，适宜于康氏，而不适宜于孙氏呢?

在第九章中已经说过，中国初期民族运动的中坚分子是智识分子，则抓住智识分子，才可以获得运动的领导权，并且当时中国政治界的潜势力，以经生文人的士大夫阶级为中心，因甲午中日一役而有一点觉悟的人，也只有这一阶级。康有为由新进举人得中进士，既为科第中的新贵，又是经生文人，公车上书时，慷慨激昂，洋洋洒洒，上皇帝的万言书，已得到这个阶级人士的赏识。虽然他的活动，也是归于失败，但是在国内造出的风潮就大了，上自在位的皇帝及内外大僚，下至在野的智识分子，都被他掀动了。孙中山是出身农家的一位医生，在封建社会里，当然没有他的地位，所以他创立兴中会，比康氏公车上书早，可是赞同他的主张的，仅仅十余人。其后奔走檀香山美洲及英国各埠去宣传，而欢迎革命主义的，每埠不过数人或十余人，在与西人接触的国外尚且如此，国内更不言可喻。康有为公车上书以后，几乎全国闻名。孙中山直到第一次革命在广州失败后，才在新闻纸上发现“孙汶”的名字[5]，在这样环境之下，中国初期民族运动的领导权，自然要落到康氏的掌握里去了。

康有为的政治思想，是由六经里面细绎出来的，他所以能做维新运动的领导，造成一时的大风潮，也是因为他对于六经，先做了一番维新革命的工作。他在早年有两部值得注意的著作，一部是《新学伪经考》，一部是《孔子改制考》，他的主张是否正确，是另一问题，而在当时，确发生了很大的影响。据梁启超所说：第一，清学正统派的立脚点，根本动摇；第二，一切古书，皆须从新检查估价。所以康氏对于中国近代的思想界，确有使之转变的力量。不过康氏虽然大胆言前人之所不敢言，而他自己的思想，并没有挣脱旧制度的桎梏，而形成一个新的体系，他在一方面极端的标新立异，而另一方面又不能自成一体系。所以他把中国的思想界投下一颗炸弹，本人还始终攒在封建意识中，不能有新的创作。他以理想的社会制度，作一部《大同书》[6]，这完全是一种在现在经济条件下，决不能实现的乌托邦，这种乌托邦的原理，和十九世纪初期西欧空想的社会主义相似，尤其与法国的傅立叶（Fourier，1772-1837）的理想，有的相同。不过同是乌托邦的思想，东方与西方各有其出发点。在西方对于资本主义制度带来的贫富悬殊的现象，固为人人所不满，而大规模机械的生产，仍为人人所艳羡。所以在英法两国的空想社会主义者的理想中，总是以机械生产为根本企图，以机械去代替一切讨厌的不愉快的工作，企图以机械去增加生产，减少人工。这是西欧空想社会主义者必须以机械生产为出发点的原因。康氏生长在产业落后的中国，既不了解机械生产的伟大意义，因而他的理想社会中，没有机械；但没有机械，生产就不能增加，人工时间就不能减少，则理想的乐园，如何得够实现呢？于是康氏就不能不把废除家庭关系，以为减少各人的负担，增加各人的生产，这是和西方不同的地方，也是比傅立叶、圣西门、奥文等的理想，更为玄妙的地方。

康氏虽因民生疾苦的影响，产生他的大同社会的理想，但他并没有勇气，把他的理想公开出来，更不如傅立叶、圣西门、奥文等之力求其理想之实现了。据梁启超在《清代学术概论》所说："有为虽著此书，然秘不示人，亦从不以此义教学者；谓方今为据乱之世，只能言小康，不能言大同，言则陷天下于洪水猛兽。"读了这段批判，一面暴露着康氏矛盾畏缩的态度，一面正是反映了日趋没落的封建社会，没有实现这种理想的可能。

康氏一方面对于现状表示不满，而另一方面又没有革命的勇气。他的经济背景，限定他的意识，只能在极低限度的改良主义范围内，有所发展；所谓小康，便是改良主义，便是维新变法的政策。维新变法原是维持封建统治残余的一种忠诚的献谋，然而正趋没落的代表封建地主的专制政府，它已到了无可挽回的命运，康有为的小康主义，终于随维新变法的失败而消灭；民族运动的领导权，亦因之而转移到孙中山身上。

这里还有不可忽视的人物，他们虽然也是康氏小康主义的维新变法运动中的人物，可是他们各有独立的思想，在维新变法运动失败以后，不但是中国民族运动的推进者，而且是二十世纪中国思想界的权威，如果把维新变法运动这件事撇开，他们的地位都在康有为之上。从思想上说，他们是十九世纪的中国进化到二十世纪的中国之桥梁；从民族运动上说，他们是辛亥革命的哨兵，是五四运动的先锋。他们是谁？一位是牺牲于戊戌政变中的谭嗣同。一位是戊戌政变以后成为中国言论界骄子的梁启超，固然中国民族革命运动的潮流中，自从康有为矛盾畏缩而歇了下来以后，孙中山始终是中流砥柱，不过孙中山的伟大，在于苦干的行为，这种苦干的行为，所以能够由数人十余人的信仰推而及于百千万人者，谭梁两人推动的功绩，不可没也。倘以整个的中国民族运动来讲，谭梁两人，与其说是康有为的信徒，不如说是孙中山的开路，现在把他们俩的思想，概括地分述如次。

先说谭嗣同，嗣同字复生，又号壮飞，湖南浏阳人，幼时好骈体文，结交梁启超后，其学一变，自从金陵居士杨文会后，其学又一变。他的思想的勇敢、精锐、彻底，在十九世纪中国要称第一人[7]，不幸他只有三十三岁，便为戊戌政变而牺牲了；倘使天假以年，则在中国文化思想上的贡献，必有更伟大的成就。他著作虽多，可是较有系统的只有《仁学》一书，所以要领略他的学术宗旨，也只有此书。然即在此书中，已可窥见谭氏透彻锐利的思想，而不能不引起人之深切的钦佩了。谭氏在《仁学·自叙》中说：

> 吾将哀号流涕，强聒不舍，以速其冲决网罗，冲决利禄之网罗，冲决俗学若考据若词章之网罗，冲决全球群学群教之网罗，冲决君主

之网罗，冲决伦常之网罗，冲决天之网罗，……然既可冲决，自无网罗，真无网罗，乃可言冲决。……

读这一段叙文，则知谭氏的大无畏精神，实为近代中国思想界的巨擘，他不仅要冲决利禄的网罗，冲决俗学群学群教的网罗，而且要冲决君主的网罗，要冲决伦常的网罗，冲决天之网罗。在十九世纪末叶之中国，而有此种勇敢迈进的思想，实不能不令人惊异。且谭氏所要冲决的，都是康有为认为天经地义，谨守奉行的事物，谭氏虽为康有为之党人，而其思想则较康氏为进步，所以谭氏虽是维新变法的角色，实在乃是一个近代中国最急进的革命家。他在《仁学》中说：

古而可好，则何必为今之人哉。

二千年来之政，秦政也，皆大盗也；二千年来之学，荀学也，皆乡愿也：惟大盗利用乡愿，惟乡愿工媚大盗。

他对于过去的一切，都主排斥，而于伦常名教，以及统治阶级御用的精神工具，说来半文不值，这种勇敢迈进的态度，盖无一人可及者。他对于封建统治者在精神上奴隶群众的工具的名教，又有如下一段话：

> 俗学陋行，动言名教，……以名为教，则其教已为实之宾，而决非实也。又况名者，由人创造，上以制其下，而下不能不奉之，则数千年三纲五常之惨祸酷毒由此矣！……如曰仁，则其名也；君父以责臣子，臣子亦可反之君父，于钳制之术不便，故不能不有忠孝廉节一切分别等里之名。……忠孝既为臣子之专名，则终不能以此反之，虽或他有所据，意欲诘诉而终不敌忠孝之名为名教之所尚。……名之所在，不惟关其口使不敢昌言，乃并锢其心使不敢涉想。……

这种议论，在卫道之徒的意识中，真是极人伦名教之奇变；然而在二十年后《新青年》一派的急进思想，掀起了轩然大波，把全国年青的男男女女，从名教的枷锁中解放出来，重新去估量人生的意义，饮水思源，不得不归功于谭氏。

谭氏的政治思想，是一种彻底的民治主义，其于攻击满清政府之处，几如太平天国的《奉天讨胡檄》相同，充分表现着狭义的民族的情感，而其思想之结晶，则为世界大同的幻想，这是中国民族运动思想的特色，不仅谭嗣同如此，民族运动诸领袖，都有极模糊的广义社会主义的幻想：康有为如此，孙中山亦如此，从兴中会后民族运动的集团，他们的终极目的，往往含有社会主义的意味，这是落后的中国经济关系所决定。因为这种模糊的社会主义的真实意义，就是积极的建设资本主义；可是不先去诱发广大的群众，起来推翻封建统治，中国资本主义的发展是不可能的。因此，中国初期民族运动的革命领袖的思想，与革命集团的经济政纲，往往含有社会主义的意味。在另一方面，他们既艳羡资本主义生产的繁荣，而又不希望阶级斗争的出现于中国，于是模糊的广义社会主义的幻想，便成了中国民族革命运动中普遍的倾向。

其次，与谭嗣同同工异曲，殊途同归的，便是一时代言论界骄子的梁启超了。启超又名卓如，别号饮冰室主，广东新会人，为康有为之弟子，其讲学最契之友为夏曾佑，谭嗣同，故其思想受夏谭影响亦最巨。谭氏因为早死的原因，所以一般人还不十分重视，致于梁启超，他在思想上事业上，均有极大之贡献。他在戊戌以前《时务报》时代，便已出了名，所以人都以康梁并称。其实在戊戌以前，他不过是康有为的代言人，和徐勤、汪彭年辈同在康有为的圈子里过活，还没有与康氏并称的价值；到戊戌以后，亡命日本，学习外国语，研究新学说；思想言论，便脱离康氏的羁绊而异军突起了。中国自鸦片战争以后，直至戊戌政变，这五十余年间，思想界甚为混乱，没有一人可以称为思想界的权威；但从戊戌政变以后，直至五四运动，这二十年间，梁氏始终站在中国思想界最高地位。他的事业当然远不及孙中山之伟大，其在思想上之成就，无有一人可以比拟者；尤以光绪二十六年办《新民丛报》起，至辛亥革命的十年间（公元一九〇二年至一九一一年），是梁启超的黄金时代。当时适当科举程式改变[8]，一班应考的秀才童生，骤然失了向来的揣摩工具，《新民丛报》就变了他们的“小题文府”“三山合稿”，政府尽管禁止，国内却是畅销无滞，梁氏遂成了全国青年及智识分子崇拜的偶像。他的主要著作《新民说》，成了新时代的圣经，他的《中国魂》，成了每个智识分子与青年必读之经典，梁氏在中国思想界的权威，直至五四运动时，才由陈仲甫起而接替。因为他的思想称霸的时间较长，所以传播的影响亦较大，梁氏真可称为近代中国思想界的“天之骄子”了。

梁氏的思想，虽屡经蜕化，然始终未曾离开中产阶级的立场。可以包括他的全部思想的，当然是他最主要的作品《新民说》了；所以《新民说》便是中产阶级思想在中国最成熟的最具体的表现。当时民族运动两柱石之康孙二氏，均还没有具体思想著作发表（康氏《大同书》发表于辛亥革命后《不忍》杂志，孙氏《三民主义讲稿》也是五四以后才发表），谭氏的《仁学》，其见解虽有远在梁氏之上，而其全体结构，又失之过杂，所以《新民说》委实是近代中国民族革命运动潮流中最成熟最具体的一种作品了。

因此，《新民说》与三民主义，同为近代中国思想史上有不可磨灭的价值，在过去对于梁启超往往联想到康有为，尤其是在辛亥以前的梁氏，因为立宪派与国民党对立的印象，总不以革命者目之，他的著作，也当作不革命的作品。可是实际上这篇文字，不但有严密的组织，有一贯的理论的体系，而且包含着丰富的民族革命的具体思想。新民之说，是要求国之“安富尊荣”，这出发点和兴中会的富国强兵，如同一辙；梁氏认为要实现新民之说，就应仿效已经达到安富尊荣的资本主义的先进国家的一切文明制度，这种制度的第一个特点，就是民治精神。[9]而其立论之根本有二，一为内治，一为外交。关于内治的根本见解，就是鼓吹民治精神，而此所谓民治精神，正是资本主义政治的特征。关于外交的根本见解，“惟有我行我民族主义”，此处之所谓民族主义，实际也是资本主义，所谓民族帝国主义，实际上也就是资本帝国主义，他说的“人以民族主义侵我，我以民族主义抗之”，亦即为人以资本主义侵我，而我即以资本主义抗之的意思。

在这样一种出发点之下，他对于资本主义之新道德观念，阐发甚多，而于封建的旧道德观念，则力加掊击。他在《新民说》第五节中，对于公德，推崇备至，然而公德乃是资本主义道德之最高的标准，统治阶级就在公德的美名之下，去掠夺被统治阶级，和欺骗被统治阶级替他们服役，梁氏既要破坏封建的旧道德观念，不得不对于新的资本主义道德，目之为最根本的道德，反复申说，以达其道德革命的目的。更进而阐发权利与自由的思想，这是资产阶级革命时最需要的口号，盖非如此，不足以激发群众去推翻封建统治。虽然他所说的权利与自由都是对于资产阶级偏面的利益，可是在史的历程上，这是资产阶级大革命的利器，也是封建统治崩溃的致命伤，在十九世纪以前，世界上一次次地革命与流血，都是为了这些。所以在经济落后的中国，梁氏能够说出这种论调，在当时无疑的是代表进步思想而且有革命意义的见解。

梁氏更认定必须有破坏，才有进步。他历举英法德美日诸国，皆以破坏而有进步，中国非经破坏，不足以求进步之理。他对于旧统治阶级的不满与攻击，表现出一种蓬蓬勃勃的朝气，这种打破现状的风气在戊戌政变以后，确实唤起了不少的青年。所以在戊戌政变以后，梁氏的言论，已超过了君主立宪的范围，而梁氏的思想，也以阅读欧美新学说而走上民族革命的路线。他在要求进步而不得不主破坏，要求破坏而不得不先打破现状的观念之下，故其发为议论，往往出之极端，虽稍偏稍激，亦所不惜，一以骇世惊俗为主[10]，于是进步的智识分子，都酝酿着打破现状的潜意识在心里。辛亥革命以前，同盟会的实际工作，所以在短时期间，到得大多数人的信仰与赞助，梁氏《新民说》的思想，以及他声情激越的文字，亦有很大的功绩。

谭梁二人的思想言论，其影响于民族革命，既如上述。二人中以谭氏早死，且少著作，其直接影响于辛亥革命者少，而间接影响于五四运动者多；梁氏自戊戌政变以后，即取得康有为之地位，握中国思想言论界的牛耳，故其影响于辛亥革命者甚大。至五四运动时代，谭氏的思想，得陈仲甫之发挥光大，风气为之一变：向日一般智识青年，以梁启超为崇拜的偶像者，至此，陈仲甫便代替了梁氏的思想权威的地位，而为一般智识青年崇拜的偶像了。

何以说是梁启超的思想，对于辛亥革命很有影响呢？原来中日战争，虽把中国弱点，完全暴露，西方资本主义者的侵略野心，也无限制的猖獗起来，但是大多数人只感觉到外国人的可恶可恨，对于满清政府还不敢藐视。自经“拳祸”的大乱后，资本主义者对于中国国民，颇起了一点的戒心，侵略的方法乃稍稍变更。他们对于满清政府一面压迫，一面却又保持扶植，于是中国的大多数人，却把恨恶外人的心理，完全移到满清朝廷身上去了：越觉得外人的可恨，就越觉得满清的无能，甚至立宪派中除了康有为以及少数深中封建遗毒的分子外，他们对于满清，也都没有什么顾惜，并且有点厌恶了。就是梁启超，他到了日本，读到许多西洋新学说后，早已不如康有为之矜持，不过厌恶满清的程度，有深浅之分，梁氏总究与康有为还有师生关系，又受了光绪帝的知遇，不得不站在立宪的旗帜下面。可是他的思想，已日渐和兴中会接近起来，倘使没有康有为的申斥，与徐勤的暗中作梗，说不定两党合并工作，可以实现于同盟会成立以前，《新民丛报》和《民报》的对抗文章，也不致于产生了。

梁氏对于两党合并运动失败后，他和孙中山陈少白的来往仍密，双方仍多联络协助的事情。己亥冬天（公元一八九九年），立宪派健将唐才常林圭二人，也是孙中山最赏识的朋友，带领留学生二十余人回国，往长江一带谋以武力保皇的时候，梁氏在东京的红叶馆设宴送别，孙中山陈少白亦均作陪，孙氏并为唐林作书介绍于汉口某俄国商行买办兴中会会员容星桥，足见当日立宪革命两党中人，并不如后来双方机关报上之对立，更没有如现在一般历史书中所记载。唐林二人回到国内，便往长江一带联络会党，准备举事，并函约孙中山和兴中会同志也预备在广东方面起事。明年北方的义和团事件爆发，而广东之惠州之役，与长江一带的汉口和大通之役，也相继爆发；这便是立宪革命两党，分途并进，殊途同归的一点事实。

立宪派因为唐林失败，便专在文字上宣传，国内智识分子对于康梁本极信仰，尤其对于梁氏的言论，全国智识分子的意识，常随着梁氏的笔尖而转移，从“君臣之义如何能废”的一种观念，转变到“非我族类，其心必异”的一种观念，把全国智识分子一齐扭入狭义的民族革命运动的途上。梁氏对于满清政府，常常发出极痛心的话，虽其立场，犹为立宪，而于革命方面，反发生一种反宣传的效力。如《现政府与革命党》一文中有：

> 如是之政府，非底于亡国不止；等是亡也，不如自亡之而希冀万一于不亡。

似此沉痛文章，不胜历举，所以梁氏虽在立宪派的地位以反对革命，而其文章不但替革命党张目，而且他在不知不觉中，已承认革命乃是出于万不得已的事，遂使阅读梁氏文章的智识分子，也抱着“等是亡也，不如冒险革命而希冀万一于不亡”的意向，对于革命党人，也不如以前的视同洪水猛兽了。孙中山说：“当初次之失败也（指乙未），举国舆论，莫不目予为乱臣贼子，大逆不道，……惟庚子失败之后，则鲜闻一般人以恶声相加。”这是实情，因为满清的罪恶，已为多数人所公认，而革命的力量，亦已由梁氏的文章，给予青年智识分子一种很强烈的刺激，同情之心，乃油然而生了。

梁氏在戊戌政变以后，因已取得思想界的权威。自清政府以预备立宪为标帜，梁氏以及他领导的立宪党人的活动，更比革命党要顺利，虽在西太后、袁世凯、张之洞与革命党人两面夹攻的情势中[11]，他们的进行，并没有损失。不久便有华侨联名向清政府请愿要求实行立宪的事。又有湖南人熊范舆等联名向清政府请愿要求设立民选议院，李剑农在《最近三十年中国政治史》上说："国内此处彼处，常有学生开会，作政治演说，渐至北京也有开会演说的事了；大概都是由政闻社员的活动而来的。"这样，更可以证明晚清革命运动的急转直下，与辛亥革命的一发而不可收拾，梁启超的言论思想，其功固不可没。可惜他在辛亥以后，投身政治活动，想借北洋军阀的实力，来实现他的立宪政治。但是每次的尝试，都归失败，欧战以后他从欧洲回来，目击欧洲战后的荒凉，写成一部《欧游心影录》，大唱西洋物质文明破产，东方精神文明复兴之说。此后虽然还做了些整理国故的研究，可是他的思想已跟着时代的后面走，不能再做开路先锋，成为清代思想史的结束人物。

我曾说中国自鸦片战争以后，直至戊戌政变这五十余年间，思想界甚为混乱，没有一人可以称为思想的权威，这实在是中国的大不幸。戊戌政变以后，直至五四运动这二十年间，中国民族运动的两柱石，康有为就此歇了下来，除了发表一篇乌托邦理想的《大同书》之一部分外，其他一无建树，在民族运动史中，已无他的地位；另一柱石孙中山，他开始仅向华侨与海外留学生鼓吹革命，戊戌政变以后，又专在实际行动上奋斗，其在民族革命史中，虽然留下了许多光荣的史迹，可是中心思想，未能树立，中心信仰亦无从产生，因之在同盟会成立时，各方志士加入的仅仅为狭义的民族主义——排满主义——而来入会的，对于民权民生两主义尚多未能确实信仰，这便是满清皇位所以容易颠覆的原因，也便是中国民族革命运动不健全的症结。故在五四以前的二十年间，在革命的行动上，当然都在孙中山指导之下不断奋斗，而其思想能影响到革命的，首屈一指的便要轮到梁启超了。

不过在辛亥以前，梁启超终究是站在立宪旗帜下面的立宪党人，终究是醉心立宪而反对革命的人，他的思想言论，虽多为革命党张目，为革命党反宣传，而觉醒了经生文人，推动了民族革命，可是他的中心思想，不过欲把现阶段的满清朝廷，达到“安富尊荣”的境地，不过要把濒于崩溃的封建政府，走上民治的途径，以完成和西洋同样的资本主义国家。他把握着中国言论界的权威几乎有二十年，从十九世纪末叶到二十世纪初期，委实是梁启超所说的“实中国两异性相搏相射，短兵紧接，而新陈嬗代之时也”，在这样重要的时期中，思想的权威，握在主张立宪的梁启超手中，所以从民族革命运动的立场上说在五四运动以前，仍没有中心思想，因为没有中心思想，遂没有中心信仰，并且没有中心力量。于是民族革命的发展，乃是相搏相射，曲抑回旋中逼迫出来，并没有一贯的思想和明显之路线，因之而领导思想的权威，在五四以前，落在立宪派的梁启超身上，到五四运动的前后，又被“新青年派”的陈仲甫取而代之，这是中国民族革命运动，终于未曾发出伟大的力量而抵于成功的惟一原因。

自从辛亥革命失败后，孙中山看到党员精神的涣散和国人意识的颓废，乃从“先有思想，再到信仰，次由信仰，生出力量”的认识中，努力于心理建设的运动，这是中国民族革命运动最合理的转变。可惜他在这方面努力的时间太短促了，他仅留下了一部没有讲完的《三民主义讲稿》便长逝了。这包含极其复杂的一部三民主义，决定它的理论体系之最实际的条件，当然是他的曲线的阶级背景；又从它的包含极其复杂的理论中，决定了后来民族革命者的各个不同的脸谱，人人摭取三民主义的一角，各执革命理论的一端：以三民主义之称颂于尧舜禹汤文武周公也，便有私淑康有为的圣贤主义了；以三民主义之谈到李宁，马克思也，便有侈言社会革命的急进改良主义了。这是五四以后封建残余的军阀政府，所以能够不即崩溃，也是中国民族运动，始终没有中心思想中心力量，遂使民族的革命运动，终于循着曲线的发展：浪费了多少的金钱，冤屈了多少的生命！

参考

[1]《孙文学说》第八章中说："余自乙酉中法战败之年，始决倾覆清廷，创建民国之志。"

[2] 康有为是咸丰八年（公元一八五八年）生的，孙中山是同治五年（公元一八六六年）生的。（原书康有为生于一八五五年，故以为他比孙中山年长十一岁。——编者注）

[3] 康有为广东南海县人，孙中山广东香山县人。

[4] 关于康有为的生平可参看梁启超所著《康有为传》；关于孙中山

的历略，可参看吴敬恒所撰的《中山先生年系》。

[5] 当初文字边旁加上三点水作“汶”字，形容他与强盗乱贼一样，见李剑农《最近三十年中国政治史》第一章。

[6]《大同书》在《不忍》杂志上发表过一小部分，没有刊布。

[7] 梁启超说他是“晚清思想界的彗星”，又批评谭氏《仁学》一书，也说：“……其尽脱思想之束缚，戛戛独造，则前清一代未有其比也。”

[8] 光绪二十五年，己亥，科举程式改为策论，废弃八股。

[9] 新民之说，可以达到国之安富尊荣，见《新民说》第一节；说民治及其立论之根本，分内治与外交，均见第二节。

[10] 壬寅年的《新民丛报》中有篇《敬告我同业诸君》一文：“……故某以为业报馆者，既认定一目的，则宜以极端之议论出之，虽稍偏稍激焉而不为病。”由此可知当日梁氏立论的如何偏激了。

[11] 革命党与立宪党的对立，在戊戌政变后愈演愈烈，不但彼此在言论上攻击，并且两党中人，竟有动武者，光绪三十三年（公元一九〇七年）七月十七日，梁氏和蒋智由等在东京神田锦辉馆开政闻社的成立会，即被革命党捣乱，当时传为笑柄，章太炎记述其事如下：“阳历七月十七日政闻社员大会于锦辉馆谋，立宪也社。以蒋智由为魁，而拥树梁启超。启超往，徒党几二百人，其他赴会者亦几千余人，又有日本名士八辈为光宠，犬养毅者，其气类相投者也。革命党员张继陶成章等，亦往视之。梁启超登，力士与会者以次坐（按：梁氏已知革命党有不利之行动，故预雇日本力士为护）。政闻社员在前，革命党员在政闻社员后，其他留学生在革命党员后。启超说国会议院等事，且曰，‘今朝廷下诏，刻期立宪，诸君子宜欢喜踊跃’，语未卒，张继

以日本语厉声叱之曰：‘马鹿！马鹿！’（按：即侮辱意）起立，又呼曰：‘打！’四百余人奔而前。启超跳自楼曲，旋转而坠。或以草履掷之，中颊。张继驰诣坛上，政闻社员持椅格之，金刚自后搤其肩，格者僵，继得上。众鼓掌欢呼，声殷天地。政闻社员去赤带徽章以自明，稍稍引去。继遂言曰：‘吾不应参与政闻社员事；然所以不能默者将有所诘问于犬养毅。毅前在早稻田，语支那学生曰，中国当速革命，吾亲闻之，今何故附会立宪，猥鄙至是！’毅俯首谢则登坛作酬应语，既卒，徐曰：‘支那或革命，或立宪任人为之，在速行耳。’当是时蒋智由先知有变，不至，会亦遂散。继本欲痛驳立宪，以塞莠言，会事急至用武亦未竟其说也。”读此可知革命与立宪之对立，已由学理的辩论而入于意气的斗争了。至于反对立宪党的另一势力西太后、袁世凯等，完全为了“保皇帝，不保太后；保中国，不保大清”的传说所致。

第十一章 变例的民族运动中的奇迹

从游牧民族侵略转变到资本主义侵略　三种不同的侵略方式引起三种不同的反响　支持民族运动的农工阶级　元清统治的转变　清朝士大夫阶级的民族意识　民族意识之最初的觉醒　两种不同方式的民族运动　有群众无领导和有领导无群众　事实与意识的不相应　意识拗不过事实　变例的民族运动成了变例的民主国家　北洋系的开山祖　一幅军阀起落图　辛亥以前革命运动的目标　革命成功即为军队成功　袁氏绝大幸运的照临　北洋系排斥士官生的种因　袁世凯几受极刑　非袁不可的心理　小站长官做了国家元首　为开明专制而成了专制的帝制　北洋军阀官僚的独舞台　造成二十年割据局面的大宗师　军阀的不可绝灭　擒贼先擒王的方式

近代中国民族运动曲线的发展遂使鸦片战争到现在将近一世纪的长时间中，不能产生一种彻首彻尾始终一贯的中心思想，既如上述。这里再把中国民族革命运动，何以赶上歧途，和赶上歧途后遭逢的奇迹，再为一说。

中国自海通以后，西欧资本先进国家，相继而来；所以海禁开通是结束游牧民族的侵略，而开始资本主义的侵略。换句话说，中国到了近一世纪，游牧民族侵略的时期已过，资本主义侵略的时期到来。因为中国自中世纪以来，不但是五胡的乱华，亦不但是蒙古族与女真族的统治，事实上没有一个时期不受游牧民族侵略，不过侵略的程度，有久暂大小而已。到海禁开通，西欧先进资本主义国家，挟其雄厚的资本，如潮涌至。至此，数世纪来缠扰不休的游牧民族，遂和中国一样地退处于被侵略的地位。

资本主义初期的侵略，表现于中国的形式的，共有三种：一是军火与军事技术，二是商品与货币，三是交通机关与生产机器。在这三种不同的侵略方式中，引起三种不同的反响。统治阶级的战斗集团最感觉第一形式的威胁；士大夫阶级最感觉第三形式的重要；农民工商业者最感觉第二形式的锋芒；三者各依其所感觉，以决定对外关系与对内关系。

满清政府和承继满清的军阀，他们与外国资本阶级的关系，正如从前东晋，后晋，南宋等时代的统治阶级与突厥，通古斯，图伯特各族豪右大人的关系相同，战争，和议，屈服，勾结，皆决定于对内统治的安危利害。在他们的心目中，对于外国军火有抗御或购用的两途，对商品货币有抵制或借助的二法；交通机关可以利用以增加岁收，利用以镇压民众；生产机器可以颠覆封建军国，也可以作兵工军服工厂的设备。总之，外国资本阶级之于中国统治阶级，可以横加压迫，也可以凭借提携；所以战争，议和，屈服，勾结，也都决定于对内统治的安危利害。

士大夫阶级认识新生产技术的必要，同时又感觉新生产技术的危险；他们一方面知“闭门獭祭”的不足：

> 曰：然则岩穴之士，岂无能自绩学以待驱策者乎？曰：格致，制造，农商兵矿诸学，非若考据、诗章、帖括之可以闭户獭祭而得也。[1]

他方面，又感觉与新生产技术相伴而来的思潮之可畏：

> 然一旦悉取旧制而骤更之，不独宿学耆儒咸伤废弃，且率天下而专务于功技巧利之事，势必尽举六经四书概置不读，设有奇材异能，而于大纲大本之地未加讲求，逞其智能勇略，设有奸徒，唱为邪说，鼓惑煽诱于其间，小则启离经叛道之思，大则为犯上作乱之渐，其患何堪深道。[2]

农工生产民众则反抗商品侵略，因从反抗满族统治，而至于反抗帝国主义侵略，在从前有太平天国运动，在现代有“五卅”一类运动。

因此，我们知道中国近数十年中，支持中国民族革命运动的，是农工生产民众，士大夫军阀官僚都不适于作为中国民族运动的主要阶级，所以孙中山也曾有如下的一段话；

> 乙酉以后，予所持革命主义，能相喻者不过亲友数人而已。士大夫方醉心功名利禄，惟所称下流社会，反有三合会之组织，寓反清复明之思想于其中，虽时代湮远，几于数典忘祖，然苟与之言，犹较缙绅为易入。

关于农工生产民众可为国民革命的中坚，在中国历史上亦有许多事实可以证明。当然，中国数千年来都停滞在农村经济社会的一阶级，所以农民为主要阶级的民族意识，比工人还显著，他们在历史上常引起伟大的农民反抗运动，就是辛亥革命的前期，也依农工秘密会党为主干。

但是，近代中国民族革命运动中，士大夫阶级虽非成了国民革命的中坚，却仍处于领导的地位，这种变态的因素，当然也有其历史上的条件：可是最大的根源，乃是元清两朝异族对于中国的统治，与隋唐以前异族统治的方法不同。蒙古族的统治所不同于过去者，是抑制中国士大夫阶级而不与提携，并且以军事驻防压迫中国民众。女真族的统治所不同于过去者，是杜绝满汉的融合，而其军队驻防制又不同于元。后者仍以贵族分封各地，前者则完全废止封藩制度。蒙古与女真统治相同的，他们皆以武功威压汉族。中国本来是士大夫阶级支持的民族，尤其是在五代以后南宋以前，他们靠着门阀的势力，发挥其身份意识的权威。[3]他们早已把身份意识去代替民族意识，所以异族侵入，就会勾结各族豪右，以保持其统治地位，所谓以夷制夷政策，也不过是勾结一部分的异族豪右去排挤另一部分的异族罢了。[4]到了突厥族与通古斯族的血液再度渗入汉族的血液后，中国士大夫门第之身份差别，转化为官僚阶级科第之身份差别。至此士大夫的民族意识更为官僚阶级科第所毁灭。他们既然没有丝毫民族意识，所以对于异族称臣称子，成为司空见惯。他们看到外交政策，不过是维持私人政权的手段，征异族或和戎狄，皆决定于统治阶级对内的安危利害而定。元清两朝入关统治，一变过去异族统治政策，不再和士大夫阶级提携了；尤其是清朝，不但不提携，还要杜绝满汉的融合，还要用武力来压迫。这样一来，数千年来对于异族卑辞厚礼的中国士大夫阶级，便从切身之痛而亦发展其民族丧败和民族差别的痛苦，民族意识的思想又重新形成了。

因为这样，所以在清初便有不少含有民族革命意识的士大夫阶级从事于反清运动，倘使清朝在乾嘉以后，不变更其对于汉族的高压手段，那是辛亥革命还要提早一百年；因为后来满清改用笼络手段，把许多的智识分子，一齐罗致去了，所以在清朝中世武功衰歇以后，还有许多汉族的忠臣义士，忘却祖宗惨杀的仇雠，反为满清去打倒太平军，维持其统治的地位。这原来是士大夫阶级无耻的本性，也是满清统治阶级转变其统治政策的成功。

但是，在满清入关统治的最初一百年中，对于汉族压迫的惨酷，如扬州十日，嘉定屠域，尤其是无数莫须有的文字狱，当然还在一部分士大夫阶级的深刻印象中，所以清朝士大夫阶级的民族意识，不以统治阶级的笼络手段而撕灭。尤其在下层社会中，他们在清初同样地受到惨酷的屠杀，而后来的笼络政策，与他们无干，所以民族意识在下层社会中，反较士大夫阶级为普遍，他们不断地宣传种族革命的排满运动，哥老会，洪门会，三合会，九龙会，双龙会，白莲教的秘密组织，更以此而普遍于民间。这些组织为吾国民族革命之原始的秘密组织，它们对于后来清室的覆亡，尤有极大的影响；由这些组织所影响而成太平天国的反清运动与义和团的反帝运动。这是吾国民族意识之最初的觉醒，也是士大夫阶级的觉悟分子领导民族运动的开始。

至此，可以明白中国士大夫阶级虽然不是国民革命的中坚，却仍处于领导地位的历史的条件，而中国近代民族运动的分子，便有两种不同的形式。

一种是不懂世界情势的内地农工分子所发动者：鸦片战争时的平英团运动，同、光年间闹的无数教案，光绪二十六年发生的义和团扶清灭洋，以及后来北方各省的红枪会天门会，四川的神兵等等，皆属此例。

一种是通习世界情势的智识分子所发动者：历来的各种维新运动和革命运动，皆属此例。

在第一种所举的为原始农民暴动，他们没有阶级意识，他们只有模糊的民族意识。他们的行动，正同于一个病人为痛痒苦楚所激起的身体动乱。在这种方式的初期民族运动中，偶然的胜利都谈不到，更不要希冀它的成功。其次，第二种所举的不论立宪的或是革命的都是领导民族运动的智识分子。本来革命的基础，应当寄托在大多数的农工无产者被压迫者身上，这些人虽在政治上经济上是机会最不好的分子，而是社会中解决社会问题之一大力量，亦为有革命方向的智识分子所必须凭借的力量。但是在中国就有些例外，它的原因是：中国的智识分子，虽然为了元清两朝的极端压迫而有民族意识的觉醒，可是士大夫阶级的身份意识，还在智识分子的潜意识中，他们尽管喊着自由平等的口号，而于劳苦群众仍有不屑为伍的观念。还有因为中国民族革命乃由少数觉悟分子由对内的民族意识之觉醒始进而为对外的反帝运动，不像西方民族运动，必因经济演进，社会变化，便有大多数为了感受迫害虐苦的群众，亟求解除苦痛而要起来推翻现状，以求人人达到政治上经济上的机会平等。因为如此，中国的民族革命运动，往往有领导而无群众，有群众便无领导；智识分子和农工群众，各为意识地牵拉，各走其革命的路线。

中国民族运动在第一种所举之例——各种原始农民暴动，其发生以至于消灭，全是社会中受压迫最甚，智识最低，陶铸于旧习惯最深的农民，而无智识分子为之领导；在第二种所举之例——立宪与革命各运动，其最初发生以至于五四以前，恰与第一种相反，全是智识分子高唱其独脚戏，而无农工为之后盾。因之第一种的民族运动，不动则已，动则为翻转回去的动，天下岂有民族运动而走向反面去的事情，初期民族运动的终于不脱原始农民暴动的典型，便是为此。第二种的民族运动，以其分子都为士大夫阶级的智识分子，他们原是思想游移的流动分子，他们只要本身得到小惠，不但“非革命不可”的形势不易造成；反以留恋于现状而落于不革命，或反革命的队伍中去，这是中国民族革命运动起落不已，革命势力盈虚无常，民族革命运动活动了将近半个世纪，而封建遗毒还是遍植全国的根源。[5]

中国民族革命运动，既为少数智识分子受外来经济侵略的刺激，而为意识地牵拉。以常例言之，凡一社会中，其意识恒为其现有事实之反映，其事实又恒为其意识所调整而拓展，二者息息相关，互为因果，假有社会事实既已迁进，而意识未更，则将发为革命。革命之发生与成功，莫不有新事实为根据，亦莫不有新意识为先导，否认旧意识，要求新意识，新意识此时盖已伏于新事实之上，绝未有在同一社会中，事实所归落与意识所趋向，两不相应，有如中国今日者。是则由社会事实以演自中国数千年特殊历史为本，而社会意识以感发于西洋近代潮流者为强，二者固大不侔，近代中国之民族革命运动，原非发自整个民族社会之内，乃为少数人从外引发而来，实为民族革命运动之变例。社会内部自发之革命，大抵因新事实而有新意识，意识事实，一致同趋，革命乃可成功；从外引发之革命，意识与事实不侔，旧事实既不容于新意识被排而去（如辛亥革命），而新意识又以缺乏新事实而安立不起来，在此两夹中间，意识拗不过事实，民族革命运动就归落到失败之局。

中国民族革命运动既归落到失败之局，就是辛亥革命以后一切重反于辛亥革命以前，在某种观察上，革命以后，或者竟有甚于革命以前的情形，因为当时民族革命运动，集中其目标于代表封建贵族的满清政府，这种反满清政府的斗争，自然就是反封建势力的斗争，而事实上满清政府只是代表封建势力的一个上层建筑，智识分子的革命者，他们厌恶着这上层建筑，他们还不知这种封建的上层建筑，如果不去诱发广大的农民群众来参加革命，根本毁坏了上层建筑的真实基础，那就仍旧像中国历史所特有的张家倒了李家上台的一治一乱之循环圈；或者因为在“共和”招牌之下，须得改变花样，便用另一种形态表现出来（把大总统执政等等的名称与形式，去代替了皇帝），于是从变例的民族革命运动，而形成变例的民主国家，更从变例的民主国家中，产生着旷古未有的奇迹——就是北洋系军人的变为军阀。

北洋系军人的开山老祖，远在清朝武功衰微太平天国平定以后。从前蒙古的武功衰微，汉族农民蜂起，逐出北方，便是明朝的开始；女真的武功衰歇，亦遭汉族不断的反抗，从中横出几个保驾满清江山的汉族忠臣，他们一方面做了满清中兴的功臣，一方面便是后来北洋军阀的开山祖。

为何北洋系军人走上军阀这条路上去呢？原来军阀不是一个好的名词，他们在辛亥革命以后，社会人人诅咒着，他们自己亦应和着；从来不见有这样反阶级理论，人人诅咒，自己亦从而诅咒之，而其潜伏于社会上的势力，反继长增高，一发而不可制。在辛亥以前，我人心目中毫不知有军阀这样东西，亦且绝未听说这名词，故这旷古未有的奇迹，明明是入民国以后的新产物。然而革命者偏偏又以打倒军阀为肃清封建势力的首要，他们莫不一致以军阀为革命的对象；既为革命的对象，又何为产生于革命的运动中，这已有些奇异了。产生以后，不但为人类社会所共恨，即他们自己亦彼此互咒，一若军阀这东西，实狗彘之不若；然在实际上打倒军阀的呼声，尽管响彻云霄，而旧军阀倒新军阀出，以暴易暴，无以自解，梁漱溟在《中国民族自救运动之最后觉悟》上，有如下的话：

> 一扑之下，旋即不见；转而出现后营隐身两翼，再扑三扑，愈迷愈乱，手伤趾残，头晕眼花，欲罢不能，不罢亦不能。

这聊聊数语，委实是辛亥以后一幅军阀起落图，它的产生已经有些奇异，它的变化更是有些神妙，称为奇迹，毫不过分。我们现在考查它产生的由来，再去推测它今后的去路。

原来辛亥以前，民族革命运动的目标，只集中于代表封建贵族的满清政府，而其方法，只集中于单纯的政治活动和军事暴动。政治活动既告失败，于是军事暴动遂为革命惟一之出路，戊戌政变以后，联络会党，通款军队，为革命活动的中心工作，然当时立宪革命两党，犹各办机关报，阵容严肃，旗鼓相当，在这双方针锋相对的辩论之下，觉悟了不少中国的青年，唤醒了不少中国的志士，革命的理论，渐为一般人所同情，独执言论界牛耳的梁启超，已不能克服革命党的主张，民族革命运动进展之速，以这一时期为最。可惜在宣统二年（公元一九一〇年）梁启超改出《国风报》时，革命党早已放弃宣传工作而入于实行时期：所以中国民族革命运动的进程中，不但没有完整的革命理论宣示大众，即零星论著，亦未继续不断的宣传。革命者既以军事暴动为革命惟一之出路，于是军事暴动便为革命之重心；革命者既以革命之重心寄托于军事暴动，那么革命的成败，完全系于军事，而军队遂为革命的灵魂：革命成功，即为军队成功，彼军队领袖，亦可摇身一变而为革命领袖，于是而军阀成焉。军阀之所以不见于前清而见于辛亥革命以后者以此。军阀即为封建时代的军人，封建余孽附丽于革命，改变花样，用另一种形态表现出来：故革命者不得不以昔日排满主义的力量，起而从事于打倒军阀了。

不过旧军阀倒，新军阀生，打倒一个，产生好几个，好像稗草蔓生，越割越盛，这是什么原因呢？

过去民族革命运动，集中目标于排满主义，不去诱发广大的农民群众，已是失策之至；又复集中工作于军事暴动，革命工作只有军事暴动，离开军队，也就不能革命，立宪者的心理如此，革命者的心理亦莫不如此。军阀的老牌者为北洋系，而手植北洋系终其身为北洋系之领袖的为袁世凯。袁氏固借北洋军阀而得以扶摇直上，袁氏发迹之初，虽得吴长庆、李鸿章、荣禄、李鸿藻等四人之知遇，但是戊戌政变和义和团事件，实在是袁氏绝大幸运的照临，也就是北洋军阀基础确定的开始：是则北洋军阀最初之产生，立宪志士与有力焉。

袁世凯走上幸运之途，即擢升而为直督兼北洋大臣，在天津陆续奏设军政司（后改督练公所），学校司，农务司等种种机关，而军政司之下，仿效日本参谋本部，训练总监及陆军部的组织，区为参谋，教练，兵备三处，俨然在天津成立一个小政府；当时他虽还没有据地自雄的阴谋，可是已引起亲贵派的忌刻。到癸卯年（公元一九〇三年）冬间，北京设立练兵处以后，排袁运动突然紧张，闹出一场袁铁之争；直至丁未七月（公元一九〇七年），袁与张之洞同时调入军机，亲贵派的排袁才获了最后胜利。不过当时军队将领，大都为袁之部属，留学日本士官学生，亦已陆续毕业回国，其本自北洋送出的，也得派往各镇充下级将校，故袁之潜势力，不以铁良的挟制而稍阻其发展。袁铁冲突时，其间有一个士官生名叫良弼的，是满清贵族中的佼佼者，他和革命党员吴禄贞极要好，士官生中的革命党员，急于取得军权，作革命基础，便由吴禄贞联络良弼，拥护铁良以排袁，良弼亦要充实力量，乐得与他们结合，免除排汉的痕迹。所以在当时袁铁之争，骨子里是满汉之争，而表面上仿佛是士官生与北洋系的倾轧。以后革命党的士官生如吴禄贞等能在北方军队中，播散革命种子，未始不由于此。然而辛亥革命后，北洋系的军阀排斥他派的士官生，也未尝不种因于此。

袁世凯被亲贵派的排挤，调任外务部兼军机大臣后，表面上军权削小不少，可是实际上统率北洋六镇的还是他的旧人。因为满清的庸弱无能，虽高唱着排汉政策，而实际上政权已渐渐附属于军权，军队早为军事领袖个人所有，北洋系的基础，至此已很牢固了。到了光绪帝和西太后崩驾以后，袁氏的地位，才见动摇，他虽极力拉拢载沣，希望他念其拥戴之功，仍和西太后一样地信任他；不料载沣早和那般少年亲贵议有办法，于宣统嗣位后，不到一个月，就谕"命袁世凯开缺，回籍养痾"。并且当日亲贵中，很有主张在袁被逐时，索性把他杀掉[6]，因为稳健派恐怕北洋军队造反，从中谏阻而止；倘若当时真的把袁氏杀了，在满清当然仍免不了亡国，不过辛亥以后中国二十余年的政治，将另换一个局面了；并且袁氏在那时杀死，北洋系决不会有后来这样大的声势，而军阀的名称，也不致如今日这样严重了。

原来袁世凯的幸运，尚未走尽，载沣竟究不是一个有魄力的人，既送他回去，又不敢采用少年亲贵的意见杀掉他。等到辛亥武昌起义，在"非袁不能收拾"的呼声中[7]，载沣不得不委屈求全，令徐世昌微服出京，亲赴彰德劝驾。袁知时机已至，故意推诿，以冀清廷对于他所提的六个条件[8]全部承认。后来各省响应革命的，日有所闻，南征的军队，都是袁的旧部，又不肯出力；资政院的立宪派人，提出四条的上奏；驻在滦州的陆军第二十镇，又打下一个要求立宪的十二条电奏，同时山西也已响应独立；载沣和满清贵族，慌忙万状，也觉得大势已去，非袁不能收拾，于是由起用他作湖广总督，而钦差大臣，而内阁总理，并全部接受袁氏的六个条件。至此，清廷一切自卫的壁垒，尽行撤毁，只留下一个孤儿，一个寡妇，被玩弄于袁世凯一人掌股之上，终于将二百余年的皇祚，拱手让位于袁氏。当年小站练兵的长官，一跃而为国家元首；北洋军人，亦以其领袖的荣显而遍植全国。

然此尚不足以产生军阀，因为北洋军人，终究不过是军人而已，袁世凯亦不过是共和国的元首而已。最大的关键，是当时全国上下都存“非袁不可”的心理，袁氏窥破国人的弱点，便利用进步党的政客，去抑制炙手可热的国民党。到民二冬间，国民党被袁氏摧毁后，进步党也失去政治活动的立足地，于是中国成为北洋军阀官僚的独舞台。当时进步党人还是将顺他，希望他，借此实行所谓开明专制以救中国；不料袁氏是要由专制而帝制，却不是为开明而专制；所以专制成而开明无望。他在民三五月所颁布的新约法，无论在事实上形式上，已经成了中国的独裁元首；有了同年十一月所公布的修正大总统选举法，至少成了终身的独裁元首。并且在修正的选举法上，并没有说不许推荐现任总统的亲属，则更有袁家世袭独裁元首的可能；又在新约法中，订定国务卿的设置和爵位的颁给，这已明明把“卿”字隐射上面的总统同于“帝”，而以“烘云托月”的法子，从五等封爵中，总统已等于皇帝了。袁氏既做了事实上的皇帝后，更大施其利诱威迫之手段，一面树植死党，一面消灭敌人，以贯彻其家天下的策略，梁启超有一段批评他的话：

> ……呜呼！我四万万人之人格，至今日已被袁世凯蹂躏而无复余。袁氏自身不知人之所以异于禽兽者何在，其为一切人类通性，惟见白刃则战栗，见黄金则膜拜，吾挟此二物以临天下，夫何求而不得者。四年以来，北京

政府曷尝有所谓政治，惟有此二物之魂影，纵横披猖，盘旋熏灼于人人心目中而已。夫无论何国皆中人之资居大多数，中人云者，导之善，则可以向善；导之恶，则可以向恶。袁氏据一国之最高权，日日以黄金诱人于前，而以白刃胁人于后，务使硬制软化一国之人以为之奴隶，自非真强立之士，其不易自拔也有固然矣。……盖四年以来，我国士大夫之道德，实已一落千丈，其良心之麻木者，十人而七八，此无庸为讳者也。而此种罪业谁造之？吾敢断言之曰，袁氏一人造之。袁氏窥破人类公共之弱点，乃专务发达此弱点，以资其利用，其有能自制其弱点而不甘受其利用者，则必设法屠杀之，驱逐之，窘蹙之，使其不能自存。当前清之末，袁氏执政，已专用此策以专植势力；我国政界恶浊之空气，实自兹播种。及其为总统，乃益煽而扬之，试思此种人为淘汰之术，挟大力以鼓铸社会，云何可当。

以上云云，至为确当，袁氏之必须扶植北洋军人者以此，北洋军人之甘为袁氏死党者亦以此：上行下效，狼狈为奸。袁氏的生命既全在北洋系，而北洋系的生命也全在袁氏。不过生命虽然是互相依托的，心理上却各含有可以分裂的细胞种子，袁氏为统率北洋文武的总领袖，段祺瑞冯国璋为武的两大柱石，徐世昌为文的柱石，中国成为北洋军阀官僚的独舞台后，南北各方地盘割据思想的潜滋暗长，培植许多封建势力。到了帝制失败，北洋系失去了一个统率的头脑；当时培植的许多封建势力，本已伏着分裂的动机，至此便形成许多割据式的小军阀。这样，帝制运动不惟是中国的大危机，也就是北洋军人从满清遗下旧势力变成割据式的军阀的大关键。所以辛亥革命之役，造成北洋军阀官僚独占中国的机会；而护国军之役，造成北洋军阀官僚割据中国的机会：这在民族革命运动史中，值得注意的两件大事。袁氏不但是军阀的作俑者，也是民族革命运动史中的一个巨魔。

这里，对于北洋军阀的经历，所以不厌求详的叙述者，因为它不但是一个奇迹，就是在中国民族运动中也占有极重要的位置；它不但在辛亥以后和民族运动发生正面冲突，就是在辛亥以前，它是维持满清的实力者，事实上早已和民族运动站在敌对的立场。它和中国近代民族运动有同样长的历史，就是袁世凯的政治生命，和民族运动两柱石的康孙二人亦在相差不多时候开始。而且袁氏不仅是北洋系的领首，不仅是辛亥革命的主角，不仅是民主国的皇帝，亦是造成二十年来割据局面的大宗师。所以，要认识中国民族革命运动，非先认识军阀产生的经历不可；要认识军阀产生的经历，非先认识北洋系的来踪去迹不可；要认识北洋系的来踪去迹，那就先该认识袁世凯不可。如果没有军阀，或者二十年来没有什么民族革命运动；同样，如果没有袁世凯，一部中国近代史将要换个格局。它既然有这样的重要性，吾们就不能放它忽略过去。

对于军阀产生的由来，既如上述，然则这旷古未有的奇迹，去路究竟怎样呢？

军阀之于中国，犹疾病之于人身，医新病易，治宿症难。军阀既有数十年的历史，铲除已非易事。因为它的惟一武器为佣兵，为政客，要铲除军阀，非先取消佣兵制度和杜绝政客来源不可。然而中国产业衰落，农村崩溃，无量数的生活无靠的失业群，只有当兵为最后一条生活的途径，取消佣兵制度，势有所不可能。中国的智识分子，对于升官发财，本极热衷，兴办学校而后，教育虽未普及，识字人数已多，产业界以受帝国主义的压迫而不能发展，同时国家机能和行政机关，亦随产业的停滞而不增加。因此，中国智识分子的供过于求，和劳动者一样陷于失业的恐慌；他们便攀龙附凤，只求个人的出路，不问国家的安危。于是军阀不但佣兵可以源源而来，即策士谋臣，亦可愈集而愈众。军阀既得其肆虐的工具，因而生产愈加速的衰落，农村愈加速的崩溃，农工与智识分子的失业群亦愈多，因而劳动者只有当兵为惟一的权利，智识分子只有谋做官为惟一的出路。如是而成为循环性，军阀遂无限地愈演愈多，而且愈演愈烈，减少且不可得，安有铲除之望！

复次，中国数十年来的民族运动，前半期的目标是满清，后半期的目标为军阀，满清和军阀的背后，都有帝国主义为之作祟，故此民族运动，又可称为对于帝国主义求解放的运动。何以满清可以推翻，军阀不能破毁呢？因为帝国主义之于满清只有愚弄而止，其于军阀，已进而互相勾结了，所以军阀不但利用国内的封建残余，并且依靠国外的帝国主义。在国内它已造成其循环性的现象，故不能再用釜底抽薪的方法；它既然把帝国主义为靠山，那就应用擒贼先擒王的方式，和帝国主义相抗争，孙中山也曾说过：

> 我们中国革命十三年，每每被反革命的力量所阻止，所以不能进行做到彻底的成功：这种反革命的势力，就是军阀。为什么军阀有这个大力量呢？因为军阀背后，有帝国主义者援助。
>
> 不过要以后真是和平统一，还是要军阀绝种，要军阀绝种，便要打破串通军阀来作恶的帝国主义；要打破帝国主义，必须废除中外一切不平等条约。

如何去打破帝国主义呢？这在孙中山遗嘱中肯定地说着：第一是对内“唤起民众”，第二是对外“联合世界上以平等待我之民族，共同奋斗”。可是这种方针，到五四以后，才给与我们，五四以前，中国民族运动从无反帝的表示。从革命目标的错误，而致于革命方针的错误，更从革命方针的错误，遂使民族运动赶上歧途，而成变例的民族运动而成变例的民主国家，终于产生旷古未有的奇迹之军阀世界。

参考

［1］李端棻《请推广学校折》。

［2］王之春《复议新政疏》。

［3］《文献通考·选举考一》："今之中正九品，高下任意，荣辱在手，……上品无寒门，下品无世族。"

［4］例如刘渊的兵柄是司马颖授予以御东胡等。

［5］在原始农民暴动中，当然也有智识分子参加，如平英团和义和团中除了少数商人外，还有若干贵族和绅士的参加；不过他们仅仅是识字罢了，并没有觉悟的智识分子附和着。又在立宪和革命的各种运动中，也曾分赴各地运动会党，尤其在庚子年的前后，立宪和革命两党中人的武力暴动，都有大批会党中人为之援助，然而他们只是联络会党中人，对于革命势力基础的农工阶级，反而遗忘了，这不过暂时壮些革命的声势，仍无补于革命的实力。

［6］据传说袁被逐时，亲贵中有主张把他杀了的，因为有人怕引起

北洋军人的反动，遂先密电征询各镇的意见，第四镇吴凤陵、第六镇赵国贤二人，皆答请先免本人职，以免士卒有变，致负天恩，亲贵因此有所顾忌，遂不敢发，请他回到彰德老家养寿园去休息休息。

[7] 辛亥革命军起，奕劻首先建议起用袁世凯，外国人即替他鼓吹说"非袁不能收拾"；到后来不但袁氏的旧部说着"非袁不可收拾"，即满清贵族以及一般智识分子，亦以为"非袁不可收拾"，甚至革命党人亦作如是观。此种心理，直至袁氏做皇帝时，始一变而为"非去袁不可"的心理，当时汪精卫有这样的一段话："一年以来，国民有一致普通之口头禅曰'非袁不可'，然同时又有一致普通之心理曰'非去袁不可'。何以非袁不可，非袁则蒙藏无有解决乎？曰否非。袁则列国无有承认乎？曰否非。袁则共和建设无由乎？曰否然。则何为而非袁不可？曰以袁拥重兵故。袁之部下，不知有国民，只知有袁宫保，使袁宫保在，专制可，共和亦无不可；使袁宫保去，则乱且接踵而至；津京兵变，已小试其端，奈何其复蹈之，此'非袁不可'之说也。……今日以前，虑其部下之有变，而苟然安之；然则今日以后，亦将虑其部下之有变，而苟然安之乎？虑其部下之有变，奉为大总统而苟焉安之；然则虑其部下之有变，奉其皇帝而亦苟焉安之乎？此所以非袁不可言者同时亦必有非去袁不可之意也。"观此，足见辛亥革命后国人对于袁氏均在"非袁不可"四字所笼罩，遂有洪宪帝制与北洋军阀的终于实现。

[8] 清廷再三催促袁氏出山，袁便以徐世昌和奕劻为介，提出六个条件，非清廷全部允诺，决不出山。其条件为：一，明年即开国会；二，组织责任内阁；三，宽容与于此次事变的人；四，

解除党禁；五，须委以指挥水陆各军及关于军队编制的全权；六，须与以十分充足的军费。这种条件的核心，是“养敌自重”和“大权独揽”。从前袁氏在天津有第二政府或小政府的诨号，现在他却有把握正牌政府的野心，不但对于铁良和载沣的前事可以一吐其气，就是对于整个的满清政府，也已目空一切了。

第五编　划时期转变的来临

第十二章　捩转时代的动力

时代几乎倒退到中日战争以前　国民革命开始　民族热感反映出爱国的冲动　人类历史上的两次波澜　俄国革命和中国民族运动　改变了中国民族运动的性质和前途　第一声喊出打倒帝国主义　客观的条件所决定　近代资本主义发展进程中的必然现象　英德两系争夺近东市场　和平正义是掩饰全世界被压迫阶级的耳目　东亚民族的厄运　列强的垂涎中国　四十三年的流血时期　中国失去经济生命的神经系　帝国主义火拼期间中国民族工业的勃起　民族自觉的征兆　由反对日本侵略而发为各种运动　兜底搅乱了僵冻的社会思想

辛亥十月十日武昌发难的革命军，竟在一百二十六天的短时间内，摧毁了数千年的君主专制政体，建立了东方惟一的民主共和国家，成功的迅速，实堪令人惊奇。可是这速成的革命工作，终于失败了，专制的皇帝政府虽然推翻了；可是继之而起的，无一不是封建专制的政府——表面上尽管挂着民主共和的招牌——专制政治的存在，固然可以束缚思想的自由与妨碍工商的发展，而军阀政府宰割之下，比满清的专制时代还要胜过多多，北洋系的军阀官僚利用这种机会，把中国当作他们的独舞台，所以辛亥革命推翻了一个封建代表的满清政府，却造成了许多封建集团的军阀官僚，于是二次革命失败后，封建制度和封建思想满布全国，时代几乎倒退到中日战争以前的模样，连狭义的民族革命与含混的民权革命都很少有人注意了。

这样反动的局面，直到帝制运动告终，护法运动开始时，霹雳一声，划时期的转变的五四运动，从国内国外两重刺激中突然展开，这是中国民族运动史中最有光辉的一页，其意义实不亚于西欧的文艺复兴。五四以前，除了原始暴动和个人主义英雄主义的民族运动外，并没有发生过群众自觉的反帝国主义运动，真正的国民革命运动，是开始于五四运动以后，所以五四运动的开始，便是中国划时期转变的来临。

这一运动的发动，近因是由于“二十一条”和军事协定的压迫；远因是由于太平天国的种因，和民国成立以前民族革命思想的昭示。当时世界大战既起，英法诸国联军不但没有绝对胜利的把握，而且法国东北十郡被德军占据，不易夺回；又以海上交通的不便，各帝国对于海外殖民地的统摄，大为不易。在一九一七年俄国革命勃发的前夜，参战诸国，一方忙于应付对德战争，同时更忙于调度军费的收支，感受着莫大的危难，所以在那时候它不得不想尽方法去安抚它的殖民地，尤其是英帝国的对于印度。因为印度受英国的压迫和蹂躏，在大战期中已被炮火震醒了，大有步武北美十三州独立的趋势。幸而印度当日，还没有像后来这样发生盛大的反英运动，英帝国仍得榨取殖民地的作战经费，不断地对德交战；它还怕殖民地脱离它的羁绊，对德作战立即失败，便承认印度的自治。这种事实的暗示，虽不能给我们中国有多大的帮助，但足以冲动中国人的民族热感，反映出爱国的冲动，而憎恶列强，特别是日本在东三省，在内蒙，在山东，在福建种种的侵略，都足以引起中国人的反感。

同时在日帝国统治下的朝鲜，感受到民族思想的暗示，也勃发其独立运动，虽然一次一次的被镇压下去，可是他们仍旧不断的反抗，这种坚苦卓绝的精神，也给中国人不少的刺激：以为果不幸而中国也像朝鲜那样，则更难于自拔。所以在这运动的初期，一般青年都有献身牺牲的精神，他们对于日帝国主义的憎恶，和对于勾结日帝国的封建统治阶级的愤懑已日趋于紧张，大有一触即发的情景。

当时尤其使人兴奋，使人注意的是俄国大革命。在地理上中俄两国，壤地相接，犬牙交错，从新疆绵亘到吉林，在其他各国，再没有这种密切关联的国家。虽然俄国开始革命，从克伦斯基执政到布尔塞维克党上台，中国人没有明确的认识；可是对于俄国专制皇帝的倒台，和污秽政治的扫除，却都抱着无限的同情；同情的是世界上首屈一指的专制政府，竟被布尔塞维克党把它根本推翻。接着威镇四海的德国皇帝威廉第二也被社会党赶跑了。这种革命的大风浪，把全世界都震动了。中国社会思想的僵冻状态，也自然不能不为之冲破；何况外受日帝国的侵略，内遭北洋系的压迫，民族革命思想，重复充满于年青人的血轮中，燃烧着爱国的热情，掀起了排天的巨浪，终于使中国成了划时代的转变！

人类在平静生活的过程中，常以事实的变迁，会忽然发生波澜，这波澜便划分了历史的时代。我们检阅最近一百五十年来人类的历史，便可见第一次的波澜在一七八九年的法国大革命；法国革命企图打破政治的承继权，从此皇帝的儿子不可再做皇帝，贵族的儿子不可再做贵族。这种理论在现在看来太平淡了，可是法国革命爆发于王权神圣的欧洲，使一切享受政治特权的人们，都发生了恐怖。那时欧洲把天赋人权的学说，视作邪说暴行；把共和政体视同洪水猛兽，而有各国的联军铲除法国共和政府的企图。那知在法国革命后一百二十八年，历史便发生类似的事实，人类生活的过程中，又在一九一七年发生了第二次的波澜——俄国大革命，俄国革命是打破经济的承继权，财主的儿子不可再做财主，资本家的儿子不可再做资本家，这当然和十八世纪的情形一样，一切享受经济特权的人们，发生了恐怖。社会主义如天赋民权的学说一样，被人们看作邪说暴行，苏维埃共和政体一样被人们视作洪水猛兽；在革命发生以后，也曾有过西伯利亚的联军，企图去扑灭那社会主义的政府。经过时间的训练，人们已经承认太子不能再做皇帝；但还不能普遍地了解，何以资本家的儿子，不能承继遗产？

俄国大革命虽然引起全世界资本主义国家的反感，可是对于落后的中国民族革命运动，得到不少的助力。中国在辛亥革命以后，意志纯洁的革命者，经过杀害，驱逐，排挤的结果，早已没有声气了；社会上对于革命运动已不欲同情，对于革命理论也渐生膜视。除了北洋军阀的明争暗斗，北洋官僚的自拉自唱外，社会早入僵冻静止的状态。直至世界大战爆发，才引起一部分人的自觉，俄国十月革命成功后，不但对于俄国这次走向新的途径，试验空前的历史的实验，抱着莫大的新希望，就是对于中国的革命理论和革命运动，又重新注意而加以同情了。因为以前国内一般人士觉得孙中山所提倡的民生主义——即西方的社会主义——只是一种没有实现可能的空想，和康有为的大同社会同样是一种乌托邦观念；自从俄国社会主义革命成功后，他们看到西方社会主义竟有这么大的威力，中国的革命理论民生主义，也许有实现的一天。因此对于国民党和民族革命领袖孙中山的理论表示同情，不但觉悟的青年和急进的智识分子如此，就是实际带有保守性的进步党人，也想借社会主义的幌子，做对抗军阀的武器[1]，中国人所受俄国革命的影响如何，就可想而知了。史太林（Stalin）在一九一八年十一月所写的那篇有名的《十月革命与民族问题》论文中，有如下的几句话：

> 实在说来，十月革命在世界是一次空前的大革命，它唤起了东方被压迫民族劳动群众的迷梦，而引起他们与帝国主义斗争，在波斯，中国，印度……
>
> 如此，十月革命将落后的东方民族和先进的西方民族，都联贯起来，总合在共同的营垒中，与帝国主义斗争。

最后史太林作了如下三条结论：

第一，十月革命扩大了民族革命的范围，由反对民族压迫的局部问题，变而为各民族殖民地半殖民地从帝国主义压迫下，谋解放的一个整个问题。

第二，十月革命开辟了广大的真正的解放的道路，足以辅助西方的和东方的被压迫民族谋解放的事业，并呼引他们到共同的路线上，做战胜帝国主义的斗争。

第三，十月革命是社会主义的西方和被压迫的东方之间的桥梁。从西方的无产阶级经过俄罗斯革命到东方的被压迫建筑了一条新的战线，以反对全世界的帝国主义。

在这里可以知道俄国的十月革命，不但含有世界意义，并且对于中国革命的重要影响，也是不容忽视的。

还有一件重要的史迹，也许早已被人遗忘了；也许当时为了与俄国绝交问题，或者在痛恨中国的共党观念之下，为人所不愿提的。就是在俄国大革命后北京天津方面，便有一种工人学生的群众组织，他们宣言对苏联的革命胜利，表示着无可形容的喜悦，而这种一无目的的群众组织，到后来都成了五四运动的中坚分子。当时全世界的资本主义国家，莫不惊惶失措，正诅咒着这洪水猛兽的苏维埃政府早日消灭，只有中国已有工人学生们，抱着大旱之望云霓的热情，遥祝着苏联革命的成功；所以俄国大革命不但击破了中国社会思想的僵冻状态，而且对于中国民族革命的性质及前途都有重要的意义。

何以说是对中国民族革命的性质及前途，都有重要的意义呢？因为历来中国的民族革命运动，只有集中目标于满清政府，他们以为民族的不平等，民权的抑止，民生的憔悴，都是满清政府的罪恶，不知满清政府的后面，尚有帝国主义在。所以在五四运动以前，民族运动者，从来没有反对帝国主义的表示。在维新时代的立宪派人固然不用说；就是兴中会时代同盟会时代以及辛亥革命时代，也没有丝毫反对帝国主义的表示；在临时大总统的就职宣言中，反而一再申述其对帝国主义表示亲善的诚意。[2]这种与虎谋皮的企图，当然是失败的，所以新政府成立后，列强不即予以承认，直至代表封建势力与革命为敌的袁世凯执政后，帝国主义才“深表同情”。从此帝国主义的侵略与国内的封建剥削联系起来，这种狞狰的面貌，被国人认出了，终于在五四运动爆发以后，逼着喊出第一声的“打倒帝国主义”口号：中国民族革命运动，至此始转换了方向。就从这句口号中，已经知道中国转型时期之将至，而五四运动也就不能等闲视之了。

五四运动在表面上虽然似乎只是一个新文化运动；但是这个运动，在中国革命史上的意义比辛亥革命更为伟大。因为中国历来的民族革命运动，一直到五四为止，才脱离群众的原始暴动，和少数领袖分子的专一的军事冒险与政治阴谋的领域，而开始成为有意识的群众革命运动。这个群众的革命运动，一方面以反对旧道德旧礼教，以及一切旧的文化制度，给封建势力一个绝大的打击；另一方面则以反对列强的侵略（特别是反对日帝国），开始中国有组织的群众的反帝国主义运动。所以五四运动与其说是文化运动，毋宁说是民族解放运动。

为何在初期民族运动中，在辛亥革命运动中，对于列强帝国主义从不加以反对而表示亲善，到了五四运动时却来反对帝国主义呢？这除了大战期间，日帝国主义的加紧侵略引起的反感，和俄国大革命的社会主义成功感受的暗示外，尚有其他重要的客观条件所决定的。

这里，关于五四运动的认识是非常重要的，我们明白了那客观的条件，才可对于这次空前转变的来踪去迹，认识得清楚。历来对于五四运动看得太简单了，错认了运动的意义，便会有走入歧路的危机。现在要使这客观的条件格外清楚起见，先把列强帝国主义最近的侵略，火拼和中国如何倒悬于他们巨壑无底的巨吻中间的情状，作一概括的叙述；再说中国在战后民族工业如何勃兴和何以受挫的情形分析一下，可使读者明白客观条件如何去决定这次大转变的爱国运动的所在。

原来欧美资本主义的发展，多半是靠掠取非洲和亚洲做大市场和大掠夺场。在最近一世纪内，资本主义侵略的积累，造成二十世纪血染遍了的世界资本主义巨大骨干：那些资本帝国主义者由竞争掠夺而出于战争，把他们自己造成的骨干从根本上加以损毁，损毁之后，又想用原法巩固而且扩大资本主义的建筑物，同时他们新的损毁事业又正在准备进行中——这样循环式的趋势，是近代资本主义发展进程中的必然现象。在现今这般资本主义进程中，全世界有十二万五千万的殖民地和被压迫国的人民（还有资本主义国家里数万万的无产阶级），辗转毙于伦敦，巴黎，纽约，东京等处极少数银行家工业家和他们政府重压之下；除非把世界资本主义的组织完全铲除，这种惨酷的现状是决不会消灭的。这些现象最值得弄个明白，因为个个中国人，不但是劳动阶级，都应当知道他自己受痛苦的原因。

世界上的每个资本主义国家，都必须获得广大的市场，来销售他过剩的商品，吸收他需要的原料；而世界上可供掠夺的市场，只有印度、中国、土耳其、摩洛哥、埃及、波斯、高丽、墨西哥、安南、南洋群岛，南部中部的阿非利加洲等地方，因此夺取那些市场的竞争，是免不掉的。竞争的结果，便须诉诸战争。一九一四年到一九一八年的世界大屠杀，便是发源于英德两系资本帝国主义国家争夺近东市场的冲突。

上次世界大战的成绩，即是屠杀了数千万的劳动群众，瓜分德国的殖民地，毁灭德奥等的经济基础，使他们变为英法的殖民地，并把全世界的经济秩序，破坏无遗。战后，那些帝国主义的国家又企图恢复战前的经济原状，来挽救资本主义根本覆灭的厄运，便想以战争的巨大损失，取偿于全世界的劳动群众。因此，他们先后在巴黎、华盛顿等处开分赃会议，假借“和平”“正义”等名词以掩饰全世界被压迫阶级的耳目；但那争夺宰割世界而引起剧烈冲突的真相，已暴露无余，他们那些不可消灭的利益冲突，便是第二次更猛烈的帝国主义战争的导火线。

帝国主义者开多少次数的会议，都不能免去日美日俄在最近将来的战争趋势，和德法非相见于疆场不能解决的冲突；不过他们常常被逼着去救济资本主义无法挽回而日见扩大的世界经济恐慌，冀图避免社会革命的锐利锋芒，故不得不借此种会议的分赃妥协行为，牺牲弱小民族的利益，来掩盖他们中间的裂缝，以苟延此不可避免的大战时期。同时并可在此苟延期间之内，加紧劫夺殖民地和弱小国家的资源和劳力，一方可以勉强按住他们本国的无产阶级，使之不能即时脱离羁轭，俾得从容补偿前次大战的损失；他方便做第二次世界大战之经济的和军事的准备。

许多年来，东亚各民族被踏在英美法日等国铁蹄蹂躏之下，上次大战以后，帝国主义侵略东亚各民族又更加厉害。美国勒住菲列宾群岛，一面用假装慈善的态度，一面继续他的经济侵略，不稍放松。英国扼着印度的喉颈，刚柔并用的压倒印度独立运动，以维持每年一百万印度劳动群众死于英国资本家的长爪之下的现状。安南农民更是奴伏在法兰西帝国主义压迫之下，牛马一般的种出米谷来供法商的榨取；安南尽可每年饿死多少万种米的农民，但缺不了法国米商成千万石米粮的输出。日本榨取高丽人民的血汗，更是横暴无比，日货尽量的输入，米粮强迫的输出，使二千万高丽农民处在饥饿死亡的境遇。

帝国主义的列强历来侵略中国的进程，最足表现世界资本帝国主义的本相。中国因为有广大的肥美土地，无限量的物产和数万万贱价努力的劳动群众，使各个资本主义的列强垂涎不置，你争我夺，都想夺得最优越的权利，因而形成中国目前在国际上的特殊地位。

帝国主义列强侵略中国，开始于一八三九年英国舰队的攻击。这次攻击实是资本主义最著名的卑污强盗行为，因为它的起因是由于英国政府和商人要强迫把鸦片毒害中国民众。从一八五八年英法联军攻打大沽，直到一九〇一年义和团反抗“洋人”的暴动，促成八国联军占领北京这四十三年间，乃是资本主义国家宰割中国的流血时期，也是中国人在历史上受最大痛苦和侮辱的时期。二十世纪的开始，已是到了列强因掠夺而互相冲突的形势，一九〇四年的日俄战争，为的是争夺满洲；战争的损失，又挖取中国人的血肉去填补。

帝国主义的列强，在这八十年侵略中国时期之内，中国已是事实上变成他们共同的殖民地了，中国人民是倒悬于他们欲壑无底的巨吻中间。帝国主义者掠取了中国辽广的边疆领土的岛屿和附属国，做他们新式的殖民地，还夺去许多重要口岸，做他们的租界；并且把中国划成几个各自的势力范围圈，实行其专利的掠夺事业。在中国自己领土之内，三分之一的铁路为外国资本家的所有物，其他的铁路也是直接间接由外国债权主人管理；外国的商轮是在中国海口内河里面自由行驶；邮电是受严格监督，关税也早已不能自主，是由国际帝国主义者协订和管理的；这样，不但便利于他们的资本输入和原料的吸收，而且是中国经济生命的神经系已落在帝国主义的巨掌之中了。那些外国资本家还在中国占据了许多矿山，并在上海天津等商埠开设了许多工厂，鞭策百万的中国劳工在那些矿山工厂里，做他们生利的奴隶。同时又加上外国商品如潮的输入，漫说布匹纸张之类，旧有的针和钉都几乎绝了种，因此生活程度日渐增高，三万万的农民日趋于穷困，数千万手工业者的生活轻轻被英美的机器制造品夺去，而渐成为失业的无产阶级。中国因为每次战争都要被索去一批现金赔偿，加上鸦片和商品的吸收，现金日见减少，又加上二十万万外债连本带利不断的盘剥，更加上上海、北京、天津、汉口、广州几个外国银行家的操纵，国家和民众的经济生活都陷在极恐慌的状态之中。帝国主义者还贿赂中国的官僚政客，派遣许多的顾问牧师，出版报纸，设立学校——这是企图更顺利的达到他们贪婪掠夺的目的。同时为防止中国民众的反抗起见，帝国主义者的列强又掠得实际统治中国人的领事裁判权，并派遣军队警察军舰驻守于中国领土之内。

在一九一四年各帝国主义列强终于为不可消灭的利益冲突而开始其空前的大屠杀了。自从欧洲大战发生，落后的中国产业，受了大战的刺激，而南洋的市场又复一时旺盛，尽量的吸收中国货品。[3]当日与中国处敌对地位，同时又是中国的正面敌人的日本，正在侵略中国预备独占中国市场。中国人尤其是带有民族意识的中产阶级的觉悟分子，在这大战期间，顺时势的推移，得以扩张其产业，增加其生产能力，使停滞的中国国民经济，一时顿现活泼的状态；虽然对外贸易仍处入超地位，可是在大战期间，较之战前战后，相差甚大。[4]当时中国产业以纺织业与面粉业最为发达，更以纤维工业的发达，因而对于其他各部门的产业，也给与刺激的兴奋。在民国七年底中国工场，有六百一十七架蒸汽机，有二百八十三架电气发动机，还有七百四十一架其他种类发电机：其发动机的马力，蒸汽发动机马力有八万二千七百五十，发电机马力有二万一千一百十九，其他动力马力也有三万二千一百二十三。纯粹产业工人数也由战前的二十五万增加到民国七年已有五十一万人。由此我们知道中国在世界大战期中，正在进行着产业革命的演化，因产业的发展而银行金融事业亦随着发达，从民四到民八的五年中，新设立之银行计有十家，而资本在百万以下和各省省立的犹不在其内：中国国民经济的底流，因此发生巨大的影响。虽然中国当时并没有脱离农村经济的范畴，城市工业的基础也并不曾十分稳固，仍然是外国资本支配之下，尤其是日本资本支配之下，去图半殖民地，或亚洲生产形式的发展。

但是，中国产业革命没有完成，而手工业组织却因此愈见显露其衰落的征候，农民离村的现象也愈见其严重。所以当时不仅给与有志青年以严重的暗示，暗示着中国亟待整理和拯救。即在世界大战期中，沾润得多少利益的中小产阶级，也有了民族自觉的征兆，也觉中国民族得不到解放，则产业的振兴终于无望。

在大战期中，各帝国主义虽无暇来顾及殖民地与落后国家的侵略，但是日本对中国的侵略，反而加紧；不仅在政治上攫得很多的利益，就是在经济上也有长足的进步。即以纺织业而论，中国在这一时期要算是此项工业最为发达，可是日本在中国的纺织工厂营业的发达，仍远胜于中国工厂，除了原有的不计外，日本又在这一时期到上海青岛两处，新办十厂，利用着不平等条约，已为中国的致命伤。更勾结北洋军阀取得中国政治上的特殊势力，而工商业又感受日本商品输入莫大的威胁。这种教训，不论在抽象的民族观念，或实际的私人利益，都有使中国各阶级团结起来作一次盛大的民族运动之可能。因为这样，所以五四运动从爱国一点出发，由反对日本的侵略进而恢复国权，取消不平等条约，打倒军阀及卖国贼，反对基督教，革新教育，复兴中国文化，……从学生的罢课延长到罢市罢工，普遍的震动了全中国领土。

中国国民经济既向上发展，旧时代——残余的封建模型的意识，也范围不住新时代奔放的情绪，腐败的政治，更令人不满，参加欧战既未真正出兵，徒为日本所利用，而为内战的工具。现实既未尝有所变革，将来也不见得有转好的象征，所以积愤愈深，反抗的思想也愈见普遍，愈见激昂，遂将僵冻了的社会思想，兜底搅乱成为一发而不可止的民族解放的五四运动。

参考

[1] 进步党分子最为复杂，除维新时代的立宪派人做基本分子外，国民党跨党分子，旧同盟会分子，以及军阀官僚政客无所不包。

其主要政策皆取保守主义，自俄国大革命潮流震动中国后，他们便利用社会主义的名词去对付军阀，这在当时进步党的机关报上就可看出。

[2] 临时大总统的就职宣言中，有一段对外方针云："若何革命主义，为吾侪所倡言，万国所同喻；前次屡起屡踬，外人无不鉴其用心。八月以来，义旗飙发，诸友邦对之，抱和平之望，持中立之态，而报纸及舆论尤每表其同情，邻谊之笃，良足深谢。临时政府成立以后，当尽文明国应尽之义务，以期享文明国应享之权利，满清时代的辱国之举措，及排外之心理，务一洗而去之，持和平主义，与我友邦益亲睦。……"

[3] 欧战期间，因各帝国的火拼，及海上交通的不便，向为欧洲各国大主顾的南洋一带，顿感求过于供的现象，华侨便乘机而起，当时在短时间致富的华侨甚多。

[4] 一九一五——一九年之入超最高为八千六百五十八万，最低为一千六百十八万，除此五年外，计自一九一一年以来，最低之入超亦在一万零二百五十七万以上。

第十三章　启蒙工作的回顾

启蒙工作的火线　两种爆发物　最先爆发于北方运动的真相　欣然承诺的卖国条文与章宗祥归国五七示威的宣言　情势突变后提前游行　向亲密朋友商托后事　二十个风云叱咤的战士　被阻于东交民巷　一群孩子骂政府要人　往赵家楼去　五千学生围困曹汝霖宅　穷搜不得放火泄愤　佯作身死的章宗祥逃往皮蛋店　皮蛋打靶死不开口　大队军警捉拿学生　对于罢课的雄辩　学生联合会的诞生北大学生的独当一面　全国学联会的成立　被捕学生释放　九日的惩办命令　傅蔡辞职　开始同盟罢课　各地学生影响　留日学生被捕　“六三”的酝酿

自从兴中会以至辛亥革命，中国民族运动仅是名义上的成功；直至五四运动爆发，才是中国民族解放运动的开始。五四运动虽然震动了全中国人们，团结了各阶级分子，而运动的核心，还是少数中产阶级为了实际的私人利益，和少数智识分子，为了抽象的爱国观念，所以无论这运动如何扩大，而核心的领导是“名流”，是“暴发的资本家”，核心的势力，亦就归之于学生与工人。学生与名流，工人与资本家，论其关系确是非常密切，而其志趣则又适得其反，五四运动虽然在中国的思想界划一新时代向前猛进，可是中途就会分裂起来。所以五四运动，在实际上当时只作了启蒙的工作，还没有为中国思想界建筑起坚固的基础。

五四运动，在发动的初期，是中国代表在巴黎和会失败消息的传布；不过这是一点引起爆发物的火线，假使这火线的尽头没有爆发物，即使火线燃烧也不能引起烈性的爆炸。这爆发物分为两种：一为新书报的出版；一为社会主义团体的成立。

一，新书报的出版　从梁启超的《新民丛报》停办后，民族运动偏重于实际行动，中国言论界便入了沉寂的状态。到五四运动以前北京方面，才有公开地流行和秘密地流行两种新出版物：关于前者有《新青年》一类作代表[1]，其中以八年一月出版的《新潮》为纯粹学生主办的有力刊物。关于后者有《自由录》、《民声进化》杂志一类作代表。前者重在批评中国旧有的文化，后者却重在铲除一切人类的桎梏。当时在言论界上最有权威的首推陈仲甫，陈氏在新文化运动中最努力的便是反对孔子，因为孔子的思想是代表封建地主的思想，所以当时的出版物，对于这封建的堡垒施以有力的攻击。从这反对封建思想中，喊出推翻帝国主义的统治和铲除封建残余的剥削。有了这些带着强烈刺激性的出版物作晨钟暮鼓，一向消沉的青年，也就不能不从睡梦中惊醒，思想的解放，自是当然的结果了。

二，社会主义团体的成立　中国在民国元年虽然已有挂名社会党的政党，实在没有多少人理会它。真正社会主义的团体是在五四运动前后才发现。并不是说到了此时，中国资本发达，需要社会主义，所以社会主义的团体就应运而生[2]；实在是到了此时，受到俄国革命的刺激，思想上起了变化，一般人被国内的军阀和国外的帝国主义者压迫得不堪其苦，于是思想急进的分子，想把俄国的共产党作导师，去哄动大多数尚没有阶级意识的无产者，一齐团结起来，造成一个无产阶级，和军阀决斗，和帝国主义决斗。因此便在新书报的宣传鼓吹之下，不成熟的社会主义思想，如水下流的散布于青年学生与劳苦群众。这种趋势，不但在五四运动中作了核心的领导，又是后来社会主义青年团劳工协会秘书部等等成立的基础，也是后来苏俄代表越飞到北京新潮社等十四个团体开会欢迎和国民党容共联俄的背景。[3]

何以这种爆发物，在北方的北京和天津地方，反多于革命策源地的广东呢？这有两种原因：一为北京是封建集团的根据地，也是军阀官僚的独舞台；一为天津为帝国主义侵略中国北部的大本营，也是中国北部产业最发达的场所。在这样双重压迫之下，已有激成强烈反动的条件，又加之北京大学校长蔡元培提倡自动教育，使中国教育换了一个新方向；北京高等师范学校校长陈宝泉提倡新文化运动的普遍，使学校教育与社会打成一片。在这思想震荡的时候，再有这样两位最高学府权威的领袖起来革新教育，解放思想，登高一呼，万山应响，而这空前的民族解放运动，遂以北京学生最先炸裂而爆发于全中国。[4]

我们对于这次民族解放运动的主因，既在上一章中述其大概，这里，又把启蒙工作初期的导火线和爆发物以及所以最先炸裂于北方，和北京学生冲在最前线的理由都说明了，这次运动经过的大概，也得说明一下。因为向来一般人对于这次运动，不是认做新文化运动，便当它是山东问题的一种反响；本为民族运动史上最光荣的一页，现在许多历史中几乎把五四的名称都遗忘了，当年五四的精神，到现在不过是十六个年头，已经很少有人能够记忆起来。现在把当时运动的真相，按照时间的次序，把重要的事实，分别叙述，最后再来探讨其失败的原因。[5]

在前面已经说过辛亥革命，不过把满清封建政府的政权，转移到军阀封建集团的手里罢了。从袁世凯以下的主政者，专以卖国求荣为目的，二次革命而后，对内则战而不宣，对外则宣而不战，到民国七年比“二十一条”更甚的中日军事协定成立后，北京国立各专门学校学生，知道这种协定，乃是引狼入室，自惹祸害的媒介；

于是全体相约同到新华门内去见冯国璋，请求废止那个协定。但因为事前没有组织，结果，几个被推去见冯国璋的代表，被他一场圆滑而兼恐吓的话骗了出来，所有同去的学生，也就不得不各跟着代表回到学校里去。有少数不识世故的代表，还以当日见得什么总统的颜色为荣，得意洋洋地向同学报告他们和冯国璋谈话时候所得与请愿的目的全无关系的结果——实在是无结果的，把一般热烈的同学们气得要死！

那些热烈的学生，因此觉悟到做事以前，大有组织坚固的有力量的小团体的必要。各校学生更独立自由组织和联合组织各种小团体，相继成立的至少在二十以上，尤以各校联合组织的国民杂志社和北京大学一部分学生组织的新潮社最有力量；其他如工学会同言社和共学会等，也以组织严密，均有领导一部分学生的魄力。当时新出版的定期刊物一天多似一天，和各种事实的压迫一天紧张一天，这些团体的弹性也就跟着一天强固一天。到了民国八年四月，这些团体就不约而同的有一个举行五七示威运动的大预备，同时并得了全体学生加入的同意。因为各种团体中，北大的新潮社是领袖团体之一，而各团体参加的中坚分子，高师高工的学生比较的占多数，所以在这示威运动的工作中，北大与高师高工也就处于领导的地位。

当北京各校学生议决五七示威游行后，京中空气，已很紧张。五月一日大陆报北京通讯，登出巴黎和会传到北京的消息[6]，三日，又由几家报纸和几个外国教员传出一些和会消息，竟说中国的外交已完全失败，并说失败原因，即以曹汝霖、章宗祥、陆宗舆等秘密订定的高徐、济顺两路借款合同的换文上写的“欣然承诺”四个字，以致中国代表为此四个字所钳制，美国亦以此四个字而爱莫能助云云。梁启超于四月二十四日自欧洲拍回警告政府的电文，又遍载于各报，人心更为激昂。先是，章宗祥不先不后，适在此紧迫之际，从日本公使馆匆匆返国，抵津后，恐遭国人之忌，逗留数日，由陆宗舆赴津与之接洽，并为其先容于总统，章氏乃于四月三十日进京，次日即由外报发表其不复返任等语，更使人愤慨。京中人士，在三日得悉青岛交涉的噩耗，各政团纷开紧急会议，力谋救济。京中商会通电各省商会，请共争山东问题；上海商会亦有六日开会，筹议对付方法。国民外交协会推举代表晋谒徐世昌，请电和会专使，拒绝签字。政府见情势突然严重，乃加紧防范。各校学生更是气愤填胸，箭在弦上，其机固已跃跃欲动矣。

从五月一日到三日虽仅仅三天光景，情势已经急转直下。起初只有各校学生为主体的许多小团体，至此，已波及一般智识分子，商人，政客，就是平日稳健的人们，也被爱国狂潮所推动而加速其血轮的运行了。当四月之杪，各校学生议决五七示威运动时，曾有如下的一通宣言，发给全国各报馆及各团体。

> 青岛归还，势将失败，五月七日在即，凡我国民当有觉悟，望于此日一致举行国耻纪念会，协力对外，以保危局。北京专门以上学校全体学生二万五千人叩。

到五月三日京中情势更为紧张，政府防范，如临大敌；岂知群众心理，愈压抑而势将旁流横决而不可止。青年学生毕竟是血气方刚的分子，为了政府的专事压抑，而使反抗的精神愈加增高，终于在其他各种团体纷纷开会发电的五月三日，各校代表又开临时紧急大会，议决提前于四日举行示威运动。各校的小团体也纷纷各自集议四日游行时的如何表示，其中以工学会的态度最为急进，也最为激烈；五月三日那天晚上，工学会开全体会议，由会员提议讨论“对于中日问题的示威运动，本会应取何种态度？”大多数主张采用激烈的手段去对付那几个仰日本军阀的鼻息，做国内军阀的走狗，并且惯以构成南北战争以快私意的曹、陆、章。就决定次日联络各学校的激烈分子，伴大队游行至曹、陆、章等的住宅时候，实行大暴动，并一面派会员先将曹、陆、章等住宅的门牌号数调查明白，以便直接行动。

五月四日早晨，凡在各校主张激烈的分子，由这个工学会的代表实地联络的结果，暗中已心心相印了。到了四日上午十时，中等以上各校的代表，在法政专门学校议决本日下午一时，各校全体学生同到天安门外取齐。举行示威运动的消息，传到了各校，各校的激烈分子——二十人上下——都有相当的准备，甚至连身后的事都向亲密的朋友商托好了的。这时候便有许多在场的学生们，看见他们几个同学那样决意为反抗强权，反抗人类的蟊贼而牺牲的激昂慷慨的态度，也便不知不觉有同往牺牲的勇气，绝无丝毫恐惧和苟且偷生的念头。就是畏缩懦弱的朋友们，见此情状，心中也觉得公理正义，竟足以使人的思想和情感，超出生死问题以外，而感悟到以势凌人，以死畏人的军阀封建势力终属有限之至，理想的社会，真正的自由，实在可以血泪换得来的可能。[7]

及至此，由工学会领导二十人模样的战士，叱咤风云，把京中数万学生灌了疯狂剂似的为纯粹的爱国心冲动，一齐抛下书本，整队出发。到天安门集合的，共有十三个学校的学生，约有五千余人。当时各人手中所持的旗帜，都写上什么“废止二十一条”，什么“誓死争回青岛”，什么“卖国贼曹某章某”，什么“反对强权”，什么“抵制日货”一类使人不起注意的字样。因此当时政府派出在学生队伍前后巡逻的侦探虽然很多，却也一点摸不到头脑；不惟他们看不出学生们有痛打曹、章等的决心，并且也不相信学生们会有什么暴动的——事实上，最大多数的学生，确是没有这种预备的。可是当时大家都以为须全队赴东交民巷走过，方才可以对外人表示中国民众的一种公意，就决定向东交民巷出发，不料东交民巷外国守卫队，竟不让通过，虽由代表再三向英美法意各国公使署交涉，因《庚子条约》的束缚，终没有允许通过的可能。于是素不感觉外力欺压的痛苦的人们，这时也觉得愤激起来了！“大家往外交部去，大家往曹汝霖家里去！”的呼声，真个响彻云霄，这时候，无论怎样怯懦的人，也都变成了一些有勇气的战士了！

这五千余学生被阻在东交民巷，足足站了两个钟点，最后就由大众决定改道向曹汝霖家里去。这时负总指挥责任的为傅斯年，形势过分紧张了，他诚恐有意外发生，力阻勿去，却在呼声震天的群众暴动之下，那里阻止得住！

这五千余学生终于整队经过东长安街往赵家楼去，沿途高呼卖国贼曹汝霖，卖国贼章宗祥，卖国贼陆某徐某段某和其他在政府有权势的人，都在这一群孩子口中任意挨骂。这时候群众的各个分子都没有个性的存在，只是大家同样唱着，同样走着，不到四点半钟的光景，就全体走到赵家楼曹汝霖的住宅前面了。当走到曹宅前面的时候，大多数的学生都从墙外把所持的旗帜抛入墙内，正预备着散队回校时，而那些预备牺牲的几个热烈学生，却乘着大家狂呼着的时候，早已猛力地跳上围墙的窗洞上，把铁窗冲毁，滚入曹汝霖的住宅里去。这时曹汝霖宅内的十几个全身武装的卫兵，已被外面的呼声鼓掌声震骇，并且受了跳进去的学生们勇猛的感动，已丧失了用武的胆量和能力，只得取下上好的刺刀，退出装好的子弹，让继续跳进去的五个学生从内面把那紧闭重锁的后门打开。[8]后门打开之后，便如鲫如鳞的一拥而入，对着后门竖立的一块木屏，被一个人猛力地推了下去，发出轰然的一声，在宅内宅外和立在后面狂呼的学生听着，以为里面放枪了，就相惊倒退了数十步，直至里面出来的学生说够明白，才又涌上前去。

那一天，在事前已探听到曹、章、陆三位正在曹宅开会，因为穷搜不得，遂被那围住的学生放起火来，以泄一时的愤怒。可是当曹宅西院火光初现的时候，在曹汝霖的小老婆和他的父亲被大家交给在内的警察带出的时候，忽然在东院房间的木桶里走出一个身穿西装面像日人模样的，被一个学生赶上前去，用一根旗杆劈头一击，那人就倒身在地，佯作身死，于是动手打他的人就往后走出，而一时“曹汝霖已经被大家打死了”的喊声就传遍了内外，因有许多胆怯的学生就乘机回校避祸去了。但是一些热烈的学生们，却争先恐后的去看那被打死的人，以证实当时的传言是假是真；那里知道那佯作身死的人，已乘机逃到外面一家皮蛋店里去躲藏好了。后来却被另一批搜寻曹、章的人，在皮蛋店里面一间光线黑暗的屋子里的床上，又把曾经被打装死的人搜寻出来，大家就拉住他两只脚，从那间黑暗的房间里倒拖到皮蛋店的门口，同声问他是什么人？他总是绝对地不作声，大家耐不过，就各拿手中所持长不满尺的小旗杆，向着他的面孔上乱打，而那些手中没有武器的学生，就只好权借皮蛋作武器，把那个死不开口的闷葫芦当作靶子去乱丢，几十百个皮蛋丢了过去，葫芦还是闷葫芦，一声不说，不过已是满头鲜血淋漓，还杂着黄蓝色的皮蛋汁，几乎把七窍都封锁满了。

正在危急时，有一位货真价实的日本人冒万死而替这不开口的人来保护着。当时在场观战的有不少西洋人和日本人，因此，大众就怀疑起来，这不开口的或许是日本人，就有许多细心朋友暗暗地打招呼，停止了皮蛋进攻；躺在皮蛋汁中的不开口人，因而不死。那里知道他便是向日本政府亲递那封“欣然承诺”四字的换文的驻日公使，新回中国运动承认直接交涉的章宗祥啊！停止了皮蛋打靶后，已经是五点三刻了，尚在看热闹的学生，实际只有几十百个人，而那些攻打曹宅用力过多的人，这时多半也已经精疲力竭地跑回学校休息去了。正当大队学生继续散去的时候，赵家楼一带已开到了好几排军队；于是那些起初对学生很客气的警察，也胆大起来，并且也都扳起面孔，吹起警笛，开始协同军队捕人了！

当学生前往曹宅时，曹、章确在会商要事于曹宅，曹仓皇乘汽车奔避于使馆界的六国饭店，章以不熟路径，为学生殴伤，曹宅亦付之一炬，不到六点钟模样，仅有少数学生未散，而已有大队的军警赶至，被捕三十二人[9]，到晚上七时才把这个消息传到各校全体知道，且有政府必将被捕之学生以军法从事的消息。于是各校学生都立刻召集全体大会，讨论对付办法，一时空气极度紧张，北大校长蔡元培竭力与警厅交涉，京中十四校长会议结果，并谓此举为团体公共运动，不能使少数人负责，并议决无论如何，非将被捕学生全部保出后，再行联名辞职。

翌日，各校代表齐集于北京大学开紧急会议，大多数主张即日一致罢课，以要求政府释放被捕同学（实际上已有多数学校无形罢课）。当时主张罢课以壮声势的以北大代表最力；独高师代表表示异议，所持的理由是:（一）大家应该尊重被捕同学的牺牲精神，继续奋斗，不应该专从营救同学着想，而放弃了原来所抱的目的；就是说：大家应该跟着被捕的同学一同去牺牲，不应该只是希望被捕的同学早点出狱，来跟着我们快活；（二）就事实方面说起来，罢课以后，大家不容易集会，团结精神更加无法保持。可是大家都只凭感情说话，没有什么真理可言，高师代表这样的主张，自然不能得到多数的同意，所以大家就把全体一致罢课营救同学的议案通过了。这个议案通过以后，又继续讨论到北京中等以上学校学生联合会的组织，结果指定北大和高师代表起草组织大纲，为营救被捕学生和积极进行爱国运动的表示起见，遂有北京学生联合会的诞生。学生界之有联合会此为创始，当时政党的力量已经几乎没有，就是革命历史最悠久的国民党，它的组织和党员间的联络指挥，远不及这新成立的学生联合会。[10]这是全国学生联合会的雏形，也是全国学生会的开端。所以对于北京学生联合会的成立，不但是五四运动的重大事件，就是对于五四以后的民族革命运动也是很有关系的。

联合会组织大纲自六日上午由起草代表草定以后，即日就交到各校代表会议通过。于是所谓北京中等以上学校学生联合会，便宣告成立了。至于这个大纲，却有两点须连带说及的：一是该会分为评议干事两部，评议部只负议决一切进行事件之责，干事部只负办理评议部所议决的一切议案之责；二为评议部的评议员的产生，只以学校为标准，就是说，不论学校人数的多少，每校只许出评议员二人，而干事部则专行委托北京大学学生干事会代理。这样一来，人数最多的北京大学，不患无事可做，而少数学校独断的主张也便不能通过。还有一点，就是为了干事部完全交代北京大学代办，所以后来在外种种接洽，都是北京大学学生，益像这次运动是北京大学包办的：其实北大在表面上负全部执行的责任，实际上还是各校所共同的。

全国学生联合会虽成立于六月十六日，以叙述便利计，先在此处提及。北京、天津、南京三处学生会代表以情势恶劣，于五月底先后到沪，会商联络事宜。三十日下午在西门体育场举行追悼郭钦光烈士大会，是为南北学生代表第一次集会。六月一日由上海学生联合会邀请北京天津南京及留日学生代表，讨论组织全国永久联合会事宜，同认为组织学生联合会，为时势所必要。即讨论具体办法，并定名为中华民国学生联合会，借寰球学生会为筹备会事务所，通电全国各地学生联合会，于二星期内，各派代表来沪，举行成立大会；欧美方面远道不易即归，亦通函请其表示意见，暂托上海学生联合会办理筹备事项，关于对内对外的问题，先提如下的三条件：

一，请政府明白宣布青岛由日本处置一条，决不签字；

二，请取消“二十一条约”及军事协定；

三，请惩办国贼以谢天下。

至十六日假大东旅社开成立大会，将各地代表三十余人[11]，中外男女来宾黄炎培、李登辉、蒋梦麟、周锡三、舒蕙贞等二百余人。三时开会，由北京代表段锡朋报告开会宗旨后，各地代表及来宾先后演说，并有建议建设中华民国学生总会会所等事。领导五四运动总枢纽的全国学生联合会于是成立。

自全体学生罢课以后，直接感受苦痛的就是各校的校长，因为一方面要受什么政府的申斥，一方面又要受学生的责备。所以他们连日大忙特忙，开会啊，写信啊，打电话啊，向教育总长说话啊，向国务院警察厅检察厅疏通啊，向学生演说啊，弄到一个个筋疲力尽，终于由十四校长议决先向警厅保释，再行全体辞职，并电各省教育会一致对待。后由汪大燮、王宠惠、林长民等保释出来，受伤者由家属自行医治。惟其时政府有严惩学生，解散大学的风说，教育部长傅增湘深自引咎，约各校长同行辞职，其辞呈凡三上，于是政府始稍稍觉悟，未曾实行其断然手段；然在五月九日大总统的命令中，仍有将滋事学生，送交法庭依法办理等语，以致重复引起各界的反感。

被捕学生保出后，全体学生依旧上课，惟各校长在奔走营救的时候，其中受气受辱受惊的地方自然不免，被捕学生才释出，即有校长辞职的消息。自总统命令发表后，北京大学校长蔡元培便于次日清晨出走天津，临行，留有一启事云：“吾倦矣，‘杀君马者道旁儿’，‘民亦劳止，汔可小休’，吾愿小休矣！北京大学校长之职已正式辞去，其他向有关系之各学校各集会，自五月九日起一切脱离关系，特此声明，惟知吾者谅之。”蔡氏此行，甚为秘密，大学同事多不知者。自经发觉，全校震惊，玩其启事语气，似另有暗潮逼迫而去，以蔡氏为提倡新文化最力之人，向为旧派所不满，此次学潮爆发，政府当局多归咎于蔡氏一人；及至九日惩办学生之命令发表后，遂知事不可为，乃悄然而去。蔡氏出走后，各校议决一律停课以待，教育部亦拟三种挽留办法，然蔡氏此去，意颇坚决，已具一去不复返的决心，京中情势，因之复趋于紧张。

政府既明令惩办学生，于是总检察厅令行京地方检察厅及警厅责成保人将学生交出，归案讯办。各校学生，乃假北大召开紧急会议，其结果：如法庭必欲少数人负责，宁全体赴厅自首。后来中学校亦加入团体，风潮愈形扩大。中学以上教职员会议结果，亦一致辞职，于是京中教育界顿陷于混乱的状态中。

当时各大学学生虽极愤激，惟态度仍极镇静。中等以上各校学生联合会议决各校组织演讲团，以期唤醒人民对外的觉悟，且有出京分往湘鄂各省演讲的。学校当局方面，则有各专门学校校长亦取一致行动，并推代表九人谒见总统总理请宣布三事：一，对教育界切实态度；二，善后办法；三，留蔡诚意。政府虽有留蔡指令，仍无诚意，因有马其昶继任北大校长之风说，于是教育总长傅增湘亦于十三日赴西山决意引退。傅蔡同去，北京学界更皇皇无所主，政府不但不肯采纳学生界的要求，且有对于教育有根本解决的主张，而田应璜为教育总长和马其昶为北大校长亦已现诸事实。于是京中各校群起反对，并于十八日召开紧急会议，由专门以上十八校决议，自十九日起一致罢课，积极进行，务求贯彻初衷而后已。因当蔡氏出走之初，各校学生虽有议决罢课之举，事实上除北京大学以陷于无政府状态确已停课外，其他各校的稳健派以为政府苟意存漠视，吾辈即使尽弃其学而回去，彼辈亦不感何种刺激而有所觉悟，反于救国运动以不便团结而妨害其进行，故大部分仍主上课。至十八日而学校当局亦以罢课为最后手段，于是京中各校，一致罢学，轰动全国的罢课运动，遂以五月十九日北京各校的总罢课而开其序幕。

北京中等以上学校联合会以营救五四被捕学生，早经成立；再自津沪而及全国，各地均有学生联合会的组织。当北京学界宣告自十九日起一致罢课后，上海学生联合会亦于十九日在寰球中国学生会召开紧急会议，定于五月二十二日起，凡入会各校，一致罢课，并遣派代表分赴各省联络公私校，一致进行，故各省各校自五月二十日以后，相继罢课以为援助。留学外国学生除发宣言表示援助外，尚有留日学生的爱国活动。留日学生在五四以前，多已返国，其他留日的一部分因于国耻日为青岛问题，整队赴英美俄法各使馆陈述意见书，传闻亦被日警四百余人拘入曲町区警署，任意侮辱，并将七人下狱，且有当我留学生前，撕毁国旗的侮辱，被拘的数百人虽于次日释放，而下狱的七人，且判一年至三个月的徒刑，后虽宣告缓刑，然其有辱国体，已为国际间所鲜有的了。

此次运动中心的北京学生自十九日总罢课后，政府对于学生的种种活动，无不加以干涉，各校附近无不密布军警，所有露天演讲发散传单和发行刊物——如《五七》,《救国》之类，等等运动，自然都被严厉地取缔和禁止。就是学生联合会虽然每日改换会议地点，亦屡次为政府所探知而施行强迫的解散。什么请愿书虽然再三地向政府里送去，那里能够值得他们一顾呢！到了五月三十日，向政府自告奋勇的代理教育总长袁希涛竟下了一道限学生于三日以内一律上课的训令；到了次日，徐世昌的禁止集会演讲和宣布戒严的命令，更堂哉皇哉贴到各校的门口：这更可见当时政府相信他们的权威有效的一斑了。然而政府的压力愈大，学生潜存的弹力也愈大，在五月三十一日又经从前在五四那一天运动最激烈的那些热烈分子，到各校活动的结果，六月一日学生联合会就有从二日起再行分队出外，举行露天讲演的决议，并且决定，如果二日出外演讲的完全被捕，次日就加倍再去，三日又完全被捕，四日就全体出去；所谓六三运动的酝酿期间，就在此时成熟了。

参考

[1]《新青年》杂志在民国四年出版，为辛亥革命以后国内惟一的新文化运动杂志，它所崇奉的两位导师，一位是德先生的德谟克

拉西（Democracy），另一位是赛先生的赛恩斯（Science）。德先生代表民主政体平等自由的精神；赛先生代表破除迷信寻求真理的科学精神。这两位导师是中国近代文明的渊源，见王哲甫《中国新文学运动史》。

[2] 见李剑农《最近三十年中国政治史》第十一章。

[3] 同注［2］。

[4] 世人往往误认五四为新文化运动，更有误认为北京大学学生运动。其实这一次运动是全国各界为打倒帝国主义、铲除军阀的民族解放运动，北京学生不过是爆发物中的一分子，因为爆发的可能性较他处为充实，所以在火线着火以后，他们便首先爆发了。

[5] 关于五四真相的记述，除常年各种日报所载外，竟无一部详尽的专书，现在根据匡互生《五四运动纪实》的小册子，和舒新城《近代中国教育史料》第三册，学潮中的《五四运动始末》以及关于各种记述五四的书报中作成系统的纪事以为研究五四运动的史料之一。

[6] 巴黎和会中国代表电告和会失败的消息。

[7] 现任暨南大学数学系主任的陈荩民先生，人人当他是一位稳健的学者，当日也是其中准备着牺牲的一个，著者曾数次与他谈到示威运动的故事，并且把当日主要分子，一个个和现在对照起来，真是使人有不胜今昔之慨。因为在五四时摩拳擦掌，义愤冲天的爱国青年，已有不少追踪于曹、章、陆之后，努力于殊途同归的“零卖”工作。余何言哉！余何言哉！

[8] 这五个跳进曹家墙头的五位战士，说的各人不同；不过从前在上海办立达学校的匡互生先生确是其中之一。

[9] 被捕的学生中为北大十九人，高师八人，工专汇文留法预备等校共五人。

[10] 李剑农《最近三十年中国政治史》第十一章中有云:“我敢大胆的说一句，此时候已经有了长久历史的国民党的组织，和党员间的联络指挥，恐怕还不如这个新成立的全国学生联合会组织的完密，运用的活泼灵敏。后来共产党和国民党在军阀势力压迫下面的各省，大概是靠着学生联合会作宣传主义、吸收青年党员的大本营。可知道所谓‘五四运动’的关系了。”

[11] 全国学生联合会成立会的各地代表为：北京代表段锡朋、唐炳源、陆梅僧、许德珩、杨健、陆宗锷、黄炳蔚、罗国煺、张伯谦、罗发组、黄日葵，南京代表曹公瑾、郎良、吴邦杰，天津代表张阳先，杭州代表连瑞琦、黄维时，上海代表陈纶曾、何葆仁，留日代表凌炳、王之桢、刘振华，南通代表潘润夫、罗元恺，武汉代表蒋元龙、潘澄卿，山东代表崔书馨、卓景泰，吉林代表吴仁华，安徽代表汤志先、常禹元，嘉兴代表葛敬庚、吴乃夔，宁波代表张其昀、丁福成，崇明代表施英、王欧，松江代表陈嘉、王同福，保定代表吴震寰，苏州代表周承树、尤敦信，九江代表邓毅生，扬州代表孔庆洙，河南代表李仁荣、李九期，浙江代表魏篪等三十余人，尚有各地代表，已经出发而不及赶到的，亦有数十人。

第十四章　启蒙工作的回顾（续前）

政府对付政策　日兵挑拨　游行演讲与贩卖国货　条条胡同有演讲　校舍改为监狱　鬼哭神号的北京城　美国教员挥着同情之泪　各地罢市的酝酿　京中学生的破釜沉舟　女子解放第一声　拒绝要人津贴　商人发动转变了政府的态度　上海罢市罢工后的影响　各地军警蹂躏学生　罢免国贼的命令　新华聚泣哭声震天　留欧学生和华侨围住专使住宅　电告拒绝签字　对于五四五种结论　五四是反帝反封建的启蒙运动

自政府通令停课各校，限于三日上课，否则决以军警压迫的消息传出后，各校学生愤愤不平，教职员亦不以为然，提出理由书抗议于府、院、教部，以全体辞职为最后对待之方法。政府见事态扩大，乃将军警干涉上课的计划打消，惟责令教职员劝导学生上课。三日期满，部令上课期限既属无效，该部又派出部员十余人，分赴各校巡视，以觇学生有无转圜的希望；袁次长欲提前一月放暑假，以为敷衍缓和之计，如此，学生可以不居罢课之名，教部亦得自全其面子。安徽省长吕调元且有请开文官考试，其意以学生苟趋于利禄之途，则将为我所用。政府因其请，颇为所动；于是决下文官考试令，以冀其平息风潮。凡此种种都是政府悉力筹付对待学生的利诱政策。

当北京学生团总罢课时，曾提出六条向政府要求[1]，其中反对教育总长田应璜一条，虽允撤回，亦迟迟未行；惩办国贼一事，让步到免职，尚难办到；故学生罢课的主张，益复坚决。并要唤醒民众起见，组织演讲团，每日至少派出八队至十队游行演讲，人数至少有二三千人。最初警察多所干涉，其后以学生秩序甚佳，故亦任彼往来讲演。嗣以日兵有汽车游行的示威举动，车上插立“青岛胜利”等字样的旗帜，气势汹汹，颇有欲与演讲学生挑拨的样子。政府闻悉，大为恐慌，遂下令严禁学生讲演。然此热度达于顶点的数千学生那里干休，演讲被禁而改为贩卖国货，调查介绍，组织颇为严密，较之游行演讲，又进一步。其工作范围，从工厂商店以至用户，从通都大邑以至乡村，以贩卖国货为名，干抵制劣货其实，此种工作，其为帝国主义与封建势力所反对，自在意中。

政府自敷衍利诱政策失败后，乃一变而为武力政策。当六月二日上午九时，除贩卖国货照例进行外，仍有演讲之事，各校合计有二千余人的演讲员，因当时政府已有禁止演讲的命令，故学生各把一面小旗藏在袖口里，一个个地偷出校门[2]，走到热闹之处，就扬出袖中所藏的旗帜号召听众，随地演讲。这种办法已出军警预想以外，并且人数很多，当地警察虽然照例上前干涉，终无多大效力。政府以学生仍不遵守命令，且多越轨行为，乃于是日连下两道命令：一道是痛斥学生，一道是偏袒曹、章。是日下午三点钟时候，无聊的步军统领衙门和警察厅只得下令捕人，同时被捕的有四十七人之多，北京大学法科就变成临时的监狱。不过这次被捕，完全在大家意料之中，当然没有特别惊惶的地方。虽然当夜谣传被捕去的学生均遭枪毙，而三日上午加倍出发的讲演员却依旧鼓起精神，分途出发。一时北京市上差不多没有一条胡同没有立地演讲的学生，同时却也没有一条胡同没有干涉演讲和逮捕演讲学生的警察。被捕的学生初由各地警察押送到各警察分局分所，而那些学生就在各分局分所对着看守的警察演讲起来，演讲的学生大都“垂泪而道”；而听讲的人亦大都“掩面而泣”！甚至有深表同情于学生而大骂那些卖国政府卖国官僚的。

但是，青年的热血和民众的同情，在政府看来是最不值钱的，学生尽管是“垂泪而道”，听众尽管是“掩面而泣”，只要封建统治者哼了一声，那批走狗般的军警们就会丧心病狂似的干那违心事的。后来数千百的学生正在大声疾呼的时候，步军统领衙门即分派大批马队步队协同警察再由各分局分所把所有的学生一网打尽而捕去了。因为这样大的监狱，毕竟是赶造不及，遂把被捕的学生，一律解送临时牢狱的北大法科和理科管押起来。在被送的时候，学生依旧沿途大呼抵制日货，惩办国贼，甚至有大呼大众起来革命的。还有在校出来打听消息的学生，路上彼此相见，即大呼什么“中华民国万岁”，什么“前进”，什么“死呀”！“死呀”！“你们先去呀”！“我们就来呀”！一片激昂慷慨，淋漓悲壮的呼声，真个把北京城圈里闹成了一个鬼哭神号的世界！

这时特别对于被捕学生表同情示敬礼的，就是那些特别出来参观的美国教员，因为他们一遇着被押解的学生，即立在道旁，举手示敬，而这些狂呼大喊的被押解的学生，在脱帽还礼的时候，益觉勇气百倍；因此引出了美国教员不少的热泪；同时道旁的行人却也有不少相见流泪的。等到被解送的学生继续进了法科或理科以后，大家虽然饿了十个钟头，但因为在里面看守的军队为大家的沉痛演说所感动，对于被看守者在法科理科范围以内的行动完全不加干涉，各人不惟不觉到有什么恐惧与苦痛，而且立刻又在里面组织一个被捕学生联合会。这个组织差不多和原有的学生联合会的组织一样，不过评议部和干事部的职员都由各学校学生按照每校几人的规定自行推出。所以到了三日的晚上，在法科被看守的八百多人就把所谓评议部和所谓干事部所有的交际股，庶务股，会计股，纠察股，卫生股等，都已组织完全，一切事情，概已有人负责，不惟秩序井然，而且食的问题也能设法解决了。

这时大众所不能放心的，就是明日各校学生全体出发的事情是否能够实现？大家所最希望的，是北京商家亦能够起来援助而一致罢市，京外各地各界同样地一齐起来表示大家一点声援。

当二日第一批学生被捕后，即由北京学生联合会通电各省，请求营救。三日第二次大捕学生事件发生后，该会及天津学生联合会均有急电报告二次被捕情形，四日各地报上都以大字披露是项消息。各地除学生界外，其他各界亦都不满意于政府的措置，已从少数智识分子的同情渐及于各界一致的公愤。各地罢市的酝酿，至此已有跃跃欲试的景象，尤以上海商界的空气最为紧张，这是很显然的，因为上海商界受到日帝国的压迫亦最厉害。

自三日学生重行出发演讲，被军警拘捕多人后，形势更见严重。在校学生见出外演讲同学全数被捕，固然明知军警监视学校愈加严密，不容易全体走出校外；但为免除良心上的苦痛起见，只得各人携带干粮被褥[3]，死力冲出。果然全体携带行李冲出以后，军警即蜂也似的上前阻止了。但是全体学生既挟“破釜沉舟”之势向前猛进，并且用着慷慨激昂，恳切沉痛的态度向着军警们演说，军警的良心已经发生一种说不出的悲哀和惭愧，安得再有力量来阻止学生们不去呢？不过四日军警方面所持的态度，实在也和三日两样，因为他们三日见着演讲的学生即尽数捕去，四日却只极力苦劝——甚至于有跪地哀求的——学生们不要再出外演讲，绝对地不再捕人了，所以四日出发的学生，反能够自由地在一切热闹场所，向听众把平日所不能说不敢说的话此刻都可任意说得出来。但是他们一面演讲一面却都向着北大法科理科走，因为一则可以就近探听昨日被捕同学的消息，一则可以从声势上表示一点胜利，以安慰安慰被捕同学的沉闷。后来却都能达到目的，下午五时以后，那天出发演讲的全体学生，真是出乎意外的都得安然回校。

这一天还有一件可记的事，就是北京女子师范学校及附属中学的学生，也打破后门出外加入演讲，且有集款接济被捕学生的举动。这是北京女校学生参加五四运动的破题儿第一遭，因为在过去几次召集，各女校也很活动，每次都给学校当局阻止着；当二三两日被捕大批学生的新闻在报上发表后，该校女生就商量援助的方法。不料事为该校校长所探知，就一面嘱咐工人把校门紧闭，一面召集学生训话，加以严厉的斥责。这样的办法，似乎使得该校女生再也没有活动的余地了；但是她们的气愤却因此更盛，就将后门打开，一齐向外出发，沿路讲演。下午也一同到了北大法科的门前，同时她们的代表及女中的代表六七人，各用手巾提了几千枚铜元，送到法科被捕学生团，接济被捕的男同学，并声明送来的铜元都是临时捐集的，所以来不及换成银元。这种热情侠举，不仅增加了男同学不少的勇气，而且可以说，这就是中国女子自己解放，自己取得平权的第一声。女子师范领导女界首先发难后，继着就有京中十五女校联合呈请政府释放被捕学生，而各地学生会中亦多有女校的学生代表参加。

四日军警对付学生的态度忽然改变，当然是政府看见情势严重，把武力政策稍稍转变，所以四日出发的学生，仍得背着被褥，安然回校。至于三日被捕的学生，虽然失去了自由，可是却因此引起大多数人的同情，私人亲友及各团体代表前去慰劳的一天不知有几十百起，送点心和火食费的，也是接二连三地来个不已。不过，被捕学生对于送来的火食费并不是轻易肯接受的，凡是各校教职员及学生还有被捕学生的亲友家属送去的一概接受外，其他无关系的尤其是军政界中有地位的人，即使诚心捐赠，往往婉言拒绝[4]，这种精神，格外使人钦佩。五四运动之所以值得后人景仰的，一大半就在运动的中坚分子，除了“自我牺牲”的勇气外，丝毫没有其他企图。

五日早晨，看守的军队忽然无条件地自己撤去了，大家很觉奇异，还有人猜疑政府别有用意。后来才知道政府因为上海为援助北京学生，已实行罢市；天津汉口也有罢市的趋势，北京商界有将和天津汉口商界取一致态度的传说。并且在外面活动的学生联合会提出了严厉的抗议，大有无可收拾之势，所以只好无条件地把看守的军队撤去。不过政府虽然无条件地撤去了军警，被捕的学生，却不能不向他们严重地质问任意蹂躏人权的理由。所以在五日下午教育部派来四个代表前往慰问，并劝学生回校，大家因为他们对于学生所提出的质问没有满意答复，反把那个代表教训一番；并且说政府如再没有悔祸的表示，大家仍采激烈的手段去对付他们。六日起学生的演讲团及贩卖国货者随地皆有，军警均不干涉。后来政府重派代表自认误捕学生之罪，而在外的学生联合会又有进一步办法的提议，全部被捕学生，乃于七日在万人欢呼声中，各自回校，被拘于警察厅的一部分学生，亦经某科长的再三道歉，雇车送回。

此次政府态度所以突然缓和的原因，北京学生再接再厉的精神，和各地学校同声相应的表示，固为促成政府觉悟的所在；然其重心，却在商界和工人起而援助，行将演成全国总罢市总罢工的趋势，遂使冥顽不灵的北洋军阀，亦有众怒难犯，稍稍悔过的觉心。因自“六·二”，“六·三”大捕学生的警电传出后，群情愤慨，达于极点，尤以上海罢课学生的四出呼号，涕泣陈辞，遂使商界与学界联合一致。四日京中已盛传上海全市商店将于次日一律罢市的谣传，其他各大城市如天津武汉南京杭州济南等处，亦有步武上海后尘作同样表示的消息。以此缘由，政府乃于五日突然自动撤去看守军警的举动。至五日而上海南北市及英法租界商民激于学生的义愤，自动罢市。[5]上海罢市既成事实，内地各处，相继追踪，二三日内，各地几已全部罢市，更由商界而波及于工界。盖自全国罢学罢市以后，政府仅仅撤退看守被捕学生的军警，及向被捕学生的慰问与道歉，其于卖国贼之惩办，仍无决心表示，遂以学生的加紧宣传，和商界的扩大运动，上海铜锡业机器工所首先发难，印刷纺织各厂随之罢工，其他如火车电车工人，亦一律罢工，风潮鼓荡，几成全国一致，气象惨淡，至斯而极，诚空前未有之事变也！

学商工既联为一气，对内对外都发宣言，以表白所以罢学罢市罢工的苦心；而各地学生每以演讲为唤醒民众首要之务，故遭当局之忌，亦以学生为最甚。北京方面连日大搜捕后，虽于五日政府即自动释放，而各地军警，仍多蹂躏学生，尤以南京武汉及福州数处为最甚。南京罢市后，学生出而维持秩序，分队立街，下关方面的警察，以枪刺刺伤暨南农业两校学生二十八人，又大行宫的警察痛殴金陵及基督益智两小学生。武汉学生以出外演讲，被警察殴伤拘捕者几于各校皆有，高师学生陈开泰因伤重身死，文华中华各校学生均有受重伤者。福建处在积威之下虽屡次希图发动，均为当局破坏，故学潮发动最迟，然其受祸亦最烈。当时福建督军李厚基逮捕学生，笞责镣铐，惨无人道，饿者伤者，杀死者，不知其数。[6]此外各省，如鲁，如晋，如陕，如浙，如赣，如两广，以及东三省等，有罢学而未罢市者，有先罢学而后罢市者，有罢学罢市并举者；重要商埠，更以学商工的联为一气，故并有罢工者。其中罢市的力量以上海为最大，罢工的影响，除各大同业外，则以沪宁铁路停驶的影响为最大；其出发点虽各有不同，而其要求拒绝和约签字，惩办国贼，取消苛约，抵制日货等条件，则皆同声一致。政府始则以学生为罪言，继则以曹、章、陆为公忠，意存袒护，曹、章、陆辈恋栈依然，虽经一度辞职，不过尝试政府的意旨罢了。洎乎全国骚然，众怒沸腾，政府鉴于各方面的情势不可挽回，乃于六月九日始下准予曹、章、陆辞职的命令。

当七日北京被捕学生回校后，曾于次日晚上召开学生联合会，决议于九日上午十时全体学生赴总统府直接谈判，要求罢免曹、章、陆等的议决案用电话通知教育部，要他们通知徐世昌届时在府守候。政府从教育部得到这个消息，并且因为南苑某军队也有预备同时武装进城一律加入请愿的谣言，和津京商界将有激成罢市的倾向，即晚十二点钟就召集国务会议，一致通过容纳民意，罢免曹汝霖、章宗祥、陆宗舆三人的职。议决以后，就立刻由教育部用电话通知学生联合会，并力劝学生联合会转告同学，明日不要到总统府请愿，以免酿成其他不测的祸变。联合会当即要求须有罢免曹、章等的实证，才有商量的余地，他们就答应以明日上午九时以前送到各校罢免令的《政府公报》为证，学生联合会就答应明天再看。果然，九日上午八时《政府公报》已送到各校，曹、章、陆的免职令真个成了事实。一月余全国各界，奔走呼号，要求惩办国贼的一条件，至是才得解决，可是在封建势力之下，这样结果，也可说是求之不得的胜利了。

然此打倒国贼一问题，乃由和会中山东问题的失败所致，曹、章、陆的罢免，尚非此次运动的主要目的，在“外争国权，内惩国贼”的公共目标的五四运动，必不以曹、章、陆罢免为已足，盖国贼虽然受了一点薄惩，而危险万状的外交，依然没有多大挽回的希望。到了六月二十五日传闻中国专使将于日内签字于损害国权的《凡尔赛和约》，于是全国震惊，奔走相告，若大难之将临。虽学商工界抗电力争，尚恐无效，于是北京学生联合会又于二十七日向总统府强迫徐世昌电令专使拒绝签字；山东代表七团体，亦有叩阍呼吁之举。从二十七日起，各界数百代表，新华聚泣，哭声震天，经过两日干晒，一夜露宿的最后奋斗，各省学界及在京商工两界亦继起参加请愿，上海国民大会及山东协会电请政府拒绝签字，限四十八小时答复，否则国民与中央脱离关系云云。结果徐世昌就当面答应：专使如未签字，即电令拒绝签字，如已签字，则将来和约交到中国时，一定予以批驳。学生代表虽明知徐氏圆滑，但无法暂时证明他说话的虚伪，也只好各回原校，另图补救了。不过徐世昌的圆滑虽然弄到大家无法进行，而近在巴黎的留法学生和华侨却因为国内民气激昂，激动了处置软弱无能的中国专使的决心，就于和约签字的那一天，全体赴中国专使所住的地方，阻止他们赴会签字，并声言专使如要去签字，大家就以国内学生对付曹汝霖的办法对待他们。于是中国几个可怜的专使因为恐怕签字以后，自身难免有性命之忧，也只好容纳学生华侨们的要求，保全自身的安全，硬着心肠各不赴会。至此，拒绝签字的目的已达，而五四运动中主要目标的“外争国权”一项，竟在威吓利诱的环境中保持着一线生机，于是一月余掀起的爱国高潮，遂在六月二十八日陆专使拍回拒绝签字的电讯以后，各在悲壮严肃的情境之下平静下去，轰动世界的五四运动，也就告一小小段落。

五四运动的起因和经过大略说完了，我们可以得到下面几种结论：

一，五四运动不是偶然的，为了经济上的变动，政治的腐败，军阀的横行，以及思想上的转变，而有酝酿很久的史的力量。

二，五四运动虽没有许多生命上的牺牲，但在最初北京学生发难的时候，他们预备牺牲的也大有人在。因为预备牺牲者努力的结果，便引起其他多数的预备牺牲者，所以运动的力量也因此增大。

三，五四运动所以能持久，就为了平时有团体的训练，临时有相当的组织。

四，五四运动所以不为军人政客的诈术所破坏，所污辱，所利用的，就在大家所抱的目的，是非常地正大光明，不但有威武不屈的态度，且有富贵不淫的精神。

五，五四运动在这“外争国权，内惩国贼”的共同目标之下，使直接感受威胁的新兴民族工业代表人，和乘着欧战期间随民族工业发达而渐见抬头的劳动者，激起空前的反日运动，因为学商工三界的联合能使奸滑狡狯的北洋军阀穷于应付而终于屈服。

这样看来，五四运动是一个反帝国主义的含有民族主义的运动；惟其如此，所以这次运动的余波，才会影响到以后的“五卅”运动上面去。并且五四运动也是一个反封建势力的含有民主主义的解放运动！惟其如此，所以这次运动的余波，才会影响到以后的一切解放运动上面去。但是，这个运动，只可说是一个启蒙运动，因为它的力量偏于破坏现状，少有建设工作；惟其如此，所以五四运动以后的各种新主义新思想同时并起，而新文化运动也就这样地向前奔放起来了。

参考

[1] 北京学界议决总罢课时，在上政府当局的呈文中有六不解的理

由：大致不外质问政府不签字之决心；请惩办国贼，请挽回傅蔡，打消田长教育，撤废警备学生会；向日政府抗议释放被拘之学生；恢复南北和局等语。且声明系暂行停课，其措词及举动，皆望政府予以了解也。

[2] 因当时各校校门，均有军警看守，不许学生结队出入。

[3] 三日学生被捕，还有设替被捕的同学去送被窝和点心。四日全体出发，如果依旧全体捕去，那就再无送被窝点心的人了，所以各人只得预先带走，这也是破釜沉舟的一种表示。

[4] 三日被捕学生各界投赠火食费者甚多，大都为学生拒绝，如梁启超之弟启勋赠送大洋一千元，据说是代广东何某捐赠被捕学生，他亲自送到北大法科，由被捕学生交际股收受，后经评议部提议认为不应收受，便行退还，并登报声明。又吴光新托人转告，愿津贴学生联合会，并说段祺瑞、徐树铮对于学生甚表同情，亦被学生拒绝。

[5] 上海罢市，甚为奇特。是日上午七时，城内先行罢市，他处商店，照常营业。及八时许，中法交界之民国路商店相继闭门，越一小时而法界亦无开门者。十时许五马路商家继起上牌门，至十一时许南京路商店随着关门，不到正午全市竟无开门者。罢市后商家皆于门上贴着标语，如“坐以待毙，与汝偕亡”，“还我自治，还我学生”，“驱逐卖国政府”等等字样。故此次罢市，并无预先协商，实以人民积愤已甚，心理相同，自然之趋势也。

[6] 八年六月十七日上海各报所载福州电报，谓学生六千余人，被李督及日兵捕去，惨无人道，乞援于全国学生联合会，嗣经政府去电释放，风潮始平。

第十五章　革命主力的转移

爱国运动缓和后政治的恶劣　革命高潮的由来　发难地点的转移　陈仲甫承继谭梁余绪　“新青年派”战士攻击的目标　思想界的分化　民主主义中的婚姻问题　革命主力由北京到上海　革命主力落到上海的第一个条件　革命主力落到上海的第二个条件　孙中山努力于主义的建设与宣传　革命主力落到上海的第三个条件　国民党改组的三个阶段　新生命的胚胎　一党专政的信念　民族主义的演进　民族革命的历史截成两段　改组后的主要工作　中国革命思想的权威　革命运动归落到南部的原因　运动发生的两个时期　五四运动的牵线者　革命领导权的归落到工人阶级　中国革命进了新的阶段　工运重蹈历史上农民的覆辙

当和会专使拒绝签字的电讯披露于国内新闻纸后，轰动全国的爱国运动，便在凄凉惨淡愤慨激昂的氛围中缓和下来。当时日帝国方面恫吓利诱，或将出于补签的风闻，然大家以为曹、章、陆既倒，亲日派的段祺瑞内阁亦已下台，从此国事当有转机。殊不知封建的残渣，已再不能领导带有资本主义性质的政治组织；同时产业的发展，又比大战期中迟缓下来。于是政治上的表现遂愈见其恶劣，曹锟的总统竟至以贿选得来；即当时所称谓什么模范省，什么模范军人等等，都不过利用当地人民传统的弱点，求得短时期的苟安；其他所谓模范村、模范县等等运动，就是假借资本主义的表皮建设，而实行其土豪劣绅的地方统治，一切似是而非的政治表现，岂但不能满足五四运动时代的希求，反而越见丑态百出，越是令人愤慨。民国十三年十月“驱曹事变”之后，北洋军阀的系统遂陷于总崩溃的悲运，十余年来给北洋军阀官僚霸持的独舞台，到了那时已经号令不出国门一步。曹囚吴逃之后，虽然还演成杂烩式的段祺瑞的临时执政，可是这种庞杂的军事混合的封建组织，那里担当得起改造中国的任务！

五四运动之后，虽不曾解除封建时代所残留下来的桎梏，却已受了严重的民族解放思想的感应。那时候正当世界大战初告结束，资本主义不但在海外市场勃兴，即国内消费力也相对的增大，中国处这样环境之下，产业继续向上发展，特别是纤维工业的发展，于是人民的生活水准，固未必增高了许多，而已有转旋的余地，所以思想的发达，也跟着物质的进展而生长出来。在民十以后的思想界虽没有很显著的划分，却有了相当的认识，不是五四运动初期那样只是要革新而没有标的的可比，这是民十四前后革命高潮之所以由来，国民革命北伐之所以胜利。

从转型期的五四而“五卅”以至于民十五国民革命军的北伐，最初爆发于封建集团根据地的北京，其次爆发于帝国主义经济势力中心点的上海，最后仍归宿于革命运动发祥地的广东；在这短促的七年中间，虽然每一次高潮的来临，必弥漫于全国各地，而发难的地点却分配于中国北部，中部和南部，这是因为推动革命主力的转变，所以革命的中心势力和爆发地点便每次不同。

五四运动的所以爆发于北京，和发难的主角所以落到北京的学生界，这在第十三章中已经分析。现在要分析何以继五四而起的“五卅”运动，从北部中国移到中部中国？而随“五卅”之后的革命运动，又何以归宿到南部中国？其次五四运动的主角，我们已经知道是由少数智识分子的觉悟，推动青年学生做先锋队；但是在“五卅”运动中何以学生退处于配角地位，那运动的主力转移到工人身上去呢？又何以上海和其他各地以“五卅”而爆发的工人运动沉寂以后，而南部中国的革命运动中，还有粤港罢工事件作最后的中流砥柱呢？这其间都有历史的意义，假使忽略了其中转变的根源，那就无从认识这一次中国转型期的意义。

在第十章中关于谭嗣同梁启超的思想言论，曾有如下的一段话：“梁氏自戊戌政变以后，即取得康有为之地位，握中国思想言论界的牛耳，故其影响于辛亥革命者甚大。至五四运动时代，谭氏的思想，得陈仲甫之发挥光大，风气为之一变：向日一般智识青年，以梁启超为崇拜的偶像者，至此，陈仲甫便代替了梁氏的思想权威的地位，而为一般智识青年崇拜的偶像了。”原来在最近一世纪的中国思想界最有权威的是谭梁二人，谭氏因为早死，且其著作又少，故在当时没有若何大的影响，直到五四运动前后，中国的思想界早已入于僵冻状态，便由“新青年派”起来标榜新文学新思想以从事于反对因袭的文学和因袭的思想，这完全是承继着谭嗣同的大无畏精神，去冲决一切天经地义的网罗的工作。谭氏对于过去的一切都主排斥，而于伦常名教以及统治阶级御用的精神工具，说来半文不值，“新青年派”完全把谭氏的思想接受过来，异军突起于中国的思想界中。主办《新青年》而为该派领袖的便是陈仲甫，当时觉悟的智识分子和青年学生之视《新青年》，一如戊戌政变以后之视《新民丛报》，其信仰陈仲甫亦如当日之信仰梁启超，无怪北京大学校长蔡元培因为欲整顿北大，就去礼聘这“可为青年指导”向来“有不忘的印象”之陈仲甫来担任文科学长了。[1]

“新青年派”的战士们，其攻击的目的便是孔子和礼教，自从陈仲甫做了北大文科学长以后，不久便有北大学生发行的《新潮》杂志响应《新青年》的运动，由是新旧思想的冲突普遍于全国。几千年来支配人心的孔子和支配行为的礼教，那时竟被攻击得体无完肤，于是青年界的怀疑精神，就随而扩大起来，差不多对于社会的一切现状，都感觉着成为问题，而新文化运动也便向前奔放起来。这固然是中国的经济组织起了变动，才会使社会上一切现状成为问题；不过新文化运动的主力是在北京的智识分子和北京的青年界，他们眼见着北洋军阀官僚的独舞台上演着一幕幕丧权辱国的活剧，早已到了有触即发的条件，遂在巴黎和会失败的消息传来后，掀起了空前未有的学生示威，所谓五四运动也就爆发了。

五四以后，从排孔与反礼教而影响到家庭问题，婚姻问题，贞操问题和孝的问题等等上面去，使人对于那从来视为天经地义神圣不可侵犯的礼教重新估价，而礼教的束缚便从此失却它的力量。不到几时这推动新文化的主力军《新青年》受了苏俄革命的影响，在这新文化运动的阵线中，思想分化，一派专讲马克思的唯物史观，由陈仲甫、李大钊领导而另办《向导周报》，成为鼓吹共产主义的机关报；一派信仰杜威的实用主义，由胡适领导，刊行《努力周报》，成为鼓吹好人政府的言论机关。五四运动本身虽然还很贫乏，也没有坚定的基础；

不过对于将来的期望，已划出了理想的轮廓，假使领导者保持着初期运动的目标，则此伟大的历史使命，不致过了六年方有“五卅”的革命高潮，也不致将革命主力转移到上海去了。

但是，到了五四运动之后，因为民主思想的展开，民主运动随着抬头；在听天由命惯了的中国人，看到集会、结社、言论等自由反平常，最为一般人注意而且为青年界特别是受过相当教育的青年，在这打破礼教的狂潮中，很多费了最大的劳力去奋争婚姻自由。中国的礼教大防在中产阶级以上的所谓“书香”人家格外谨严，自由思想必然的随着资本主义的组织发达而勃兴，生产形态既已变动，则思想也要随之而起变动。对于久受拘束的婚姻制度，恰是较有思想的青年男女所最难忍受，所极欲推翻而希求根本改革的；所以五四以后大多数的青年男女，往往出全力来争求婚姻自由的实现，在民主运动的自由主义中，婚姻自由却占了最大的成分，这固然是落后的中国所应有的畸形现像，也是初从封建时代蜕化出来所不可避免的阶段。不过把大部分甚至全部分的精神都消耗在为恋爱而抗争，而牺牲，势必对于其他的政治斗争漠然不顾，这是五四运动时代的民主斗争，仅展开了思想的序幕，没有坚定基础的主要原因。其后政治的压力渐次明显，经济的束缚益难解除，柔和美妙的爱神，不能生存于新旧合铸起来的丑恶社会，而一齐窒死于财魔之下，遂使热烈、活泼、进取的青年，成为消沉、颓唐、失望的人们。尚有一部分具有向上意识的急进分子，对现状不仅是不满，而且打算从根本改造，他们想把俄国的共产党作导师，哄动大多数还没阶级意识的无产者，结合起来造成一个无产阶级，和军阀决斗，和帝国主义决斗。可是他们忽略了过去历史的演化和现实社会的结构，他们抛开现实，一味奋往迈进，苦斗的结果，不但中国的新建设没有多大希望，明天就是光明的假想也成幻想，连民族解放的实质也难于登天，于是而迷惘，而烦闷，而彷徨，他们终于和为婚姻自由而争求的战士们，同样地成为消沉、颓唐、失望的苦境。这样，在五四以后受过五四洗礼的智识分子和青年学生，大多数已是失去了斗争的勇气，失去了战士的身份：这不管他们是否历史运行的早熟，或另有其他客观条件为之决定，总之他们已不是领导革命的主力军了。

北京在五四以后既没有领导革命的主力军，当然没有革命运动的继起；但是新文化运动的种子已落在上海而欣欣向荣了。在那里已继着五四的精神，创造一个新的局面，成功一个新的力量，他们经过了几年艰难困顿刻苦磨炼功夫，已具备领导革命运动的条件。现在要问就是何以这革命的主力移转到上海？

上海本来是国际帝国主义经济侵略的中心，也是欧战期间中国新兴的民族产业的中心，在战后第一时期[2]，世界资本主义国家遇到无产阶级革命的高潮，无暇向东进攻，于是中国的新兴资产阶级，又得在这一时期中，继续发展。在战后的三年间，共有新创纺织业三十二处，面粉业十九处，此外如丝厂、烟草业等也有相当的发展，其事业的大部分又多在上海与江苏各地。产业的发展，遂使劳工阶级跟着资产阶级同样地在数量上和质量上发展。同时，日本在战后第一时期中，因为受到危机比较的少，故仍得加紧向中国侵略，三年之中，他们在中国新创的工厂，单把纱厂而论在上海的已有十二处之多，外资设立的工厂发展，自然也使中国在上海的劳工阶级的数量和质量方面都增加起来。这种成千成万的工人，都是从崩溃的农村里逃亡出来，他们痛苦相同而且数千人甚至数万人集合一处，当然易于团结，而其团结的力量，表现在斗争上比任何社会势力更为坚决，更为勇敢。他们斗争的表现，主要的形式就是罢工，这是五四以后革命的主力所以落到上海的第一个条件。

其次，在战后第二时期，国际帝国主义得到暂时的安定，又立即恢复战前侵略的形势。因为各资本主义国家保护本国的产业起见，各自筑着经济的壁垒，于是竞以剩余商品，倾销于殖民地和半独立国家，世界独一无二的远东广大的中国市场，遂成为国际帝国主义剩余商品的尾闾，中国农村的崩溃，遂至一泻千里，无可挽救。而战后新兴的民族工业也以突遭重大威胁而不免破产，新兴的资产阶级为保全自身产业计，不得不与外来的洋货挣扎；但是幼稚的中国产业，那里抵当得住狰狞的帝国主义资本，于是对于和帝国主义斗争的革命分子，从默许而渐至于同情，资产阶级加入革命的阵线，反帝运动，又得进一步的成熟。上海是中国新兴产业的中心，又是帝国主义侵略中国的总汇，中国资产阶级反帝国的情绪，当然亦以上海为焦点，这是五四以后革命主力所以落到上海的第二个条件。

复次，还有一个重要的条件，就是领导五四运动的“新青年派”自从思想分野以后，陈仲甫已失去了权威，中国言论思想界又复中断。久为封建淫威压迫的国民党却在此时努力于中心思想的建设。孙中山自护法失败后，正遇着新文化运动高潮的时期，同时苏俄革命的成功，又与他以不少的刺激；因此他在这个时候，便决意离开他的革命工作，专从事于他的主义的建设与宣传。在八年八月发行的《建设月刊》，便是他的机关杂志。在这刊物中前后发表的有《实业计划》（物质建设）与《孙文学说》（心理建设）；同时，党中干员如胡汉民、汪精卫、朱执信等，都在这刊物上发表很重要的著作，胡汉民更运用唯物史观以研究伦理，为当时不可多得的见地。同年，戴季陶又在上海发行《星期评论》，和邵力子主持的国民党机关报《民国日报》的《觉悟》上登载着不少讨论社会主义和介绍社会主义的文章，当时上海方面鼓吹新文化和新思想的刊物，几乎如光绪三十年时候鼓吹革命思想一样热闹[3]，这便是中国国民党新生命的胚胎，也是民十三重行改组而使国民党进了新阶段的先声。

本来国民党从兴中会，同盟会到国民党（未改组前）中华革命党，在历次的政纲中，不仅素来没有反帝国主义的表示，而且反处处对于帝国主义表示“亲善”，表示“尊重国际信义”，而于无形中对于不平等条约总是拥护者，最少亦必是默契者。到了五四以后，他们把民族主义从新估定，从新解释，随着时代的转变而转变他们的主张。并且国民党自兴中会以来，他们一直在实际行动上奋斗，不注意于主义的建设与宣传，所以从事革命四十年的孙中山，他原是中国民族运动两大柱石之一，康有为失去了领导权威后，孙中山便为中国民族运动的中流砥柱了；可是数十年来革命斗争的史实，尽管彪炳千古，而在言论思想界上从来没有成为一时代的权威。他在七年到八年因为军政府改组，被桂系军阀和政学会所排挤，离粤居沪，当时北方各大学的新文化运动正在风靡一时，南方反动气焰也是势不可当，而回顾党内分子，除少数坚贞不拔，患难相共的同志外，往往依违两可态度模糊的居多数。他才感到不去把主义重行建设和扩大宣传，党的分子不会健全，党的组织不会严密；

并且新文化运动因为领导者的思想分野后，中国的言论思想界百家争鸣，异说并起，倘使国民心理不去改造，中心思想不去建设，即使国民党的组织严密，党员的分子健全，亦徒然使革命的时间愈加延长，人民的痛苦愈是加深，革命永无成功之日，中国亦永无强盛之时。于是他便在上海居留，一面著书，草成《建国方略》一书，以为中国今后心理建设和物质建设的准则。一面整理党务，统一党的名称[4]，在理论上经过这一次深入的并比较的研究以后，就立定了以后改组的基础，和联俄的政策，而国民党的主义，也是在这个时期以后，才渐普及于全国群众。

国民党既改变其革命的手段而从事于主义的建设和宣传，同时，又在各种机关刊物上作介绍和研究社会主义的文字，他们不但把涣散的党员意志集中起来，还把奔放的社会意识作识途老马，这是五四以后革命主力所以落到上海的第三个条件。

至此，我们可以明白继五四而起的“五卅”运动，所以从北部中国的北京归落到中部中国的上海，是有其历史的条件；而随“五卅”之后的革命运动所以必然的归落到南部中国，就须得把国民党的改组经过大略一说，因为在五四以后，尤其是在“五卅”前后，国民党已成了中国革命思想的权威，要明白当时的革命运动，必先明白领导这革命势力的团体的转变。

国民党虽然始终是中国民族革命运动的主力，因为它从来是集中力量于军事暴动方面，对于主义的建设与宣传，向不重视；就是在戊戌政变后《民报》与《新民丛报》的对立时代，亦以执笔者如章炳麟等的文字，不若梁启超的轻快通俗，革命的主张，仍不能使大多数人所领会。这是在五四以前所以不能把革命意识普遍于民众，形成一种广大的革命斗争的所在。到了五四以后，由于为五四运动结成的全国学生联合会，是表现中国的社会思潮有要求一种新的国民的结合的倾向，更于战后国际帝国主义的加紧侵略，与国内封建统治的荒淫无道，社会上各阶级遥闻苏俄的成功，而于革命情绪，越益紧张。这种倾向的精神，简单的归纳起来，便只希望打倒军阀，打倒帝国主义。国民党十三年的改组，便是应这种希望产生的。

国民党改组的经过，可以分做三个阶段：在民国八年确定党的名称，是第一个阶段；十二年预备容共联俄，始公开的向国民宣言，是第二个阶段；到十三年实行容共联俄而继之以完成其改组的使命，是第三个阶段。

国民党改组的第一阶段，是国民党的中兴时代，也可说是改变革命策略的基础时代。因为国民党自从民二被袁氏解散后，虽于次年仍在日本东京组织中华革命党，只是少数急进党员的秘密活动，国内早为社会人士所遗忘了。到国会恢复后，国会议员的党员，不过借着党团的作用，用别种名目在国会中活动，当时没有健全的干部，所以连党的名称都不能统一。[5]在七八年间，孙中山才率干部人员，留沪从事于革命理论的著述，而为后来革命改变策略树一基础。不过在这第一阶段中，中国国民党的新生命虽然应时胚胎了；但与一般国民尚不曾发生若何关系，因为只有党的理论的树立，而没有公开的进行党务[6]，并且也不曾对国民发表什么宣言和具体的政纲。民九因得海外同志经济上的援助，得在广东稍稍活动，但也只把党章修改一下，仍不曾发表什么宣言和政纲。及民十一陈炯明叛变，孙氏蒙难，当时党既未曾和民众发生关系，故对于孙陈事件，每以私人争夺政权目之。自孙中山蒙难到沪后，国民党便要开始其第二阶段的变化了。

经此事变以后，孙氏对于“在革命期需要一党专政”的信念益坚，并且认定党的组织，需要严密，党员宜绝对服从党魁的指挥；所以他在革命方略中，有军政、训政、宪政三时期的划分；及见苏俄的布尔塞维克党用此方法以成功，孙氏的信念越加坚决了。当时中国的共产党已经成立，且已加入第三国际，苏俄因为被白色帝国主义的压迫，也很想向东方和中国结欢[7]；十一年八月十三日孙氏蒙难抵沪时，苏俄的代表越飞已于先一日抵北京，闻孙氏已在沪，即派代表与之接洽，彼此意见甚允洽[8]，于是便有张继介绍共党党员李大钊加入国民党[9]而改组国民党一事，亦于孙氏与越飞接洽时确定。乃于九月四日召集在沪各省国民党党员，交换意见，一致赞同改组。十二年一月一日发表改组宣言，这便是国民党十二年的改组。国民党经过这次改组，便有下列二事可以注意：

第一，从中华革命党改为中国国民党以后，此次才向全国国民公开的发表宣言，提出比较具体的政策。

第二，重新将三民主义为明白广义的解释，尤于民族主义的解释为进步。民族主义在同盟会时代是极狭义的，以推翻满清政府为目的。清室颠覆后，以为民族主义不适用了，并且恐在五族间惹起误会，所以在同盟会改为国民党时，便把民族主义舍弃了。中华革命党时代也不要民族主义，因为当时目的只在推翻袁氏，所以专取民权民生的二民主义。由中华革命党改为中国国民党时，正值欧战告终，民族自决的声浪，由西方播及东方，于是舍弃的民族主义，认为尚有广义的解释，故仍恢复三民主义。但在十二年前尚未把主义明白解释，至此，始在宣言中说："吾党之所持民族主义，消极的为除去民族间之不平等，积极的为团结国内各民族成一大中华民族，内以促全国民族之进化，外以谋世界民族之平等。""打倒帝国主义""废除不平等条约"的口号虽尚未喊出，而"力谋改正条约，恢复我国国际上自由平等地位"等意义，已成为此次宣言中具体的政纲了。其他对于民权主义，已由"建设共和"扩充到"直接民权"；民生主义也由"平均地权"扩充到"节制资本"了。

这是国民党的第二阶段，国民党到了这个阶段，虽然当时还没有得到多数国民的同情，可是国民党自身已是生气熠熠，便将转入第三阶段了。

从十二年的改组宣言发表后，又在一月二十六日孙氏与越飞发表一篇联合宣言。不久孙氏重回广州组织大元帅政府，命廖仲恺和越飞同赴日本，居住热海有一月之久，研究各种问题，联俄工作，乃告成熟。更派蒋中正赴俄，考察赤卫军的训练组织，即为日后设立黄浦军官学校，创造党军的基础。及鲍罗廷到粤而十三年一月改组之方案始决定。[10]改组宣言于十二年十一月发表，至次年一月二十日召开全国代表大会于广州，由孙氏以总理资格主席，其开会词中有云：

> ……我们十三年以来，在政治上得到种种经验，发明了种种方法……此次召集各省同志来广州开这个大会，就是把这些方法公诸大家来采纳……至于这些方法的来源，是本党把先进的革命国家和后进的革命国家，在革命未成功之前，已成功之后，所得的种种革命方案，来参考比较，细心斟酌才定出来的。……

> 此次国民党改组，有两件事：第一件是改组国民党，要把国民党再来组织成一个有力量有具体的政党；第二件便是用政党的力量，去改造国家。所以这次国民党改组，第一件是改组国民党的问题，第二件是改造国家的问题。……

这一段报告不但是国民党改组事件的重要文献，就是中国民族革命运动史中亦是不可忽视的。因为这一篇报告词，把中国数十年以来的民族革命运动的历史截为两段，在这些报告的意思，是采用新的革命方法，从新造党以建国，要把党放在国上，从改造国民党，再用党的力量去改造国。而且革命的策略，是从先进的革命国家和后进的革命国家，参考比较，重新估定，这是中国革命运动转变的明显表示。在大会期间苏俄代表加拉罕来电致贺，大会表决复电致谢；忽然接到李宁逝世的消息，即由大会表决去电致哀，并延会三日；至此，联俄政策始公开表现了。在会议进行中，因为有“本党党员不得加入他党”的提案，以限止共党党员，即由李大钊声辩谓：“第三国际共产党员加入本党系服从本党主义，遵守本党党章，参加国民革命，绝对非想将国民党化为共产党；其加入本党，系以个人资格加入本党，非以党团作用加入本党。”至此，容共政策已有明白解释了。全国代表大会开会以后，即中国国民党改组工作的完竣而到了第三个阶段的时候。

改组后的主义精神，可于《第一次全国代表大会宣言》中窥见。改组后的主要工作有二：一为向民众做宣传工作，以前虽然也有宣言发表，可是仅为领袖个人的文章，对于民众从来不发生效力，党与民众也不发生关系；改组后始由各级党部作大规模有系统的宣传，以为唤起民众，诱发民众革命情绪，由廖仲恺计划主持。另一即为创造党军，因为此次改组，要用党的力量改造国家，则非先养成一班彻底了解主义而有革命精神的军官不可；又以过去革命之所以失败，在于借重固有军队，以致革命成功，变成军队领袖成功，多一次革命，多产生几个军阀。改组以后，就命初从莫斯科回国的蒋中正筹备陆军军官学校[11]，五月开学，即以蒋为校长。

以上两种工作，实为改组后最主要的工作，这样一来，不特国民党立下了巩固的基础，就是民族革命运动亦得在短时间内深入民间，由民族思想而发生民族信仰，再由民族信仰而发生民族力量。[12]当时中国国民党虽已成了中国革命思想的权威，而改组后在广东奋斗的第一年，真是最艰难困苦的一年，因为环境的险恶，在事实上不能表现如何大的成绩。军事上说，大元帅府不能出广州一步，广州以外四处都是敌人，军权不统一，财政亦无办法；又以党中宣传工作偏重农工，所以广州城内的商民亦和革命政府不怀好意。就是党内纷纠，为了容共联俄两事，改组不到数月已有弹劾共产党员的提案。[13]因此种种关系，改组之初，国民党在广东的力量还很薄弱，其民族革命的情绪，反不若随大战后新兴产业而来的新兴工人阶级，所以“五卅”革命高潮不发生于广东而发生于上海。但是国民党在广东经过了一年多的奋斗，终于把革命发源地的老家立下基础了，军事政治财政均得统一，党内纷纠，亦经调处，在第一次全国代表大会提出之组织国民政府案，亦告成立。以党建国的雏形既立，以党员领导民众的工作亦可进行，于是十余年来为军阀官僚蹂躏宰割下的两广又一变而为领导全国革命运动的契机。

但是，国民党虽已得到两广为根据地，还有一个大敌人，就是帝国主义的香港政府。该政府对广东的革命政府向来不怀好感，加以英帝国与苏俄成为赤白的劲敌，鲍罗廷赴粤以后，香港政府更寝食不安，他们便挑拨广东商民援助陈炯明等一班军阀，刻刻以推翻革命政府为务；对于国民党的宣传革命工作，百方抑止。当时香港几成为各种反革命势力的策源地，革命与反革命的主力既集中于广东香港之间，势必至于火拼而激起革命高潮，这是“五卅”后全国各地革命运动渐处于沉寂，而广东香港间革命运动作最后砥柱的原因；也是随“五卅”后的革命运动，必须归于南部中国的所在。

五四以后革命运动的所以自北而南，即以此故。至于领导革命的五四为学生，“五卅”后则为工人的理由，甚为简单。我们已知道五四运动的领导者表面固为学生，而里面实为中产阶级的智识分子，因为任何运动的发生，必须经过两个时期：第一个时期是客观上虽已具备了该问题存在的条件，而人类主观上还没有认识该问题的存在；要等到第二个时期到来，才由人类的主观的意识认识了该问题的存在，而发生一种新的运动。五四运动的爆发，也自然不出这两个范围。日帝国的侵略与北洋军阀官僚的压制，使中国陷于半殖民的地位，这明明是具备了民族运动客观的条件，但是实际上除少数民族观念很深的急进分子以外，必不为一般人所认识。譬如五四运动以北京大学的学生最多，何以在做“老爷”时代的北大学生不去打西太后，不去打洪宪皇帝，亦不去打张大辫子[14]，而偏要等到蔡元培去整顿以后，在自动教育的主张中方可造就爱国的学生；又譬如五四运动前后，以北方的青年为最活跃，何以从戊戌政变而后，二十余年中，帝国主义的不绝威胁，封建统治的庸弱无能，不知演出多少活剧，而必要迟至《新青年》出世以后，在打破传统思想中才可造就觉悟的青年。这固然各有其客观的历史背景为依据，而五四时代的青年学生爱国高潮，必有少数智识分子为之牵线，为之推动无疑。

智识分子中的名流，青年界中的学生，他们都是中产阶级中人，他们都没有深切了解现时代社会的底流的人；他们只有如拉德克所说的“改革的进行，为时非常短促，它只能表现出这种改革是为当时所需要的罢了。因为真正的民族革命运动，和他们自身利益相冲突的”。[15]所以，五四运动纵有伟大的历史意义，而五四运动先锋的青年学生们在自由主义的狂潮中，把全副精神多摆在为恋爱而牺牲，对于其他政治斗争反漠然不顾。五四运动领导的名士们，把“好人政府”当作提倡德先生的目标，把“实验主义”看成研究赛先生的极则[16]，对于反帝国主义和反封建势力运动，反以为是“有失国际礼貌”，是“无理取闹”。这样，所以在“五卅”时代，民族运动的主力，自然地转移到最富革命性的工人身上。中国的工人阶级是随着战后产业勃兴而一面又经国民党新政策的宣传和训练，故在短时期内，便成为中国革命运动的新势力。他们是在五四时代始露头角的，民八香港机器工人大罢工后，才成立了机器工会，不久便影响到广州，影响到京奉铁路的唐山，影响到京汉铁路的长辛店；在上海的纱厂，海员，码头工人等，也实行反日大同盟罢工；到“五卅”以后，发展更为迅速，势力更为伟大，援助“五卅”的粤港大罢工，二十万人孤军屹立，坚持至十五个月之久，尤为全世界罢工事件中罕有之纪录。他们在十一年举行第一次劳动大会时，还不过是代表二十五万工人，到十五年在广州举行第三次大会时，已代表有组织的工人一百二十六万四千余人。他们抬头虽仅六七年，然而在中国民族革命历史上，却已表现了不少的成绩。

工人阶级既然成了革命力量的中心，于是智识分子青年学生便退处于配角的地位，而中国民族运动又进了一个新的阶级。倘若宣传和训练工人运动的人们，认清了中国的历史和中国的环境，把此出山之水，溃溉于大江南北，分流于华北各地，于是苍幽的冷泉，一变而为向阳的春水，则东方文艺复兴之花，早已开遍于太平洋畔。不料此新兴之革命主力，以其力量伟大，仍与中国历史上农民阶级一样地被人利用去了。结果，不但民族革命的阵线中已没有他们的份儿；连本身的面包问题，也没有解决的希望。于是赶上歧途的民族运动，已至山穷水尽，而移转不定的革命主力，重复群龙无首了。

参考

[1]《东方》杂志第三十一卷第一号，蔡元培《我在北京大学的经历》中有云："……我到京后，先访医专校长汤尔和君，问北大情形。他说：'文科预科的情形可问沈尹默君，理工科的情形可问夏浮

筠君。’汤君又说：‘文科学长如未定，可请陈仲甫君，陈君现改名独秀，主编《新青年》杂志，确可为青年指导者。’因取《新青年》十余本示我，我对于陈君，本来有一种不忘的印象，……”

[2] 战后世界资本主义的趋势，可分三个时期：第一个时期是资本主义危险的时期，在时间上是一九一八——一九二一年；第二个时期是安定时期，在一九二二——一九二八年；第三个时期是资本主义重复危险起来，即世界不景气狂潮掀起的一九二九年以后。

[3] 李剑农《最近三十年中国政治史》第三章第二节。

[4] 民国二年国民党被袁世凯解散后，次年孙氏在东京组织中华革命党，因为该党是秘密的革命组织，为居留地立案的关系，有些支部仍用国民党名义，二种名义在国内都没有公开活动。到民八十月十日始由上海的本部，通告各分部，一律改用中国国民党的名义。

[5] 民三国民党在日本改组为中华革命党时，国民党的名称在海外各支部并用。民七改为中国国民党，一时各支部或用“中华”，或用“民国”，至八年十月，才告统一。

[6] 邹鲁《中国国民党史稿》谓：“此时北方为徐世昌所盘踞，南方亦为陆荣廷所占有，故党务不能在国内公开，进行者海外耳。以故八年十月十日所定之规约，几全注意于海外，……”

[7] 据汪精卫的政治报告，孙氏在民七由粤来沪时，曾致电苏俄庆祝他们的成功，鼓励他们继续奋斗。其时各国皆仇视苏俄，李宁得到孙氏的电报因之大为感动，视为东方的光明来了，自此极力想与中国的国民党联络。苏俄派到东方来的专使，有一个叫做马林。汪氏说：“马林在民国十年曾到广西，总理当时正在

师次桂林，马林去见他，总理当时曾打电到广州给廖仲恺……说他从前听闻苏俄实行共产很为诧异，以为俄国的经济状况共产的条件还未具备，从何实行？马林来，才知道俄国之新经济政策，实与他的实业计划差不多一样，所以非常高兴，这便是联俄的起点了。……"

[8]《孙中山先生手札墨迹》中，载有十一年八月三十日与蒋中正书云："某事近已由其代表专人带函，来问远东大局问题及解决之法，予已一一答之。从此彼此已通问讯，凡事当易商量矣。彼有一军事随员同行，已请彼先派此员来沪，以备详询军事情形，想不久可到也。望兄稍愈则当早来筹备一切。……"又同年十一月二十一日与蒋氏书云："……兄前有志于西图，吾近日在沪已代兄行之矣，现已大得其要领。然其中情形之复杂，事件之麻烦，恐较之福州情形当过百十倍（按时福州为许崇智所下，蒋亦在福州）。此无怪我国之志士乘兴而往彼都者，悉皆败兴而返。吾幸而得彼津梁，从此可日为接近。然根本之办法，必在吾人稍有凭借，乃能有所措施。若毫无凭借则虽如吾国之青年共产党，与彼主义完全相同矣，亦莫能为。所以彼邦人士，只有劝共产党之加入国民党者，职是故也。此可知先得凭借不可。欲得凭借，非恢复广东不可。……"函中所谓情形复杂，事件麻烦大约即指容许共产党加入国民党事，因当时苏俄代表以此为条件也。

[9] 据汪精卫政治报告，谓共产党党员加入国民党最早的为李大钊。因李之加入，尚在孙氏蒙难留沪时也。

[10] 关于十二年廖居热海，蒋赴苏俄情形，可参看十五年汪精卫在国民党全国代表大会席上的政治报告。

[11] 原称中国国民党陆军军官学校以黄埔旧海军学校为校址，因此后来通称为黄埔军官学校。

[12]《三民主义》:“主义就是一种思想一种信仰，和一种力量。”

[13] 十二年六月十八日中央监察委员张继、邓泽如、谢持等提过一次弹劾共产党员的案，揭举他们对于国民党的阴谋。

[14] 蔡元培《我在北京大学的经历》中有:“…… 尤其是北京大学的学生，是从京师大学堂‘老爷’式学生嬗继下来（初办时所收学生都是京官，所以学生都被称为老爷，而监督及教员都被称为中堂或大人）。……”

[15] 关于中产阶级不能革命的理由，已有多人证明，陈公博在《中国国民党所代表的是什么》一文中，也举出许多证据，证明中产阶级不能革命的理由。

[16] 五四时提倡新文化的两大怪物，一为赛恩斯先生——科学，一为德谟克拉西先生——民主。

第六编　转型期中社会现象的逆转

第十六章　濒于绝境的社会经济

在国人半意识中闷了下去　面对着一个最后的整个的破产　地日蹙而物亦不博　二十四国中以中国最贫　金银几于全部流出　国际收支不平衡　内地现金向都市奔流　沉沦在饥饿线下　加入世界经济的范畴　煤铁生产的落后　喧宾夺主的航业　世界铁路最少的国家　贫乏的东方纽约城　独行盈余的银行业　中外银行业务的不同　上海银行界获利之由来　各地城市的落后　中国产业界的贫乏　农村所受的天灾人祸　农村人口与农产物的减少

五四运动以及五四运动以后七八年继续不断的民族运动，临了革命高潮开始激荡的时候，反在国人半意识中闷了下去。这证明了“要革命，单是下层不能照旧生活下去还不够；必要下层不能生活下去，上层不能统治下去，才是革命高潮到来的时候”[1]。因为中国封建残余的统治势力，做了帝国主义者十足的工具，他们还没到不能统治下去的地步，所以民族革命运动是不会完成的。因为上层对于延长统治的条件越稳定，必然的下层不能生活下去的情况越恶劣；并且多数人又不曾脱去“安分免灾”的封建道德，于是遭遇到任何巨大的民族耻辱，也不能引起像“五卅”时代那样盛大的民族斗争，而不能生活下去的情况更是恶劣。所以中国自从划时期转变以后，到现在已经陷入恐慌的深渊，大多数人在贫苦中生活与死亡。尤其是在资本主义的恐慌世界中，中国简直是最受践踏的泥淖，资本主义各国正赖军事工业的发展，通货膨胀的厉行，特别是对国内外大众剥削率的加强，将创痛的恐慌作病态的好转；而中国呢，它正在完成列强“好转”的意义底下，即列强资本的统治日益加强的意义底下，面对着一个最后的整个的破产。

这里，本来想把中国的经济结构和中国经济恐慌的现状，使读者得到一个比较明确的和全面的认识，以找寻一条真正的出路；然而中国的贫乏和落后限制了我们，使我们得不到许多综合的可信的材料，来满足我们的欲望。但是不知道社会基础的经济现状，一切都会落空，因此，我们虽然得不到相当的材料，可是对于中国社会经济贫困的程度，还须得估计一下，可使大家知道是穷，穷到如何程度？为何这样的穷，和还有生活下去的可能没有？

中国是向称为地大物博的国家，可是这在闭关时代的一句封建传统的话语，到了西力东渐，海禁大开以后，事实上已地日蹙而物亦不博了。数十年来在帝国主义的重重压迫与束缚之下，一方面用武力的侵略，掠夺我国的土地与赔款，一方面用经济的侵略，输入巨量的资本与商品，于是帝国主义者的势力，遂如万丈凶涛，排山倒海而来，冲破了数千年专制古国，崩溃了因袭的封建社会，已无一块主权完整的土地，亦无一种生产发达的产业，而在二十世纪世界上已是地小物少的国家了。

首先，诚恐还有当作中国是地大物博的国家，故把民国十四年代即民族运动最有力的一年，中国经济和各国经济比较一下[2]：

国别	国富总数（元）	平均每人所得（元）
美国	762 356 000 000	6 607
英国	236 330 000 000	5 247
俄国	134 202 000 000	756
法国	103 520 000 000	2 549
日本	102 432 900 000	1 731
德国	71 685 000 000	1 141
英领印度	70 217 000 000	138
加拿大	53 740 000 000	5 723
意大利	44 738 000 000	1 117
中国	38 289 000 000	101
波兰	34 102 000 000	1 254
阿根庭	26 435 000 000	3 039
巴西	26 118 000 000	853
比利士	23 071 000 000	2 953
瑞士	18 748 000 000	4 805
荷兰	18 570 000 000	2 620
澳洲	18 056 000 000	3 140
古巴	16 084 000 000	5 553
墨西哥	15 847 000 000	1 113
秘鲁	8 024 000 000	1 446
芬兰	7 222 000 000	2 102
智利	6 146 000 000	1 637
新西兰	4 012 000 000	2 987
拉都维亚	2 006 000 000	1 257

这个表指示出在上列二十四个国家中，国富的总数中国仅居第十位，而平均每人所得，则中国为最少，这

就是说，在上列二十四个国家中，以中国为最穷乏，地大物博的观念，亦可不攻而自破。

中国国富既这样贫困，国家经济自无从建设。加之历年国际收入，不敷支出[3]，每年不敷之数，动辄数亿，纵令此不敷之数，尽见于银行之统计，则中国仅有之少许金银，亦将于数年以内，悉数流出国外。故国际收支，常此不变，再历数年，中国是否尚可觅得少许不曾流出的金银，已成一大疑问。按之过去已成的现象，窃恐无须再经十年，中国全国将并一枚银辅币亦无从觅得了。[4]

国际收支的不平衡，势必引起内地资金之渐次集于大都市，资金一到大都市，即不啻为输出国外的准备；此可证之于年来国际收支的差额愈甚，内地现金奔流于大都市的愈多而可明白。然则内地仅有的资金，何以乐于罗掘而必须向大都市奔流呢？这和大都市的必须向国外输出而无法稍阻者同其理由。因为国际收支的不平衡，由于历年入超的有增无减，国际贸易出入不能相抵，大都市输往内地的舶来品必多；反之，内地输往大都市的国产品必少，于是内地不得不汇现金于大都市以抵偿货价的差额。内地现金向大都市奔流的现象，行之数年，则内地的现金涸竭立而可待，建筑于内地的繁荣之大都市亦惟有终于枯槁而已。所以国际收支不平衡的现象，即为中国赤贫的征兆。

中国国富的微小如彼，国民的赤贫又如此，故中国不但是世界上最贫的国家，也是世界上最贫的人群。孙中山说："中国人大家多是贫，并没有大富的特殊阶级，只有一般普通的贫。中国人所谓贫富不均，不过在贫的阶级之中，分出大贫与小贫，其实中国的顶大资本家，和外国资本家比较，不过是一个小贫，其他的贫人都可说是大贫。"这是实话，中国除了一部分军阀官僚和寄生于帝国主义之买办阶级可以得到生活上的享受外，其他大多数的人都是沉沦在饥饿线下。

在近百年中，外国资本主义在中国渐次形成了主要的支配势力，即附丽而生的买办资本与民族资本，亦渐次由萌芽而略有发展了；反之，对于封建的自足自给的农村经济，则日益破坏，解体，而趋于没落，因此，中国经济已由自足自给的农村经济，单纯商品经济，转换为帝国主义的附庸，资本主义的商品经济，而加入世界经济的范畴。换言之，中国经济因帝国主义的资本与商品的侵入，已成为殖民地经济。因为已成了殖民地经济的缘故，所以民族经济是永远不会发展的。现在从生产的本身，来把中国与各国作一个比较，借以证明中国的贫困。

我们知道资本主义最重要的原料是煤和钢铁，资本主义国家莫不努力从事煤铁生产的增加，所以煤铁生产的指数，可以作为资本主义生产发展的标准尺度。中国是“得天独厚”的国家，煤与铁的储蓄都是很丰富的，中国煤的储蓄有一万亿吨，占世界产煤国第二位，铁的储蓄是十亿吨，占世界第五位。可是矿源的中心是在黄土高地，和在崇山峻岭的高原交通最不便利地方；其次是在沿海帝国主义势力支配之下。[5]故在生产方面，中国却异常落后，在五四以后第十一年（公元一九三〇年）的统计，世界各国产煤的数字，中国降在第十一位，不仅不及英美德法各国，而且不及波兰比利士，甚至不及印度。即在这极小的产量中，其最大部分还是外国在华煤矿的产业。[6]

产煤的数量如此其少，然则铁又如何呢？再以同年的世界重要各国铁的产量调查表审视一下，与煤一样的少得可怜，以世界第五位产铁的国家，其每年的产量竟降至第十八位；钢的产量，连许多小国也不如；而且与煤的情形一样，在这小量的生产数目字中，大部分还是外国在华的铁矿的产量。

如前所述，煤铁的生产指数，是资本主义生产的标准尺度，中国煤铁生产如此落后，其资本主义生产的幼稚，也就不言可知了。现在还可以举出别的统计数字，证明中国经济的贫困。

谁都知道产业的发展，有赖于交通的发展，决没有交通落后的国家，而有发达的产业。所以再把中国交通事业的统计数字，来证明中国经济的贫困。先以航业说，也把五四以后第十三年代的世界各国航业的统计，以人口占世界第一的中国，而轮船的只数竟降至第十八位，而且这二一一只轮船中，当然还有许多是航行于中国内河与沿海的外轮，所以纯粹的中国船尚不到此数呢！[7]

再以铁道来说，在五四后第十二年世界各国铁道的统计，中国是居于第十九位，若以面积及人口平均起来，那就少到骇人听闻的百分比了；换句话讲，世界上有铁路的地方，已无一处再比中国少的国家了。就是汽车罢，照着那年的统计，中国是在世界上三十六个国家中，最少的一个国家，中国以外最少的是英领印度，在每一万人中有三辆汽车，较之一万人中有一千九百三十八辆又四的美国，已经觉得悬殊得太可怕，可是中国在一万人口中还不到半辆，真个地大物博的国家，交通事业这样的落后，也已不能算是二十世纪的国家了。[8]

其次，再看中国的工业。中国自欧战以后，确实已有一部分产业跟在帝国主义的尾巴而发展起来，然在实际上也是幼稚得可怜，现在我们姑且把全国产业中心的上海而论。上海是一向被人称为东方的纽约的，当然中国的新兴产业也是一大部分集中在上海，只要认识上海，便可推想到全中国了。在实际上海仅仅是从乡村里跑来寻食的人们的居留地，是马路上最热闹的东方大都市，它还不是真正资本集中与生产技术发达的场所。不过在中国已找不出第二个城市可与上海比拟，当然上海就称为东方的纽约城了。

人们总以为上海是黄金砌成的，它不知有多少的资产。但是按照五四后第十三年的工商部的调查，全上海的工业资本的总数，不过是二亿九千三百二十八万三千四百零一元，这样小的数目中还有一亿八千九百八十四万六千七百八十一元的外国资本，那么全上海的中国工业资本，仅有一亿零三百四十三万五千六百二十元而已，这便是东方纽约的资产，也是中国工业中心的上海。如果再分开来考察，更可见中国产业的落后。上海最重要的工业是纺织业，烟草业，水电业，从这三种重要工业中，充分地表现出中国工业受外国工业压迫的情形。在纺织业方面，中国资本仅仅三千九百四十七万三千六百五十元，而外国资本竟至一亿零二百三十五万零八百元之巨，比中国资本多至四倍！烟草业方面，中国资本是一千七百三十九万零一百一十元，而外国资本却有二千三百三十五万元。水电业方面，中国资本是八九三万元，而外国资本却有一千万元。以上这三种上海最主要的工业，中国资本总额只有六千五百七十九万三千七百六十元，而外国资本总额则有一亿三千五百七十万零八百元。

在上述的许多别的工业中，还包含很多的小手工业，例如针织业的资本总额是一百三十二万五千六百元，这是包括七十七个资本一千元以上的针织厂而言，平均每厂的资本仅有一万八千三百五十元，除其中有三个厂的资本在十万元以上，共计资本六十万元，六个资本在三万元以上，共计资本三十一万元，以上这九个较大的厂资本总计九十一万元外，其他六十八个针织工厂的资本仅有四十一万五千六百元，平均每厂仅有资本六千一百一十一元，其微小如此。这些工厂大都——几乎是百分之九五以上，是家庭手工工场。这些家庭手工工场愈是发广，愈是表现资本主义机械工业之衰落而已。

再以所谓机器工业来说。机器工业是一切工业的基础，其重要是不待解释的。但上海机器工业资本的总额，仅有一百七十六万五千四百五十元。这一个数目，不及欧美各国一个大的机器工厂资本的十分之一，但在上海，这已经是一百一十六家机器工厂的资本的总额了。这个总数由一百一十六家平均，每家机器工厂的资本仅有一万五千一百七十二元，这已经是可怜到了极点！何况其中资本在一万元以上者仅三十一家，三万元以上者仅十一家，而资本在一万元以下者竟有七十四家。这些名为机器工厂，实际是器具制造场而已。

这不过是举其较为重要的各种产业而言，其实各种产业都是陷于衰落的悲运。但是在这产业总衰落的中间，却有一种矛盾的现象，就是银行业的畸形的发展。不但是外国银行，就是中国资本的银行，也是一年多是一年，而且是年年获得很大的盈余。

不过，中国银行有异于普通资本主义国家的银行，中国银行的发展，不能作为中国经济发展或复兴的说明。因为中国的银行界的最主要的业务，是投资于政治借款，而上海的银行更以投资公债卖买为惟一要务。外国银行资本以投资工业，辅助工业资本的发展为要务，中国的银行资本，却与工业资本隔离而以政治借款的投机卖买为要务。这一个特质是决定于中国社会之特殊的经济结构。

中国工业之落后是不待再说明的，可是商业高利贷资本在中国却已有长期的发展。自从帝国主义侵入中国，商品的侵入与原料的掠夺，发生了大规模的国际贸易。在这样经济侵略的过程中，产生了买办阶级（洋货进口与土货出口的经纪人）。买办阶级的本身不是新兴的工业家，而是原来商业高利贷资本的领袖；他们利用原来在市场上的优越地位，做了帝国主义商品侵略的中间人。

交换关系的发展，引起金融机关扩大的需要，这是中国新式金融机关发生的第一个条件，也就是中国银行资产阶级与买办阶级发生密切关联的原因。

另一方面，由于财政的穷乏而引起借外债的需要；外债不足而辅之以内债，由于内外债的发行，在政府方面需要适应于借款便利的金融机关，而同时经手借款的官僚也企图从中取利，于是官僚投资于银行，就成了中国银行资本发达的特殊条件。所以中国的银行资本一方面带有买办阶级的成分，而另一方面是官僚的成分。买办阶级与银行资产阶级，银行资产阶级与官僚，它们相互之间的密切关联是不待说了。官僚与买办阶级之间，也有同样的密切关联，因为官僚要借外债，固然在许多方面需要买办阶级为经纪人，其在对内借款方面，买办阶级也有很重要的作用，他们借银行或公司的资力来投资于政治借款，所以买办阶级，银行资产阶级，官僚，他们是三位一体。

买办阶级的利益是与帝国主义经济侵略相一致的，

帝国主义的经济侵略愈发展，买办阶级的利益也愈大。国内工业的发展，对于帝国主义的经济侵略是不利的，所以买办阶级与国内工业资产阶级的利益是不一致的，而且是相反的。官僚的本身是封建地主豪绅政权的代表，他们是在帝国主义的扶植之下，作封建军阀的工具而为其统治的助手，所以他们的利益也是与工业资产阶级背道而驰的，以官僚买办阶级（商业高利贷资本的首领）为构成分子的银行资产阶级，与工业资产阶级利益之不一致，这就可以想见了。这是中国银行资本之特殊性质的决定条件。

银行资本既不用于工业投资，于是倾其全力为政治借款的投机买卖。年来公债库券等等的政治借款名目之多，凡数十种，额数之巨，近十万万。银行资产阶级利用其经济地位，操纵公债市场，其获利之丰，可想而知。这是银行资本——特别是上海的银行资本之长足发展的第一个原因。因政治借款的投机买卖而所得的发达的结果，其无益于社会经济——特别是工业经济，是不待细说的；因为政府借到了债款以后，并不是去兴办实业（纵使名目上有实业公债、丝业公债等），并不是去发展交通，并不是去救济农村，而是用于军政各费——特别是军费。所以公债之发行愈多，一方面固然可以使官僚买办阶级为构成分子的银行资产阶级获利愈丰，而另一方面却因此使社会经济的破坏尤甚。

上海这些银行之所以能获巨大利润，大半是从事于政治借款的投资得来，姑以五四以后第九年中（公元一九二八年）的中国、交通两家作例。中国银行的资本总额仅有二千五百万元，当时还有二十八万九千元的资本未收，可是在那一年除了卖买公债外，对政府借款却有一亿三千五百三十七万九千八百零一元零五分之巨。交通银行资本总额是一千万元，其中亦有一百二十八万四千八百五十元的资本未收，而在那年直接投资于政府借款，却有六千五百九十七万一千四百八十八元五角六分之巨。除了直接的政治借款外，间接的投资于政治借款——公债卖买，为数更巨。[9]

中国银行界的无补于工商界，观于他们的投资种类已可概见。即在小数的普通放款，又以利息之高大，往往反为阻碍工业资本发展的桎梏。因为中国银行界放款利息之高，实为世界各国所无，所以中国的银行资本就是高利贷资本的变相。银行资产阶级以高利贷的榨取所获得的高度的利润，正是工商业界所流的血汗，所以这样的利润，无论增加到如何程度，不仅不能作为测量经济发展的尺度，而且正是工商业被高利贷榨取压迫的说明，对于工业生产依然毫无意义。

东方的纽约这样贫困，其他等而下之的都市，不问可知。在五四以后的十三年全国二十五个省城，九十五个通商口埠，共计这一百二十个都市中，仅有三处地方有自来水，并且有好些地方连电灯都没有，那里谈得到产业的发达。在五四后第十一年（公元一九三〇年）根据南京工商部立法院的统计和其他各种材料的约计，全国工业生产品的总值，不足十三亿元[10]，中国产业界的贫乏，倘以人口面积做比例，竟是任何人不敢相信的一种数目字。

但是只看工商业方面，虽已足表现中国经济情况的穷困，然尚未窥见它恶化的深度。中国向来被称为以农立国的东方古国，停滞在农业经济为主的中国社会，农村经济为国民经济的真实基础，如果农村经济破产，将必使全国国民经济陷于总破产的状态中；同时建筑于经济基础上面的政治文化等等，亦必趋于混乱、没落，而致于不可避免的现象。同样，占全国人口百分之八十以上的农民，也愈趋于贫困，饥馑，寒冷，流离，死亡的境地。“饥馑之年，天下必乱；丰收之年，四海承平”。这是农业国家的政治写真，所以中国目前的危机，是在农村经济的基础动摇，因为农村经济的基础动摇，政治乃益腐败，社会秩序乃益紊乱，文化教育乃益破产，种种坏的现象，层见叠出。经济的情状愈益贫困，危机的程度愈益深刻。

农村的破产，当然不是一朝一夕的事，自鸦片战争以来，无日不在崩溃的进程中，不过到五四以后，尤其显著罢了。致于破坏农村的主力，其惟一的原因，当然要推帝国主义者的经济侵略；不过按照人侮必由自侮的原则而论，那么国内的封建残余，也是促成农村破产最大的帮凶。帝国主义之破坏中国农村经济，已在上面几章中提到好几次，所以这里单把国内几种破坏农村的主要原因，略为申述，借以证明中国农村经济破产的真相。

第一是人祸：所谓人祸，凡是军阀，官僚，土豪，劣绅以及一切的封建残余的旧势力都可包含在内，似乎不必这样细说，现在只把一种由内战而所受到的兵灾来说。自辛亥以来，内战究有多少次？所受的损失总额共有多少，竟不能得到详细的统计。不过这种损失，结果都转嫁在农民身上，那是毫无疑义的。照王寅生等所著《中国北部的兵差与农民》一书中所记载的，可知农民因内战而牺牲的程度，实在可惊了。仅把兵差一项而论，兼有力役、实物、货币三种，而力役和实物的兵差，更远过于货币形式的兵差，这完全是一种落后的非近代性的赋税。在民国十八、十九两年间，全国各省一千九百四十一县中，征派过兵差的有八百五十一县之多，其数量亦属可惊；如民国十六年十一月至次年五月间晋奉在雁门作战，雁北各县所负担的兵差，对地丁正税的百分比竟大上二百二十五倍以上，类此的记载在报纸与杂志上见到的材料很多。但是此种记载和实际事实所表现的还不过千百万分之一二而已，其他未见诸记载，或以内战而连累的无形损失，还不知有多少。如以四川一省而论，自民国二年到二十一年的二十年中，发生的大小战争共有四百七十七次之多，单以军费一项而论，每年平均耗去二万三千五百万元，此种巨大的消耗，和以战争而消耗的更不知有多少，此种直接间接，当然都是从四川的农民身上榨取而来。五四以后，到民国十九年全国内战发生的次数，竟是一年比一年的凶，区域一年比一年的大，尤其是民国十四年到十九年的六年间，平均每年有十四省区发生内战[11]，在这广大的内战区域中，兵差所负数目，更不知要有多少，但是尚有甚于兵差者，例如：

> 中国军阀对于人民的剥削，一方面所谓合法地征税起捐，一方面任意地抢劫掠夺，兵差只是介乎此两者之间而分量较轻的一种，它所给与人民的负担已是如此。[12]

农村经济在这样极度的摧残，安得不日趋于没落！

第二是天灾：中国农村的灾象，和人祸几乎成了一种轮回的状态。近百年来，因为政治腐败，毫无建设，北方苦旱，而沟渠不治，南方患水，而水利不兴，以致天灾流行，疫疠时作，在过去还是每隔数年或数十年遭遇一次的，到现在几乎无地不成灾，无时不成疫。每次灾患发生，其区域的广大，受害人民的众多，损失的巨大，开世界未有的纪录。据赈务委员会所调查，陕西，甘肃，河南，山西，察哈尔，绥远，湖南，安徽，山东，四川，热河，贵州，江西，福建，江苏，宁夏，河北，辽宁，浙江，黑龙江，广东，广西，云南等二十五省，自十七年至二十年的四年中，各省所受水旱蝗疫雹霜风沙鼠狼虫火地震等灾患；平均每年受灾，将及八百县，占全国总县百分之四一点二一，受灾人口，总计一亿一千八百八十一万三千一百十五人，占全国总人口四分之一；尚有多数县，未接确报，即以此数而论，平均每年受灾人口将达三千万，而二十年的大水灾尚不在其内。[13]并且人祸愈多，天灾愈甚；反之，天灾愈甚，人祸更愈多，天灾人祸，相迫而至，农村经济便沦于总崩溃的境地。

每一天灾，必然引起二种不可避免的结果，即农村人口减少和农产物减少是也。农村人口的减少，虽以未有正确数字，不得减少的实在数目，然以灾患之多，农村人口的死亡率必多于生产率，则可无疑。在五四那年农商部统计的农民户数为二千九百五十四万八千五百二十九户，较之民三所发表的五千九百四十万二千三百十五户，相去远甚；而况民八至民二十的十二年中，各种灾象，接踵而来。一个农业国家，农民逐年减少，真是一件可怕的事。其次，为农产物减少，农业收获量减少，虽有多方面的原因，而天灾人祸的相寻，实为减少产量的主要原因。产量的减少，在此统计数目不甚可靠的时候，可从两方面观察，从农民收入的减少上看，而知佃农为绝对入不敷出，自佃农平均亦多不足自给者[14]，再从历年农产物的入超数目上看，则更可证明从出产的减少而至不能不仰给于国外。

所以现在中国的农村经济，日趋没落，其所残余者，仅仅一副空壳而已。从前中国虽没有什么工业品供给世界各国的市场，但在农业的出产方面，还有巨量的输出，国际市场上尚能勉强支持；可是近年以来，因农村经济的破产，农业原料品的输出，一天减少一天，而外国输入的食粮反一天多似一天，中国以农业为经济基础，今则主要食粮，亦由外国输入，而米的入超，竟占首位，此已足以证明中国农村经济的根本破产。

以上所举，不过是荦荦大者，然已可见中国工商业的不景气，农村的总崩溃，国民经济整个的衰落。

参考

[1] 见李宁《左派幼稚病》第一九一——一九二页。

[2] 表中数目字，都是根据一九二五年的调查数字。

[3] 此项统计以及历年趋势，可参考近年来中交两银行营业报告，国际收支项下的记载。

[4] 二十四年四月二十二日《申报》经济专刊第一百一十期中，柳塘《四十六年来金银进出口统计之结果中国金银尚有几何》一文中有云："黄金在此四十六年中，入超只十二年，出超共有三十三年，出入超相抵之余数出超乃有四亿七千四百八十九万三千二百二十七元之巨数，窃恐中国黄金即有所存，亦已无几。……"又谓："白银在此四十六年中，出超占十七年，入超占二十八年，出入相抵，入超尚有十亿四千一百八十二万九千九百六十一元。如以四亿四千万人口分配之，则每人所得亦仅两元。似此戋戋之数，虽中国旧有之存银尚未计入在内，然为数之无多，已灼然可见，奈无尚启人觊觎之心，欲逼中国人竟无黄金白银之可有……"

[5] 翁文灏于一九三二年估计的各区藏煤数量。

[6] 石风涛《帝国主义控制下的中国煤矿业》中有："占中国煤产量首位的东北四省的煤业，已经整个地成为日本军需工业的资源了。河北省是中国第二位的产煤区，可是一九三一年河北产煤七百万吨当中，外资所产共达六百零八万吨，单是开滦一家已达五百三十五万吨，一九三二年在六百六十一万吨中，外资所产共达六百一十万吨，中国虽有正丰，柳江，长城，恰立，中和等公司，然而在产量上仅是外资所产的一个尾巴。可是所谓

华资公司也不是纯粹的华资。……”其他如河南山东各煤矿，均在日帝国资本之下，规模较大的晋煤以铁路运费的昂贵，也不能与外资出产竞争，就成为外资独占与倾销的局面。

[7] 据海关报告，民国十九年外国商船进出中国口岸吨数百分比占百分之八十一又二十三。由中国各口岸往来外洋的航线差不多全在外轮掌握之中，据二十三年《申报年鉴》统计，二十一年份中国轮仅占百分之九又七。又中国沿海和内河航线，外商也占绝对优势，二十一年份中国也仅占百分之三十二又五。

[8] 各种交通中，只有公路一项，据全国道路协会的报告，现在公路已较十五年前多四五十倍，且尚有不少正在兴筑的。不但平均起来还要每一百八十五平方公里有公路一里，较之美国一又十分之六平方公里有公路一里者相去尚远。并且中国近年的兴筑公路，多为了军事的需求，对农村，以运费太高，无甚利益。

[9] 银行投资于间接的政治借款即公债卖买，至今仍然如此，往往大小银行的资产大部分都在有价证券的投资，所谓有价证券本包含公债，库券，股票，提单等等而言，但据熟悉上海金融界情形者云，上海各银行所谓有价证券，十九为公债库券，至各银行对于此方面之投资，可在各银行每年报告之借贷对照表中，可见一斑。

[10]《新创造》第一卷第六号，朱其华《再论中国经济》第一表。

[11]《中国经济》第一卷第一期，邓飞黄《中国经济的衰落程度及其前途》中历年发生战争的省份数目统计表中。

[12] 王寅生《中国北部的兵差与农民》第十九页。

[13] 民国二十三年的灾区，尤为空前，据政府调查，灾区地域已过全国三分之二以上，受旱灾影响有十四省三百四十三县，受水

灾影响有十三省，此外还有八省六十八县受蝗患，十二省八十九县受雹霜灾；总计损失在十万万元以上。关于灾区调查的数字，除各慈善团体外，尚有金陵大学农学院的调查报告及中国银行的受灾田亩调查等，均为比较正确的数字。此外主计处的《统计月报》及东亚同文的《中国年鉴》，亦有不少资料。

[14] 上海社会局的调查如第二次《劳动年鉴》第一六八页。

第十七章　濒于绝境的社会经济（续前）

国民经济之无能　一幅近百年来社会经济生活的缩影　两种可怜虫闹翻了中国　经济上予了世纪末的效果　从财政收支中观察贫困程度的深刻　附加税超过正税二三十倍　整个的社会经济不健全的真相　关于收支上的病态　借债还债的亏折　市价结算的厚利公债　充满着更深刻的危险的种子　借债过活的各省财政　朝中多官在野多兵的社会　多官之害甚于多兵　实际岁收并不减少　世界最高之田赋　预征四十年田赋与百种以上的杂税　利用穷困极敲剥贪污的能事　当兵做官为两大职业　穷的循环性

> 命运用了无限是的锁链，把全部人类联系着。一发牵动了全局；一粒火星的触发，燃烧了整个的世界。[1]

中国社会经济情状的恶劣，无疑的对内是牵动了各阶级，对外是随着世界经济恐慌而蒙着不可避免的打击。这种衰败所反映出来的社会现象，几乎随时随地都可以看出：不论是帝国主义在华的经济垄断，或是封建势力的残余统治，摆在眼前的许多困难和障碍中，骨子里都是从国民经济无力的一个条件构成的。下面一节文字，便是证明国民经济的无力，所以惹出帝国主义和军阀压迫蹂躏的事情：

> 例如戊戌到庚子的大反动，满清权贵所利用的是若干万的拳民，拳民就是生活无靠的失业者；为什么有这些生活无靠的失业者呢？就是中国资本穷乏，生产事业不发达的缘故。又如，维新运动再起后列强向中国的投资热日甚，中国的利权收回热，也与之俱甚，但

是由美国的合兴公司赎回的粤汉铁道除了广东一段，到底没有力量自己修筑起来；迁延到辛亥年，才有盛宣怀假铁道国有的政策，向四国举行铁道借款，引起武昌革命军的爆发；但是革命后，四国的铁道借款停顿了，川汉路和粤汉路的一大段，至今还是没有修筑，这又不是中国资本穷乏最显明的证据吗？然则我们对于满清政府无能的一层，还要加上一个社会的无能；所谓社会无能，第一就是经济的穷乏，没有生产的资本，所以帝国主义乘虚而入。后半期的军阀所以能够肆虐，也是因为社会的无能。袁世凯的摧毁国民党，固然是得五国团大借款之力，但是那一次的借款，国民党并不是根本的反对（仅反对其手续违法），并且国民党中的不肖分子，还有希望分肥的；当五国团要求种种的权利时，黄兴倡导所谓国民捐以谋抵制，但是国民捐三字，虽然喊得震天动地，终不曾捐得一个大钱；后来每遇对外的危急问题，辄有所谓爱国公债的提倡，但是成效也是

“茫如捕风”：这又不是中国社会的无能，资本穷乏的证据吗？还有一层：军阀肆虐的工具，第一就是佣兵；佣兵就是生活无靠的失业者；惟有资本穷，生产事业不发达的社会，才有这些失业的可怜虫，肯替军阀做工具，——不惟肯，并且求之不得，一经收到枪支非到死不放手；在生产事业发达的社会，服兵役是一种义务的负担；惟有生产事业不发达的社会，才有求生不得的可怜虫，以当兵为一种权利，才产生“有枪阶级”的军阀。军阀肆虐的工具，除了佣兵以外，还有一班穿长衫的大小官僚，大小政客；官僚政客，有时也利用军阀作工具，但是大多数的官僚政客，还是自己作军阀的工具。这一类的工具，比佣兵的生活要求，当然要高一点，但一样的是生活上没有去路的可怜虫。[2]

这是一幅中国近百年来社会经济生活绝好的缩影：为了把当兵做职业的可怜虫愈多，不但是农村人口耕地面积和农产出品日益减少，就是帝国主义的暗算和军阀的摧毁，也必因之而变本加厉；为了穿长衫的不从智识技能上图发展，不但是中国政治建设和经济建设无从说起，就是旧有的局面和苟且图安的生存，也被这些“无风生浪”而且一样的生活上没有出路的可怜虫粉碎。

从上述一幅近百年来社会经济生活的缩影中看来，就可知道中国的贫困，政府和人民是一样的无能。自民国二十年击起了中国经济的丧钟，“九·一八”的东北事变，除在政治上拨动了中国民族的反帝情感外，在经济上却予了世纪末样的效果。现在我们再从中国国家的财政收支中观察它的贫困程度的深刻。中国向来是有财无政的国家，即有若干年度发表着近似决算的财政报告，但在目前的军阀割据局面未曾打破，直隶于中央而由中央支配的省区很少，又以税制的紊乱与征税手续的繁重，往往人民的负担愈重，而国家的收入反愈减少。地方征收的附加税常有反较正税超过二三十倍的[3]；而征税官的贪污剥削，更为必然的事实。故仅由国家财政报告书中来观察国家收支的真实状态与国民的负担，无疑的会得到错误的结论。例如军费的支出在财政报告书中所列的，往往仅为中央直接支付的数目，若将各省区的军费支出合计起来，恐至少亦当在二三倍以上。又如财政当局，虽自诩自民国二十年起未发分文公债，而各省市公债之发行，却仍有增无减，此种债券的最终的负担者仍为吾侪民众；诸如此种事实，都可以说明财政报告书的不足以充分代表中国财政的好况或恶况。但是，即在这不完全的国家财政报告书中，已经很可足供中央财政健全与否的指南；更由中央财政的各种病态中，可以证明中国整个的社会经济不健全的真相。

现在姑把五四以后第十一、十二两年即财政部向三中全会提出的十九、二十两年度的财政报告书加以观察，就有下列各点表现着十足的病态：

第一，关于收入上的病态，即间接税远过于直接税，证明国家租税负担的不公平，亦即证明国民经济的不曾有什么进步。在十九年度的总收中，间接税的关税收入占百分之四十三以上，盐税收入占百分之二十一二；十年度的总收中，关税占百分之五十四，盐税占百分之二十一以上，其余税收，亦多属于间接税方面，总计间接税占去总收入百分之九十以上。而普通国家视为重要税收的所得税等，在中国财政上反而没有，这固然可以说明中国民族工业的不发达，同时亦可说明帝国主义经济和封建势力双重剥削的严重。

第二，关于支出上的病态，即支出的增加，却非由于社会事业与国家机能的发达，而纯因不生产的军费和债费负担的增进，这在国民经济上有百弊而无一利的。在北京政府时代不足论，即在国民政府最初的四年间（十六年到十九年）每年财政部的报告书，则知十六年的军费支出达一亿三千余万元，十七年增至二亿元以上，十八年增至二亿四千五百万元，十九年竟支出三亿一千余万元。本来国家财政的支出，要以直接或间接帮助人民的生产，繁荣国民经济的发达为原则，现在中国财政支出的增加，反适足以促中国经济于破产的内战军费。军费以外，尚有一项可惊的数目，乃为偿还债务。中国在北京政府时代的赔款与外债的数目，已可惊人，但自十六年起之五年间，国民政府又发行十亿零六百万元的内债，当然，内债发行的数量愈多，政府的负债亦愈重。故自十七年度起国家财政的支出中，每年由一亿二千万元而增至二亿四千万元以上。军费债费既占支出总额百分之八十以上，于是关于国家建设的政务费，遂反成逆态的减少：此种财政上畸形的增加与减少，均足以反映中国财政病态的发展。

第三，借债还债的病态，国民政府于最初五年间发行至十亿六百万元的内债，较之北京政府在十五年中发行六亿一千八百万元者，骤视之一若国家财政必有起色。不知发行票面虽达十万万余元，实际所收不过五六万万元而已，因为自十六年五月至二十一年一月间所发行的公债及库券二十五种，总计票面十亿零六百万元，而据自十六年至二十年的财政报告书中所列，共计实收不过五亿三千八百七十万元。[4]这是因为，发行债券，类多中央财政窘迫之时，除少数带有强迫性的劝募外，大都先以债券向银行抵押，待至债券在市场售出后，再以市价结算，所以发行价格虽有九八或十足的规定，而事实上政府所得不过发行额的五六成，还清时则又须按照票面值（Face Value）十足偿付，这样剜肉补疮的办法，财政安得不趋于破产；在政府只求有债可借，不怕饮鸩止渴，在银行界以公债利息优厚，何乐不为！结果，将使银行界以巨额的资金束缚于不生产的债券上，同时政府的财政基础建筑于上海的金融资本上；中国的财政势力既这样地与金融资本相结合，而中国的金融资本又不过是帝国主义者的附庸[5]，这样，政治安能上轨道，国家安得而不穷！

上述的三种病态，在民国二十年以后，依然是持续的状态，只要看后来国府主计处发表之二十一年度国家总概算来观察，收支不敷仍巨，即收入总数六亿二千万元中，若以各机关原列之数字，则军费一项已超过收入的总数，虽经主计处核减，仍占总数百分之四十七以上。次之为债务费，为百分之二十五，至于教育文化费则仅占百分之二，建设实业以及司法各费合之不到百分之一，所以在那概算书上，也说“衡以国家经费分配的原则，财政的原则，经济的原则及社会的原则，均多未能相合”。这真难乎其为巧妇了。

中国财政从上述三种病态中，不但可以证明其贫困，畸形，而且已充满着更深刻的危险的种子。不但中央如此，就地方财政而言，各省财政几乎全部在借债和要求中央或邻省的津贴。富饶如浙江江苏两省，在二十二年度不敷已有三百多万元。其他如湖北省竟达七百二十万元，河北省亦达四百万元。在此中央和地方财政的危机日趋尖锐的原因，自有其国内经济和政治以及国际条件，在整个经济问题没有解决之前，这千疮百孔的财政，总难获有完全合理的解决。于是中国社会经济病态的发展，也便愈见深刻而濒于绝境了。

并且，在这农村破产工商业不振的情况之下，社会失业的可怜虫与穿长衫的一样是生活上没有出路的可怜虫，一定有增无减，前者最后一条出路是当兵，后者最后一条出路是做官，于是朝中多官，在野多兵，兵愈多而军阀的肆虐愈甚，国家统一愈难；官愈多而政潮的起伏无常，政治愈不能上正轨。中国多兵，究有若干，无人知其确数，一般估计，当在二三百万人以上。中央设备较全，兵数尚不可知[6]；半独立之省，长官多所疑忌，恃兵自固，其据一区者，就地筹饷，更广招新兵，故事实上一师有数万人者。中国官吏之多，至今而极，不但世界各国所鲜见，即在本国史中任何时代所不及。中央无论矣，地方政府组织亦极复杂，省府无论矣，即县府官署亦多冗员，在行政系统的官署中，倘不敷安插这大批冗员，于是巧立名目，任意设置骈枝机关，及至名目无可设立，位置无可安插，佯唱裁员节政，暗为调济新进，而有“轮流过瘾”的话柄。[7]美国当十九世纪时，凡人民上申请书于总统，得其签字，即许垦种，一八一六年总统梅迪生（Madison）因公务繁冗，领地书积至二千，咨请国会添一书记，尚有议论其不可者。美国政治，已较他国浪费，然其在总统府中多雇书记一名，尚须据理而争其不可，以视今日中国机关与官吏的任意设立，真是相去天壤。

国人仅知多兵的害处，不知多官的害，不在多兵之下；以其不为人所注意也，故其为害之烈，往往有甚于多兵者。军队饷糈之巨，固为政府最大的出支，然官吏俸给亦占行政费中的大半。夫于穷苦之榨取，供养冗员，已属不合，而现在国家俸给之外，尚有直接向民间榨取者，其为害之烈，有甚于军队的当地筹饷。

政府患穷，固为事实，按之上述的历年财政报告，确有入不敷出的悬殊。然实际岁收，亦已增进不少，即以关税而论，二十年度增至二亿七千万元，以视清光绪季年，几有十倍；盐课自抵押外债，稽核严密后，岁收亦旺。即各省地方收入，亦已增进不少，如广东一年可收一亿元，则已超过光绪中叶全国的税收。中央与地方的岁收，增加若是其速，而财政反处于绝境；论者谓由于裁厘加税，其实裁厘而后，举办营业税已补厘金而有余，而田赋方面，其负担之重，亦为世界各国所罕见。[8]又以地方军阀应付内战的关系，往往年征数次，四川各县的田赋，有预征至四十年以上者。自民国十六年来，苛捐杂税，相继频仍，据民国十九年立法院统计处的调查，田赋种类最多的江苏江浦县有三十种，其中二十六种都是附加税[9]；杂税种类最多的察哈尔有一百余种，福建有八十余种[10]，在此恶政榨取之下，焉得不穷且死！人民的负担，已吸至最后的一滴，而其用途，不过供军队的饷糈和官吏的俸给而已，故政府患穷，人民亦患穷，而割据军阀的横征暴敛，贪官污吏的层层剥削，正利用上下穷困的局面，而极其敲剥贪污的能事。

在二十一年八月二十三日及十一月二十八日《新闻报》载有浙江省政府财政厅第二十二及第三十二号布告中，说明该省历年各县县长侵吞公款的数目，有账可查的达一百五十万元以上。在二十一年三月间，《河南民报》上曾登有各县县长及财务局长欠款不清的消息，有在任半年侵吞十万元的，其他侵吞四五万的不知多少，亦有前任未曾算清，后任又已吞没巨款潜逃者。其他散见于各报者，如地丁征收银额每年不到一万四千元的河北阜城县，竟为唐某侵吞达十五万元之多。又如安徽皖北盐斤附捐征收局局长任职三月，收款十八万有余，始终未解分文者，其他各县县长局长科长经人发觉侵吞数千元至数万元者二十七人。更有赵良贵其人者，在民国十七年时，曾任绥省萨县县长，因吞款败露，被民众捆缚，身插“我是贪官赵良贵”的白旗，游街数十小时，沿街按照旗上文字自叫，笑柄所传，轰动晋绥两省，不到几时又在山西夏县任内，以侵吞公款二万余元，被拘入狱。其他如湖北在整饬吏治的时候，发觉过去各县县长几于十九未经办理移交，可惜手头没有此种报纸，惟忆堤工经费保管委员会会计以侵吞堤款八十余万而枪决。二十一年十月十六日《大公报》上亦有在汉缉拿贪污，被拘者已有二十余人的新闻。诸如此类，书不胜书，且可明说其贪污的亦不过是县长局长之类，所吞亦不过数万数十万之数，其他家无担石之徒，一登仕籍，顷刻拥资巨万，仅拿官俸，何以至此，其为吮蚀农民的血汗，和彼潜逃，入狱，枪决，被称为贪污的，盖尤甚焉，这无怪身为官吏的石瑛，亦大骂其“贪官污吏遍中国”的了。

原来兵和官的来源，也是为了中国经济情状的恶劣所产生出来，现在为了多兵和多官而使中国的社会秩序和政治组织陷于极端的紊乱与动摇，而益使农村和智识分子中一批批的为生活驱使的可怜虫，一齐奔赴于当兵和做官的一途。于是兵益增而官益众，紊乱动摇的局面亦日益严重；终于当兵做官成为中国两大职业，人民在这水深火热之中，只要有一线求生的道路，无论名誉，廉耻，干法，犯罪等等，皆所不惜。所以中国革命的不成功，五四运动精神的丧失，以及帝国主义的压迫，封建残余的剥削，都是为了一个穷字；因为资本穷乏，生产落后，才有两种为着生活没有出路的可怜虫，因为可怜虫对于当兵做官当为职业，才使资本越益穷乏，生产越益落后；到后来成为一种循环性，就是可怜虫越多，兵和官的敲诈贪污就越甚，资本生产力就越减退，失业的可怜虫越增加。

在这样的循环性中，不但社会经济就可到了最后一步的恶化，所反映出来的社会现象，又是怎样呢?

参考

[1] 胡愈之《现代的危机》中语。

[2] 节自李剑农《最近三十年中国政治史》第二章。

[3] 如江苏江都县之忙银，每两带征（一）省税一元二角八分，（二）省教育税四角七分，（三）地方税三角，（四）平教费一角四分三厘五毫，（五）清乡费三角，（六）新旧两案亩捐九角六分八厘，（七）教育育婴费九分，（八）自治费三角，（九）普教亩捐一元九角三分六厘，（十）县道亩捐二元四角二分，（十一）警察亩捐一元三角，（十二）改良农业捐四角八分四厘，（十三）抵补教育不敷费四角一分一厘四毫，（十四）积谷钱三分五厘，共计银元十元九角六分五厘。此外复盖红戳三道，其一征收一元三角，一应征二元四角二分，一应征九角六分八厘，是忙银一两，实征银元十五元二角九厘，内二角九厘为罚金，一为原额每两合一元五角之十倍。

[4]《东方杂志》第三十卷第一期，千家驹《国民政府与国内公债》，又第四卷《最近两年的中国财政》；又千家驹《公债与金融》一书中，可以参考。

[5] 中国的金融资本是典型的半殖民地的金融资本，它并不由于民族资本主义发展所诱致，是大部分为买办资本、官僚资本所转变的。

[6] 陈恭禄《中国近代史》下卷第八一一页，又生活书店出版之一九三五年《世界政治经济地图》。

[7] 官场中所谓过瘾的话头，就是指候补已久，设法补缺，经过相当时候，再换另一候补者补缺，称为过瘾。意指已经过做官之瘾，

可以让位他人的用意，此乃亲闻诸老于官场中人所说。

[8] 德人范格诺（W. Wagner）在民国十四年统计山东各县田税每亩合洋一元零七分，已比一八六六年普鲁士农民所纳田税多十五倍。美国一九二一年至一九二二年每英亩的田税为美金七角九分，合中国每亩洋二角四分；又二十年一月二十七日《中央日报》左津《中国田赋问题》中亦说日本土地税，平均每亩五角六分。可见日美两国的田税，都小于中国几倍。

[9] 见《统计月刊》第三卷第一号至第三号。

[10] 见《中国经济》第一卷第一号马乘风，《最近中国农村经济诸实相之暴露》中有察哈尔最贫瘠之旧口北道属十县三厅之地，人口不满二百万，而地方税收至二百九十余万。又福建苛捐杂税竟有八十余种，在陈国辉蹂躏下之仙游一县一年征至杂税达三百五十余万之巨，平时土著军队之勒索诈取，尚不在其内。

第十八章　国民经济废墟上的社会文化

社会变迁可以说明思想的蜕变　反映出杂烩式之社会文化　德先生诱发文学革命　赛先生唱着实验主义　中体西用的理论粉碎了　实验主义在学术上的贡献　崇信科学方法的分家　东方文化复活的呼声　转型期的四种主潮　封建残余最后挣扎的直觉主义　代表资本主义展开的实验主义　代表社会主义抬头的辩证法唯物论　另求出路的东方文化论　新旧思想冲突的各种论战　五四以来文化思想的变革　文体的论战　人生观的论战　文学的论战　社会史的论战　中国经济发展的聚讼　东西文化的论战和政治的讨论　一切逃不了模仿的阶段　最初运动的中心　优秀分子赶上两条歧途　拉拉队的阿世派　隔离社会象征的清谈者　思想行动无不与实际矛

盾的颓废者　新文化运动的种子没有了　谁是真命天子谁来收拾江山

中国社会文化的混沌贫弱和枯竭，已成了一种显著的现象；尤其在思想界方面，正和今日中国经济之不断糜烂，和民族颓丧同其程度。现在有人甚至倒退到五四时代以前，倒退到戊戌维新以前，他们不顾历史进化的逻辑，意欲恢复中国数千年来之"木乃伊"，意欲抬出固有的传统思想。

我们知道一种思想的抬头，都有其社会的基础，马克思说："不是人类的意识决定人类的存在，而是人类的存在决定人类的意识。"[1]所以社会的变迁，可以说明思想的蜕变，同时，思想亦反映出社会组织的真相。因为社会的经济构造，是社会的意识形态之现实基础，而文化思想，只是上层的表现。基础没有变动，新的文化是不会发生的，若是新的文化发生，必是社会组织变动的反映。中国自鸦片战争后，社会基础被外来的资本主义破坏，树立在上面的政治学术生活等等的上层建筑，都随着社会基础的变迁而转移。所以近百年来中国文化思想的蜕变，完全是基于现代中国社会经济大转变的动向。

中国社会基础的经济结构，直到五四运动时代，还停滞在前期资本主义的一阶段；并且为了承继满清封建统治的北京政府，与帝国主义者进一步的勾结，所以中国便陷于殖民地经济的深渊。在这殖民地经济的中国社会上，产生两种矛盾现象：一方面不断地稗贩着资本主义文化，而另一方面又不断地从事于封建思想的复活，其为破碎，笼统，肤浅，错误，则一十余年来，往复轮回，不能自开生面，真如任公所谓："如群猴得一果，跳跃以相攫；如群妪得一钱，诟詈以相夺。"[2]其形式上虽屡经变化，但在精神上从没有根本的改变。即有少数思想前进的智识分子，欲破壁以自拔于此黑暗的境地，又以不认识中国历史与现实环境，妄试奋斗，赶上歧途，终于意识拗不过事实，一齐熔化于大洪炉中。于是在这杂烩式的社会基础之上，反映出杂烩式之社会文化。

五四运动的初期，要算稗贩西洋文化最热烈的一个时期，并且也是攻击旧文化最热烈的一个时期。当时运动的中心，是赛恩斯和德谟克拉西的两大怪物，便是传诵一时的赛先生——科学，和德先生——民主两位贵客。德先生的精神，是注重个人的自由发展，要人人有发展的机会，当然先要有教育上的平等；但在教育上要使人人有机会求学，决非专尚深奥雕琢的古文古学之社会中所能实现的。因之，他们第一步就起来改革文学，使文学通俗化，使文学民众化，而激成文学革命运动。至于赛先生的使命，也不是只限于机器的一方面，科学的精神，科学的方法，比其他一切科学的结果，更为有价值；所以介绍科学的方法，是新文化运动者的责任。运用科学方法最周密的有实验主义，因之，实验主义便在这个狂潮中引进中国。

赛先生和德先生成了五四运动中的主角，它们俩引着中国新文化运动进一阶段，它们俩把张之洞时代的“中学为体，西学为用”的理论粉碎了：这是划时期转变的中心运动，也是转型期中的主要工作。

实验主义初期引进的时候，因为富有朝气，所以对于中国文化界起了极大的变动，尤其是学术思想受影响最深。学者把它的方法来研究学问，最有贡献的是疑古派的一班人：疑古派在学术史上是上接于今文学派，再益以实验主义的治学方法，在学术界上便有不少的收获。

在这转型期运动的全盛时候，便有国故整理的兴起。这在文化运动方面是一种重要的事业，并且是不可越过的一种步骤。因为要提倡新文化，就不能不对旧文化有所认识；要打倒旧文化，更应明白旧文化为什么要打倒。所以新文化运动者，就不惜用他们新的方法从故纸堆中去研究。不过这是少数人的责任，倘使叫普通人去读古书，习古学，那是复古而非国故的整理了。

赛先生的科学方法，并不限于实验主义，辩证法的唯物论，也是有关于科学方法的。所以新文化运动者在赛先生旗帜之下便分裂为二：一派是忠于实验主义者，另一派是倾向于辩证法的唯物论，它们以主张的不同，开始其激烈的争辩。

世界已是整个的世界，中国社会一切的转移，也只是受世界巨潮的动向所激荡；而况这一次中国新文化运动的主力是由西洋留学生发难的[3]，因之，现代中国学术思想的推移，也不过是跟着世界学术思想的蜕变而捩转。自欧战以后，西洋文化发觉破绽，科学的人生观态度已渐渐被人怀疑，西洋思想界已渐从个人本位主义转到社会本位主义，所以中国在五四以后，就有一部分人对科学表示怀疑，立刻引起新文化运动者的反响，于是又有所谓东方文化复活的呼声。

这便是五四前后中国转型期运动学术思想的主潮。把它全部蜕变历程概括起来，可以分为四大阶段：一为直觉主义的阶段，二为实验主义的阶段，三为唯物的辩证法的唯物论阶段，四为东方文化的阶段。这四个主潮的彼兴此替，就代表了这十余年来中国学术思想的变迁，也就可表现出五四运动在文化思想上冲突的现象：这四种主潮在这十余年中始终是有力量的思潮。

当然，这十余年来中国学术思想的变迁，完全是社会变迁的推移，直觉主义代表了封建残余的最后挣扎，实验主义代表了资本主义理论的展开，辩证法的唯物论代表了社会主义的抬头，东方文化论调代表了中国幼稚的资本主义在风雨飘摇中另求出路。[4]现在把它分开来讲：

第一，直觉主义的阶段：这阶段的代表人物是张君励等，直觉主义不过是一种玄学的思想，玄学的思想很显明的是封建社会的传统观念；中国封建制度，虽已渐次崩溃，而中国封建势力，仍不能使之毁灭，这种反动的思潮，在中国仍有其社会的基础。在五四前后，此种主义曾一度回光返照而作最后之挣扎，几于给实验主义起来消灭；到现在又有复活的模样。

第二，实验主义的阶段：这阶段的代表人物是胡适等，实验主义和直觉主义适相反对，它是建筑在资本主义基础的一种哲学。它的特点是注重实际的效果，完全是美国资产阶级的精神表现；同时，它亦是一种改良主义，它不赞同革命的突变，而主张“一点一滴”的演进，这完全是暗示社会当在资本主义社会之下续渐改良，不应当“一反一正”的以阶级斗争求达社会革命的目的。这种主张是五四时代最得中国智识分子信仰的一种主义。又因为美国实验主义的领袖杜威，恰当五四运动时跑到中国来[5]，实验主义便趁着五四高潮，弥漫于全中国。它在中国学术思想上已开的花，最明显的果实，是整理古史和整理国故两种运动。

第三，辩证法的唯物论阶段：这阶段的代表人物是陈仲甫等，辩证法的唯物论是社会主义革命理论的中心，它是农工革命惟一的哲学根据。它随着社会主义而来中国，它对实验主义的轻视，和实验主义看到直觉主义一样。因为实验主义是代表资本主义，所以说它是拜金主义，或市侩主义。它是认为有阶级便有阶级斗争的，并且认为只有“一正一反相毁相成的变革”，才可以使人类达到理想的共产社会，所以称之为代表劳动阶级的哲学。它是生物进化论成立后的科学方法，它在中国文化上的贡献是社会史的研究，尤其对于中国古代社会研究，引起史学者建设真古史的动向。[6]

第四，东方文化的阶段：这阶段的代表人物是梁漱溟等，这一阶段的兴起，因为资本主义在大陆上的发展，受了无产阶级的猛力攻击，和资本主义的内在矛盾，其弱点逐渐暴露出来。于是在欧战以前，大陆上便有“反归康德”的口号，尤其是欧战以后，资本主义社会的基础，受了根本的动摇，资产阶级更不能不另求出路，而有求助于东方精神文明的主张。中国在欧战后新兴产业家受列强资本主义的侵略，和随新兴产业而出现的劳动阶级的威胁，幼稚的资本遂亦不得不另求出路，而趋向于本身固有的东方文化。此派思想经二梁的阐发[7]，引起许多人把东西文化重新估价，重新比较，东西文化的讨论，因而盛极一时：最为同情者为直觉主义的学者，反对最力者为唯物论派和实验主义的学者。[8]

正如辩证法所指示给我们的，历史的进化——尤其是文化思想的蜕变——是由于互相矛盾，互相冲突，互相反抗，而综合进展的。新文化运动的过程，给予我们一个实例：即在每一个新的思潮的抬头，必先与旧的思想冲突，形成各种学术上的论战。其每一论战虽未划分显著的时代，而于学术思想的变革，均有历史的重要性。现在先把五四时代文化思想的变革，列表分析，再述各种论战的大概。

- 五四新文化运动
  - （一）西洋文化运动
    - 第一段——思想表现工具德谟克拉西化——文学革命
    - 第二段——思想方法科学化（一）——实验主义
    - 第三段——思想方法科学化（二）——辨证法的唯物论
  - （二）东方文化之重新的提倡

在这第一次西洋文化运动的第一阶段中，有文体论战；在第二阶段中，引起了人生观的论战；第三阶段中，有文学的论战，同时辩证法唯物论者本身也引起了什么社会史的论战。

在第二次东方文化之重新提倡中，引起了东西文化的论战和政治问题的讨论。东方文化的重新抬头，现在只是一个开始，这到底是东方文化的回光返照，还是可以代替西方文化的象征，姑置勿论。不过西方文化本身的缺陷，经过这次转变而越益显著了；同时，东方文化也有值得保留的地方，渐为多数人所公认。不过，这种重大的工作，决不是几位用玄学眼光的朋友们可以胜任的，假使重新提倡东方文化的只知道东方的孔子人生哲学和印度释迦牟尼的出世思想，那就比张之洞的“中学为体，西学为用”的理论还要幼稚。总之东方文化之重新提倡，是时代思潮转变的必然趋势，反对果然不是容易的事，赞成也非现在学术思想幼稚的中国智识分子所可乱道的。

五四时代文化思想的变革，既如上述，现在再以各种论战的大概分述于次：

一，文体的论战：这是五四运动最先爆发的一次论战，开始于民国五年，到八年为最热烈的时期，在这次新文化运动中最关重要的一次新旧思想的冲突。双方主角是“新青年派”和林纾章士钊及《学衡》派的驳辩，其争论的焦点是语体和文言，其在历史上的意义是文学革命的成功，德谟克拉西在中国思想界的抬头。[9]

二，人生观的论战：这就是唯心唯物的争辩，开始于民国十二年的二月。在西洋二三千年来未有结论的两大哲学思潮，近代柏格森的直觉主义和杜威的实验主义，就是我国理学和汉学，都是这两大思潮中激起的漩涡。所谓人生观论战，就是站在柏氏立场的张君劢等和站在杜氏立场的丁文江等闹出的玄学鬼和科学鬼的玩意儿。[10]

三，文学的论战：这虽然只是个人本位主义文学家和社会本位主义文学家的互相攻辩，实是代表了辩证法唯物论的抬头，和社会本位主义的胜利。开始于民国十五年，到十七年最为兴盛的时期。提倡革命文学的一方面，有创造社等，他们是以普罗列塔利亚（即无产阶级）为立脚点，他们以“一切艺术都是宣传”而在揭破支配阶级的罪恶为目的。在反对方面，有《语丝》派的鲁迅为领袖，他们不是反对整个革命文学的本身，反对创造社人夸大狂的态度，把革命文学以外一切的文学抹杀了。[11]

四，社会史的论战：这是唯物辩证论者的论战，它的争点是今日中国社会，是资本主义的社会？还是封建社会？它代表了主张国民革命者和主张无产阶级革命者的论战，这是开始于十六年国民革命之后。当时国民党初握政权，对革命的理论，不能不作进一步的研究，对中国社会的现象，不能不求深一层的认识；而共产党则因第三国际盲动政策之失败，对中国经济结构，更迫切地要求解答。同时，研究社会科学的，亦渐知注意于中国社会之探讨，所以中国社会史和经济史的研究，便如风起云涌了。因对这个问题的见解不同，形成了政党中不同的派别；例如中国共产党的干部派和取消派的分裂，前者认为封建势力在中国社会甚占优势，以李立三为领袖；后者谓中国已入于资本主义阶段，否认封建势力之重要，以陈仲甫为领袖。中国国民党的学者也有不同的见解，而社会科学者的见地更为纠纷了，不但在西方资本主义侵入以前的中国社会还没有统一的主张，就是现在中国究在那一阶段，也是聚讼纷纭；因而思想界对中国经济发展的观念，也便这样的在矛盾与对立中争辩着，对于过去的历程和现在的结构，还这样错杂纷繁，那里谈得到前途的展望？现在把这次论战的主角和研究中国社会史的若干种代表作，归纳一表，可见他们意见的纷歧了。[12]

中国社会史分期表

<table>
<tr><th rowspan="2">社会 时代 姓名</th><th rowspan="2">唐朝以前（前2358?）</th><th rowspan="2">唐朝时代（前2357—2206?）</th><th rowspan="2">夏代（前2205—前1784?）</th><th colspan="2">商代</th><th rowspan="2">西周时代（前1134—前769）</th><th rowspan="2">春秋战国时代（前770—前247）</th><th rowspan="2">秦代（前246—前207）</th><th rowspan="2">汉代（前206—219）</th><th rowspan="2">三国时代（220—264）</th><th rowspan="2">西晋时代（265-314）</th><th rowspan="2">东晋时代（315—419）
南北朝代（420—588）</th><th rowspan="2">隋代（589—617）
唐代（618—906）</th><th rowspan="2">五代（907—959）</th><th rowspan="2">宋代（960—1276）</th><th rowspan="2">元代（1277—1367）
明代（1368—1643）
清至近世（1644— ）</th><th rowspan="2">现阶段</th></tr>
<tr><th>盘庚以前（前1783—前1402）</th><th>殷代（前1401—前1135）</th></tr>
<tr><td>新思潮派</td><td colspan="8"></td><td colspan="8">封建或半封建社会</td><td>半殖民地半封建社会</td></tr>
<tr><td>朱其华</td><td colspan="8"></td><td colspan="8">封建社会</td><td>半殖民地半封建社会</td></tr>
<tr><td>陶希圣（旧）</td><td colspan="6">封建社会</td><td colspan="10">后封建社会或前资本主义社会</td><td>资本主义萌芽封建势力仍存在的社会</td></tr>
<tr><td>陶希圣（新）</td><td colspan="3"></td><td colspan="3">氏族社会</td><td colspan="4">*奴隶社会</td><td colspan="4">封建社会</td><td colspan="2">先资本</td><td>半殖民地社会</td></tr>
<tr><td>孙倬章</td><td colspan="16"></td><td>政治上封建社会
经济上资本社会</td></tr>
<tr><td>郭沫若</td><td colspan="5">原始共产社会</td><td>奴隶社会</td><td colspan="10">封建社会</td><td>资本社会</td></tr>
<tr><td>王宜昌</td><td colspan="5">氏族社会</td><td colspan="6">奴隶社会</td><td colspan="5">封建社会</td><td>资本主义社会</td></tr>
<tr><td>胡秋原
王礼锡</td><td colspan="4">原始共产社会</td><td>氏族社会</td><td>封建社会</td><td colspan="10">** 专制主义社会</td><td>——</td></tr>
<tr><td>顾孟余</td><td colspan="8"></td><td colspan="9">初期资本主义社会</td></tr>
<tr><td>梁园东</td><td colspan="3"></td><td colspan="2">家族奴隶社会</td><td>封建社会</td><td colspan="10">** 半封建社会</td><td>——</td></tr>
<tr><td>陈邦国</td><td colspan="2">原始共产社会</td><td colspan="3">氏族社会 **</td><td>封建社会</td><td colspan="10">** 商业资本社会</td><td>殖民地化 资本社会</td></tr>
<tr><td>李季</td><td colspan="4">原始共产主义社会</td><td>亚细亚社会</td><td colspan="3">封建社会</td><td colspan="8">前资本主义社会</td><td>资本主义社会</td></tr>
<tr><td>戴行韶</td><td colspan="4">原始共产主义社会</td><td>奴隶社会</td><td colspan="3">封建社会</td><td colspan="8">过渡时代社会</td><td>资本主义社会</td></tr>
<tr><td>梅思平</td><td>民族斗争时代</td><td>原始封建社会</td><td colspan="3">原始帝国时代</td><td colspan="3">新封建社会 **</td><td colspan="8">商业资本社会</td><td>——</td></tr>
<tr><td>任曙</td><td colspan="16"></td><td>资本主义社会</td></tr>
<tr><td>罗灵峰</td><td colspan="16"></td><td>资本主义社会</td></tr>
</table>

附注：凡有 * 号的地方代表变形时期。

五，东西文化的论战和政治问题的讨论：这是胡适与其他西方文化论者和梁漱溟等的论辩，其主要的争点是中国究竟应否抛开自己根本的精神，而迷信西洋文化的德赛两先生，其历史上的意义是唯心论者的重新抬头，东方文化论者得了一个新的立场。这是开始于民八梁启超《欧游心影录》的出版，渐次没落的直觉主义派借尸还魂，至梁漱溟《东西文化及其哲学》出版后，遂引起西方文化学者的反响，他们反对把东西文化分成三条路向如梁漱溟的主张，他们不承认西洋文明是物质的东方是精神的。因这东西文化的论战又牵涉到政治问题的讨论，就是中国应走那一条路以自救？这次讨论的骨格，是胡适、罗隆基等西洋文化论者提出个人本位的民主政治，他们不能忘情于德先生，故引进许多欧洲十八世纪的文献以提倡人权论，去反对国民党和共产党的专政。继人权论后的有社会主义运动和村治运动，前者便是唯物辩证论者的社会主义运动，后者是梁漱溟等认民族自救的惟一途径，在本着我们东方文化的优点，以改造我们的文化，德先生不能解决中国的出路。此种论辩开始于民国十七年，到二十年为最盛的时期。[13]

以上所举的便是五四运动以来各种思想间相互的矛盾着，冲突着，反抗着，本来辩证法所指示我们的历史的进化，也就在这矛盾，冲突，反抗中综合而进展的。可是中国在这十余年新文化运动的过程中，所给予我们的各种思想和论战，都逃不掉模仿的一个阶段，他们都忘记了自家的立场，他们只迷信着人家的方法，要想用同一的模型仿效成功。西方文化学者无论矣，就是提倡中国文化的东方文化学者，他们除了和罗素一样地赞美东方文化外，始终还是没有立下东方本位的文化，他们亦仅模仿而已。其他如主张文学革命的，革命的文学作品在那里？讨论中国社会史的，不论封建制度亦好，资本主义亦好，可是真凭实据的史料又在那里？十余年来思想运动的收获在那里？历次论战的结论又在那里？五四新文化运动虽替中国思想界划一时代的动向，还不曾为中国思想界筑起坚固的基础，这里可以证实了。

但是，五四运动虽然没有替中国思想界筑起坚固的基础，只有未树坚固的基础罢了，何以反而有逆转的现象呢？这当然另有其原因。

在第十五章中已经说过了，最初运动的中心，是打破封建时代所残留下来的桎梏，和否定束缚人类向上发展的文化，最努力于此种运动的便是陈仲甫，所以陈仲甫就把握着言论思想界的权威，他的冲锋的目标，就是反对孔子，因为孔子的思想是代表封建地主的思想，这种思想不但是一切旧礼教的发动机，并且是阻止产业发展的原动力。但是不久以后，在这新文化运动的干部中，为了赛德二先生而分化了：一派是以马克思思想为主标，一派是奉杜威主义当南针，在这反孔狂潮之下，分出社会主义和实验主义两支相反的队伍，他们固然各走各自的路向，各图各自的发展，可是中国文化思想界却因此而失了重心。

文化思想界既失去了重心，虽然文化思想还是随着社会经济构造的变化，一幕一幕地反映出来，可是初受新文化洗礼已把心灵拨动了的青年们，禀着热烈的情绪，饥不择食地向前奔放，便会走入一种不可回复的歧途。其中最先入于歧途而且最为普遍的，就是德先生思想的引进后，放弃政治上的斗争而致力于婚姻上的斗争，这种本末倒置的民主斗争，当然没有好的结果。复次，也是一条很普遍的歧途，就是社会主义的思想引进后，一般青年具有向上意识的，对现状不仅是不满，而且打算从根本改造，他们站在群众要求的尖端，作冲破旧躯壳的先锋。似此白热的情绪，有谁忍心说他们不是；不过中国总究是中国，他们听着第三国际指挥，要想在中国重演苏俄的历史，那是英勇的鲜血终于白流了。李宁也曾这样的说着："……并且应该研究在每一个国家里因为政治经济文化宗教种种不同，所以引起的特别地方……大家应该觉悟，全世界的制度，绝对不能用机械的方法，同一的战略，跟着一个模型仿效成功。"[14]不错，全世界的制度绝对不能用机械的方法，同一的战略，跟着一个模型仿效成功的。

中国数十年来的模仿工作，终于旋起旋落，为世所轻，正坐此病；在过去不知吃了多少的亏，到转型期后，还是覆辙重循，而牺牲的代价更大了。因为不论为柔妙的爱神而斗争的新青年，不论为最大多数人类而牺牲的战士们，他们总是比较优秀的青年，比较优秀的分子赶上歧途，中国的社会文化便无前途了。

社会经济在贫困的进程中长此畸形的发展，足使任何主义任何问题，都会和原来的完全相反，而其结果遂使中国的青年们甚至智识分子的全部，除了上述的二种赶上歧途外，都形成如下的三种范畴：

一，阿世派　只有愤慨而没有办法，结果流于消极。

二，清谈派　只有主张而不能实用，结果流于悲观。

三，颓废派　只有诚心而缺乏能力，结果流于放任。

第一，先看阿世派的人们，那些迎合社会的阿世者，因为久在阿世的环境中过惯，已养成了一个牢不可拔的迎合心理和做人态度，他们的特长是了解社会种种恶劣象征，以作迎合的资料。他们的专技是熟练运用卑污手段，以求成功的捷径，并且关于这些事象，他们知道得极多，假如一旦真的自觉起来，其愤慨的对象自较他人为多，而其愤慨的程度，也较他人为甚；但这种愤慨只是一种悔恨的心理，一种鄙弃的观念，而不是仇视的勇气。悔恨的心理不过是自惭过去的错误，鄙弃的观念不过是保持现在的摒绝，结果只有趋于消极。所以常有许多军阀官僚，不在杀人敲剥的时候，便吃斋念佛起来。个人为善，是消极为善，仅达到不阻止与不妨害他人进展的程度，还不足以负起人类应负的责任。

阿世的表象既是逢迎，即是一种无定见，无主张，无办法的与世浮沉的行动。个人本身并没有定见的人生意识，只知道以自己的功名富贵为原则，而希图从中取巧，这般人下焉者是卑屈钻营，阴险倾轧，以图私人的欲望。上焉者是利用时运，巧妙渔利，以图一己的成功。他们既无一定的主张，又少特殊的见解，结果只是一个拉拉队，在旁助威，专赶热闹，在他自己何尝不是想把握时代，而终于不能赶上时代，这就是迎合社会象征的下场。像这种东来朝东，西来朝西的驱逐逢迎，虽受新文化的熏陶若干年，觉悟过来还是送旧迎新的骑墙派而已。他们在新文化过程中最多是不会阻止，而在一种新思想未爆发或成功之前，他们常常会奉敬一个绝大的反动。

第二，那些隔离社会现实的清谈者，对于一切问题的谈论，并不是研究，又不是讨论，而是随口的妄谈与任性的漫谈，前者是不切实际的高调，后者是不近人情的废话。喜唱高调者，他们即令一旦觉悟过来，信仰某种正确的理论，也不过是一时兴之所至，随便盲从而已。若是他们有所主张，不是盲从，但其主张却是成见，而非主见。成见太深的人，其主张决不能符合实际的需要，只能够满足其个人的顽固心理。主张既不能实现，于是只有悲观起来，悲观者又焉能担负新文化运动的重任呢？其次，喜说废话者，即使一旦觉悟，也不会有一个如何合乎实际的主张，即有一些主张，也是一堆不相关切的零碎观念。因为他们的特色是无条理，无系统，无中心，无根据，日常的意见尽是冲口而出的胡说，离开事实的矫辩。无条理便流于驳杂，无系统便失之空泛，无中心便近乎玄秘，无根据便不符实际：这些零凑碎拼的可怜意见，自然无法应用，只能永久逗留在浮漂的阶段里：他们和唱高调者一样地无功于文化运动的任务。

第三，那些颓废的人们，平日的生活都是违反了社会的象征，以致思想行动无一不与实际矛盾。他们大都是意志薄弱者，受不了时代的驱策，而流于放任。中国的智识分子自然就具有许多颓废的历史的遗传，如果稍受环境的刺激，颓废的象征更容易暴露出来，他们在太平时候，也爱无病呻吟，何况不幸生在乱世。他们对于任何事物，只知道事后的痛苦，却不能防患于未然；有些甚至对于自然现象的运行，也会生出无穷的悲感。尤其是智识分子中的所谓骚人墨客，格外无聊。那种“花开愁谢，春到伤归”的怀抱，即是他们日常生活的中心思想。他们不但是“长歌当哭”，有时还会“醇酒戕身”。那些乖偏不经的行为，说是愤世嫉俗的态度，这种人即令觉悟也不过移其悲感之心，转为希望之意，要他们去努力工作，却是不可能的。他们觉悟后对某种思想信仰的诚心，与希望这种思想成为事实的观念，并非不强或较常人犹且过之；但在行动方面，却只能永远的希望别人，没有自己。这种只有诚心毫无能力的狂诞分子，就是觉悟了又有什么用处？

东方文艺复兴的五四运动，为了社会基础的动摇不定，文化思想的路向纷纭，结果，从这社会的大洪炉中除了一小部分保守天真，坚贞不拔，或赶上歧途，进退维谷者外，陶铸成上述的三种人群。在这样人群构造的社会中，当然不会有健全的社会，当然不会有健全的文化，遂使十余年来往复轮回，仍归旧套，而其逆转的进程，则为始而旧思想运动复辟，继而旧制度卷土重来，终于旧人物借尸还魂，到现在历史的惰性，民族保守的弱点，一齐暴露无遗。“以前张君劢先生说了几句关于人生观的话，便有丁文江先生等一大群人去打玄学鬼，今年由考试院长戴季陶先生等所发起的时轮金刚法会，在北京举行，在丁文江、胡适之先生等脚下大演法宝，闹到轰轰烈烈文化城中，倒没有人去喇嘛庙里打鬼，……因此，新文化运动的影子没有了。又是一朝江山，又是一朝君臣，又是一个时代。”[15]

真的，中国在这最近的数年中，文化逆转的气势，有如“黄河之水天上来”，不久以前，在上海金融恐慌极度紧张，极度尖锐的时候，我们有“救济金融祈祷大会”；在饥荒困顿呻吟的“妖邪”充塞着江南三月的时候，我们有“乌龙潭修禊盛会”，在这独占与共管的斗争白热化，全国民众挣扎于死亡线的紧要关头，我们的名人甚至优秀的大学生，竟都只会乞灵于枯骨，求助于幽魂。[16]无怪一般想望天下太平的可怜虫，只好查查什么刘伯温的《烧饼歌》，李淳风的《推背图》：谁是真命天子！谁来收拾江山！

赛先生和德先生在西欧支撑了二百年，翻了不少新鲜的花样，结果造成了二十世纪文明，走在历史行程尽头的帝国主义文化固然是它们俩的产物，行将开始于人类社会进程中的社会主义文化也是它们俩的结晶，它们俩在近古的西欧历史中，好像中古时代的耶稣，把不少的人们送上天堂，同时也有不少的人们陷下地狱。基督教在中国没有为了它而陷入地狱，却也未曾为了它而享受天堂之乐。赛德二先生的流泽，似乎遍及于全世界，在中国也曾轰动一时；但是终于给传统的封建思想迷住了，只留下一大堆残渣，酸化而成为四不像的现代中国的社会文化。

二千年来中国因为没有吸收过外来较高的文化而停滞了，在五四运动的初期，稍稍吸收，又是大吐大泻，重复困顿于智识的饥饿线下，这当然不是一个单纯的文化问题，而另有更基本的社会基础的经济条件，所以文化的落后必从学术思想而影响到各方面。

参考

[1] 见马克思《经济学批判》。

[2] 见壬寅年《新民丛报》。

[3] 梁启超以为中国在清季文化运动的失败，因为西洋留学生全体未参加，而运动之中坚皆为不识西文之人，故运动垂二十年，卒不能得一健全之基础。见《清代学术概论》第一六三页。

[4] 见伍启元《中国新文化运动概观》第十四章，关于四大阶段的

分析，可参看该书各章。

［5］杜威在五四运动前三日到中国，他在中国住了两年多，到过十一省地方。胡适便在这时把实验主义努力宣传，在新文化运动上影响很大。

［6］辩证法的唯物论在整理中国古代史方面，第一本成功的作品是郭沫若的《中国古代社会研究》，此书虽不免幼稚错误的地方，然从此以后，唯物辩证论者有系统的著作，才一天多似一天，所以郭氏的著作，在学术界上应占相当的地位。

［7］东方文化派最先是民国八年梁启超从欧洲看完了世界大战收场情形回来后，著一篇《欧游心影录》，正式宣布科学破产，应发扬光大中国文化，去调济西方文化。至梁漱溟发表其《东西文化及其哲学》后，把解决生活中的问题，分为三条路向，以阐发东西文化的不同，他不但预言世界未来文化是中国文化，并且在中国文化复兴之后，将继之以印度文化复兴，所以古文明之希腊，中国，印度三派将于三期间次第重现一遍。见该书第二〇〇页。

［8］西方文化派对于东方文化派攻击甚力，唯物论派之陈仲甫在他的《新青年罪案之答辩》中，有："要拥护那德先生，便不能不反对孔教，礼法，贞操，旧伦理，旧政治；要拥护那赛先生，更不得不反对旧艺术，旧宗教；要拥护德先生又要拥护赛先生，便不得不反对国粹和旧文学。"又实验派之胡适在他的《我们对于西洋近代文明的态度》中，有："今日最没有根据而又最毒害的妖言是，讥贬西洋文明为唯物的 materialistic，而尊崇东方文明为精神的 spiritial。"

［9］参考张若英《中国新文学运动史资料》。

[10] 参考亚东书局出版之《科学与人生观》和泰东书局出版之《人生观论战》二书。

[11] 参考李何林《中国文艺论战》和苏汶《文艺自由论辩集》，丁丁《革命文学论》三书。

[12] 参考伍启元《中国新文化运动概观》，孙倬章《怎样干》，朱其华《中国经济危机及其前途》，朱新繁《中国资本主义之发展》，陶希圣《中国社会之史的分析》，胡秋原《亚细亚生产方式与专制主义》，严灵峰《中国经济问题研究》，任曙《中国经济研究绪论》，《读书杂志·中国社会史的论战》第一到第三辑。

[13] 参考梁启超《欧游心影录》，梁漱溟《东西文化及其哲学》及《中国民族自救运动之最后觉悟》，胡适等《人权集》。

[14] 见李宁《左派幼稚病》一书中。

[15] 见《主张与批评》第三期，王造时《复兴新文化运动》。

[16] 见《新生》第三卷第十三期，无常《乞灵于枯骨》与宗汉《乌龙潭修禊》，前者更引四月六日的《时事新报》北平通讯，记述清明节民族扫墓及北平各界各大学学生发起宋信国公文天祥祠堂瞻年礼二事。

第十九章　国民经济废墟上的社会文化（续前）

贫和愚的联锁关系　智识幼稚的可怜虫　求智欲热狂的男女青年们　学校工场和社会市场　现代学校为资本家陶育人才　中国学校代科举以取士的机关　不能吸收失业的过剩人口　洋八股教育培植两种人才　无阶级无民族无国家的买办官僚　智识分子过剩的与年俱增　穿长衫和穿短褂的同为社会混乱的酵母　智识贩卖者扩展市场的挣扎与努力　从智识贩卖所到学校衙门化　书既不读国也不要了　留学生不能辞其咎　无所不通的学者和无所不能的专家　窥破秘密强作解人　智识落后还加上人格的恶化　留学界的新人物用旧本子　有谁来把中国西化　还没有一部完整的翻译书　现代中国公子娘儿们

的文房四宝　旧书疯狂地翻印和贩卖　全盘文化也
如经济一样地陷于总崩溃

经济情状的恶劣，可以影响到政治及其他社会现象：举凡帝国主义的压迫，封建残余的逞威，以及文化思想的逆流，既如以上各章所述。但是由于经济情状恶劣所反映出来的各种现象，又可以使智识水准的降低，而智识水准降低，可使生产技术与生产方法的落后，生产技术与生产方法落后而经济情状必更趋于恶劣。故近来中国的大患，除了一个经济落后的“贫”字外，还有一个智识落后的“愚”字。经济诚然是历史上一切变迁的发动机，智识乃是推动发动机的原动力。尤其是在殖民地化的中国，更为显著；因为经济的落后，智识越益落后了；同时，因为智识的落后，经济终于不能“好转”了。

这样联锁的状态，在历史上例子甚多。即如中国从鸦片战争以后，智识的落后与经济的落后一样可怜；不论在兴办洋务时代，在讲求维新时代，甚至在辛亥革命时代，倘使还用闭关时代的眼光去看，当然是兴办洋务时代的声光化电之学，与洋枪大炮同样的是了不得的东西；讲求维新时代当然是胜过于洋务时代；辛亥革命又是胜于维新时代。但是再用世界的眼光回头一看，不但不识字的老百姓和闭关时代没有两样，就是智识分子，就是觉悟的智识分子，他们一样是智识幼稚的可怜虫。譬如在兴办洋务时代，不但出使英国的郭嵩焘因为喜谈洋务，回国时不敢进京；就是中国最高学府翰林院出身的胡林翼，看见长江里驶进两只蒸汽船，骇得“变色不语，勒马回营，中途呕血，几至坠马”[1]。又如在维新时代，仅从间接的日本书中搬弄几个西洋人名字和翻些片断的西洋学说，主要的还是几位经生文人旧店新开的热闹一下；维新首领梁启超也认“为能力所限”，“为社会所轻”[2]。又如辛亥革命时代，果然已有不少镀金的留学生回来；但是他们稍稍认识西洋文化的，必是不通国内情势之人，稍稍认识国内情势的，又必是出身于缴费不上学的速成班出身；日本只要一个伊藤博文回国，明治维新大业，就告成功；中国硕士博士多于过江之鲫，到辛亥革命还是一团糟。所以五四以前，中国经济果然落后，而中国智识亦和经济一样的落后。

在五四运动的高潮中，确实惊醒了不少睡眠状态的中国人，从穷乡僻壤中跑出了不少求知的青年；不但男青年们，就是经过放足运动的女青年们，也从深闺中奔跃出来，要求学习“人”的智识。因为求知欲这样的狂热，遂有人把西洋文化趸批介绍过来；中国在那时候真有些像西洋文艺复兴时代方言文学的兴起，和“人”的观念的发现一样地有生气。

不幸得很，这种现象不能永久地持续下去。结果，那一批批从农村奔跃出来的男女青年们，现代化的智识没有学得，反而因为穿上一袭长衫而无路可走，无饭可吃。于是便有对于智识贩卖所的学校教育诅咒着；他们不去反省真正智识的是否学到，反而说有智识的人太多。以为这样现象的造成，是由于智识分子的“生产过剩”；正如近来世界，经济恐慌一样，因为生产与消费的矛盾，于是由生产过剩，造成工人失业，股票跌价，信用下落等等现象，只有减少生产，才可避免此种危机。但是事实不是这样简单，因为教育事业和企业的性质不同的。就是企业方面，若要解除经济恐慌，亦须扩大市场，提高消费能力；如果消极的退却，只是使其生产装置陷于停顿，结果非至破产不止。所以从减少学校而减少其受教育的智识分子，以为便可解决学校工场和社会市场的矛盾，到底是不可的。而况我国学校，年来虽有增设，但是受教育的人数和全国人口的比例，和世界任何一国差得很远；那么减少学校，无异任全国最大多数的人民，永久沉沦于愚昧的状态，这当然是错误的见解。

本来现代学校的设立，是所以培植发展资本主义的人才，因为自产业革命以后，一切政治经济等，既已尽归资产阶级的掌握，故学校不过为他们陶育人才的机关。东西各国，因为产业的增设与扩大，故凡学业既成，均有所用：如习政治经济法律者，可用之于政府办事机关；习土木工程者，可用之于种种建筑；学商业银行者，可用之于商业机关等。——最近他们智识分子，亦发生过剩，则与工人的失业者同其意义，是由于资本主义内部的矛盾所生的现象。

中国设立学校，在光绪末年，正如日本的明治维新一样思欲由此走上资本主义之发展的路，但是结果却大不相同，中国直到辛亥以后，满清的统治虽已推翻，而政治则仍在封建官僚之手，经济亦仍是封建时代的手工业，资本主义的建设事业，除了政治上换了几个招牌，可说是绝无仅有。因此，学校不过是代科举以取士的机关，父兄之培植子弟读书，从前是为的应举，可以由此而致仕，现在也是这样，这是一种投资事业，不过带点投机性而已。这样，我国的学校教育，实是为官僚的预备；官僚不如资本主义政治下的职官，须有特殊的技能，在封建的消极政治之下，只须能够知道向人民征收种种苛捐杂税，能够于中饱以后在报销上说得过去，便算极尽其能事。所以我国的学校教育，在外表上虽是近代的，而其实则仍是一贯的科举的精神，为一种洋八股教育的目的，在资格而不在技能，在形式而不在实质。

不过中国的政治经济社会等组织，因为帝国主义者势力的侵入，起了极大的转变。中国的农业与手工业，因了帝国主义者财政的剥削与商品的压迫，都大批的破产失业；这现象正如欧洲产业革命起初时，农民与手工业者，以机械工业的压迫，亦到处失业一样。所不同者，他们是本国的资本主义开始发展，卒能吸收其破产失业的过剩人口于工商业中，以之转变为近代的无产阶级。中国则不然，破产的是中国的农工，而以中国农工的牺牲，得更有发展的则为帝国主义的资本主义。在这其间，得享有我被牺牲的农工血汗的点滴余沥者，是中国少数的买办。因为这少数的买办，于是在中国表面上也稍具一点资本主义的形式，学校教育为适应此种需要起见，在代着四书五经而有外国语言文字的研习。社会上最负盛名的学校，便是不论历史地理等科目，除视为随意科的国文，一切教科书都用原本，上课都讲外国语，甚至体操也用外国口令；因为语言是买办之所必须，故会话尤为重要。岂仅买办，即在政治经济的类属，亦多陷帝国主义者之支配下面，所以新官僚也有熟习外国语言的必要。

由此可知，我国数十年所办的仅仅是洋八股的教育，在洋八股教育下只有培植两种人才，不论买办和官僚，各有相同之点，买办的目的在能推销外货，代购原料，借放资本，用种种方式以榨取中国人民而取得回佣，这和官僚之惟求中饱同。买办是处于中国人和外国人的中间，亦犹官僚之处于统治阶级和人民的中间一样。因此，他们没有阶级，没有民族，没有国家。可惜中国还在前期资本主义的阶段，官僚衙门的组织，虽是年有增加，但是到底有限，不能尽量容纳学校毕业的智识分子。同时，买办的资本主义的企业，虽有萌芽，规模终究是很小，并且地域观念又是很深，就有许多人不得其门而入。于是没有专长的固然要失业；即使学有专长，也只好学非所用，用非所学的牺牲一生。而况录用标准，往往又视背后的势力为标准，若其人具有奥援，则虽无资格，无技能，亦可获用。因此从学校出身的智识分子，其过剩的人数，遂与年俱增。又以农工破产失业，社会生活日形不安，智识分子的生活标准尤为低落。他们的地位和破产失业的农民及手工业者相同，为了生活，只有从黑暗中去求出路，钻营逢迎，无所不用其极，穿长衫的智识分子，遂和穿短褂的农工失业群一样是成了社会混乱的酵母。

自然，这现象是有它的社会根据的。中国人在普遍的贫困化的浪潮下，智识分子当然不能单独逃过这个侵袭，并且他们的本身又包含了严重的矛盾与危机。智识分子是一群寄生生活者，他们不会直接去参加生产；他们所有的，不是生产的技能，而是空洞的肤浅的一些智识，因而他们所能做的事，也是智识上的从业，不是物质上的生产。在发展正当的社会里，智识在人民原也是有用的，而且生产技能上的各种改进与指挥，也都包含在智识的范畴里；但是生产上不需应用这些智识，或所学的并非是应用的智识，那么智识便成毫无用处的长物了。中国现在正是用不着这智识，而智识分子大都又是所学并非可以应用的智识，所以智识分子在不能当买办，做官僚的时候，不得不把他们的智识，只得单纯地贩卖智识给别的人，其从业的结果，只是智识分子的再生产。

但新生的智识分子是怎样呢？在社会环境没有什么改变的条件下，他们所能够做的事，也不过再步他们老师的后尘呀！于是智识贩卖的竞争者增加了，所有可以安插智识者的从业的地方，因为多数人的分割而更形狭窄，徒然扩充了智识分子的失业线，给智识分子的命运以更重大的打击。所以智识分子在受了一般社会危机的侵袭外，他们本身从业上的矛盾，更加增速了没落的趋向，今日所谓循环式的教育真是给予智识分子的刻毒的讥刺与威胁。

然而智识分子是不得不走向这个惟一的道路的，他们既没有别的事情可以做，却不能间断了一天不生活；为了目前，谁都顾不了将来，在那些可怜的狭小的市场中，把自己的势力作为过剩的商品一样地，大家要拼命地兜售与倾销。目前就以上海一埠论，补习学校，弄堂小学以及私立的大中学校，还有报章杂志，一切可以容纳智识分子的地方，没有一处不在逐渐激增的形势中。把所谓文化工作的外衣脱下了，里面只是隐藏智识贩卖者扩展市场的挣扎与努力而已。

农工失业群求当兵而不得，每退而做土匪；智识分子求做官当买办而不得，每退而办教育！土匪和军队原是一而二，二而一的成分，衙门和学校亦遂同样成为智识分子解决生活的地盘。他们办教育除了上述的贩卖智识外，也有是做官的退步，或者是做官的准备。此种趋势，进展得很速，中等以上学校已完全衙门化，教职员当然非私党不可，一方面并用小恩小惠去收买学生以植势，种种魑魅魍魉的鬼蜮行动，学校中几乎应有尽有，从前还骂学校是智识贩卖所，现在变成政客养成所了；从前还嫌学生只知爱国而忘读书，现在书既不读国也不要了。

学校到了这样地步教育当然已是破产。智识的落后也是必然的结果。兴办学校教育已经数十年，到现在除了粗制滥造培植了一批批半生不熟的新官僚政客在社会发生供过于求的现象，变为扰乱社会的酵母外，试问在文化界实际的进步上，到底有若何表现？赛先生已经介绍过来了，莫说科学的新发明，就是应用科学上已成事物的能力，有些什么？银行业总算是有相当的发达了，关于币制改革，还要请外国人设计；甚至军阀混战已有二十余年，军事顾问还要请教外国人。最可笑的，服膺科学社会主义的人，因为俄国共产党干部派的人士，说中国还是半封建式的状态中就跟着喊打倒封建势力的口号，俄国共产党发生了反对派，说中国已不是封建社会，久已进入商业资本主义了，又喊着打倒资本主义！学社会科学的对于本国经济历史变化的历程还跟着外国人，无怪反共的阵营中，当《马氏文通》硬算是马克思的大著，而赤色恐怖的党员们也说马克思与李宁是同乡的好友了。[3]

社会原是整个的有机体，教育破产当然不是仅仅办教育的责任，但是东西留学生实不能辞其咎。在五四以前，教育虽已有了破绽，学校还不致糟到如此；当时学校出身的智识分子，究属不多，比较熟悉本国情形的东洋留学生，还可容纳在政治舞台上，比较熟悉商务的西洋留学生，还可容纳在商业舞台上，所以教育行政机关有时竟会门可罗雀，公私学校尚被视为神圣清苦的场所。到了五四以后，留学生在新文化运动中，大显神灵，镀金的智识分子，贩卖西洋文化，不但成为青年们偶像的崇拜，而且得到待遇标准的最后一级。[4]本来最高学府的大学校中，还有几个三四等人才的西洋人，还有对于国学确有几分研究的翰林举人，五四狂潮到来，翰林举人的国学，先后随线装书而打倒了，高鼻卷发的洋教员在收回教育权声中赶走了，镀金的学士硕士博士们，拿住赛德两先生做幌子，一齐成为教授讲师，于是在外国同等出身的不过做个小学教员，而在中国已是大学校长和教授了。[5]他们自身在外国不知学到些什么学问，可是回来便成为学者，为专家，并且是无所不通的学者，无所不能的专家。一经镀金，身价百倍，实际上往往不若国内专科学校毕业生的程度。他们只会把一大串的洋文切口东拉西凑地搬演出来；自己没有力量与外国文化接触的青年们，一阵眼花缭乱，只觉得伟大，只觉得玄妙，一味盲目地崇拜，而彼镀金们便得永远投机下去，永远胡乱下去。

这种秘密终于给几个天资较高的青年们窥破了，他们学会了人生处世之道。于是胸中可无点墨，嘴上不妨大吹：从未学医的，忽然谈起中西医学的比较与沟通；从未研究教育的，也会批评教育的原理与实际；从未到过西北的，居然拟具开发西北的具体计划；从未进过工厂的，也敢大谈劳资问题的研究，不知产业革命是什么，而说历史是唯物的；不知国际关系的真相，也会决定一九三六年的大战必至爆发。这样已经和埋头于几本教科书的同在好学生之列，比之跳舞，打牌，看电影，写情书的，比之钻营奔竞，拿津贴，做打手的都好上几倍。即此好学生也不过混些学分毕了业，拿着证书去当中学教师，他们当然像在大学里的老师如法炮制，于是中学也糟了；中学的毕业生拿了证书去做小学教师，他们又像在中学里的老师如法炮制，于是小学也糟了。在过去还有人说中国只有“好青年”而没有“好成年”，所以学生干爱国运动，做了官便去干卖国勾当；现在学校变成衙门，学生成为皂隶，从前只有无师自通的少数卖国贼，现在大批走狗汉奸的养成所，正在大量的生产。不但“好青年”又如凤毛麟角，就是天真烂漫的小学生，经不起旦旦而伐之，无从希望其成为栋梁之材了。

教师教出学生，学生又当教师，一代一代地传下去，当他都是好学生出身，中国的学校教育已经要破产，中国的智识水准，已经要降低；而况因为五四运动之后，智识分子已有过剩的现象，学校渐渐变为衙门，教师也不许让给当时所谓好学生的去当了，于是除了智识落后以外，还加上人格的恶化。

最高学府的大学校中，站在学术界地位最高的教授讲师们，智识如此其幼稚浅薄，遂使五四运动后中国的文化界，仍和辛亥革命和维新时代甚至倒退到洋务时代一样地落后。吾们姑把出版界一方面来证明文化落后的真相。中国从办理洋务到现在，还是在模仿的一阶段，学校教育在初中以上所学的除了国文和某一时代的读经外，都是在学习西洋文明，都是在读西洋书本。但是在全国的高级中学和大学生中所用的是什么本子，按照理想，因为教授和讲师们大都是镀金的，那么所用的书本，也必是目前西洋流行的最新教本无疑。可是事实上竟是大谬不然；他们还是用他们自己读过的古董，所以有一本同样的教科书，有连续用至二十多年的，有外国早已绝版而中国为了教授讲师们的方便专开翻印古董的印书店；亦有西洋帝国主义者专供殖民地奴化教育应用的本子，而在中国的销路也是始终不衰的。有时新回来的镀金先生，似乎要想，看几本外国新近出版的名著，可是在中国任何一家书铺子——当然是开在中国的西书铺子非等三四个月直接向外国订购，总是买不到的[6]。数十年来用全副精力兴办的洋化教育，到现在连几本教科书还这样的古怪而可笑，无怪西书铺中不易买到新出版的名著了。有人反对中国文化的西化，其实介绍西洋文化的人才还没有培植成功，有谁来把中国西化呢？

西书铺中买不到学术名著，本国的书铺情形又是怎样呢？留学生既然这样庸俗而低能，即有少数佼佼者，亦以生活问题而把学问牺牲了；于是翻译界又是非常贫乏。不要说马克思的全集至今找不到一部完整的译本，就是从五四以来在文化舞台上热闹地介绍过的西洋学者，以及什么主义什么思想，到如今从来没有对于某一个学者的全部作品，或是某一种主义和思想的全部参考书译过一套，出版过一次。再退一步说，在中学在大学中几乎当作唐宋八大家文章一样看待的英国沙士比亚作品，到现在亦还找不到一部完整的沙氏译本。回头看看日本，他们对于各国著名学者的全集，常有几种不同的译本，坪内博士到了高年，还辞去早稻田大学教授而以一生献给翻译沙翁全集的伟业。[7]所以日本人不但大学生，就是店员职业妇人等等，只要自己努力，可以在一个图书馆中，得到自古至今世界学术的轮廓。中国识外国文的看不到外国名著，不识外国文的，只听见说一个个外国的人名，懂得一些故事，记得几个切口，一点也不深刻去了解它，本来也就无法的了解它。但是识了字总想发泄的，既然没有好书读，于是三角四角式的文艺书，大纲提要式的科学书，以及充满着颓废的幽默小品曲线艺术，便成为现代中国公子娘儿们的“文房四宝”。

又因为图书也是企业的一部门，简单而浅薄的小册子，那里满足书业者的欲望，因之几度革命以后，早经丢在毛厕里的线装书，乘此机会疯狂地翻印和贩卖。书业界既没有大批的新货可做，便专以古老陈腐的线装书来竞争。有廿五史而又有廿六史，有洋装本而又有圈点本，横竖死人身上用不到送稿费；于是除了供给资产阶级当作一种装饰风雅的趋向外，更减轻成本，大量生产，而有一折七扣，一元三斤的竞争。在这二十世纪三十年代的前后，中国出版界只有什么“杂志年”“旧书年”，即使学校不成衙门，教育也要破产，智识也要落后。

学校是研究学术的文化机关，出版界是宣扬学术的文化机关，现在学校已成衙门，书铺变为古董店，岂仅教育本身的破产，中国全盘文化也如经济一样地陷于总崩溃的境地。在这种情状之下，仅仅从东方西方的文化上，讲些陈腐的废话，仅仅由军阀官僚的立场上，做些尊孔读经的文章，那也等于抽捐征税而欲整顿产业一样地加速其经济破产而已。

参考

[1] 事在联军入北京之后一年，语见薛福成记述胡林翼的一篇故事中。

[2] 梁氏认为清季文化运动为能力所限，不免稗贩，破碎，笼统，肤浅，错误诸弊。见《清代学术概论》一书。

[3] 武汉政府时代有人公开演讲马为俄国人，见《主张与批评》第

三期，刘大杰《文化运动的人生》；又在江西搜查学生行旅中有《马氏文通》一书，即作为反动证据，见报纸通讯。

[4] 留学生待遇在任何机关团体中，总是最高的一级，甚至研究学术的中央研究院中，亦有如此规定，往往同为大学毕业，国外必高出一等。

[5]《独立评论》第九期，孟真《教育崩溃之原因》中，关于哥仑比亚大学之毕业生，据说在美国不过是做小学教员，在中学教书已是鲜见的事；而在中国最少是大学教授，或者竟可做大学校长，竟可做教育部长。

[6] 外国新出名著，在中国是没有现货的，这是常买外国书的“日本书除外”或者都有同样的苦痛。据西书铺中人说，他们的生意全靠几种老牌教科书和几种小说游记娱乐小品文书，专门学术名著中国从来不销的。言虽有些过分，但是亦为事实。

[7] 坪内博士共费数年心血，专译沙翁全集，共计四十巨册。全书告成时适英国亨利皇子游日，大为惊叹。

第七编　结论——最后的清算

两因两果成此转型期的全局　各有一贯之权威　相互关系前后不同　一切事变均与帝国主义封建有关　转变后之更畸形更纷乱的社会　逆转和落后的现象　历史上两种不可避免的弱点　不是由于过去思想发展的逻辑结果　接受外来反动没落的思想　不可解答的哑谜　文化建设无希望　经济建设从何做起　打倒帝国主义是梦想　铲除封建势力是幻想　中国往那儿去　开始壮烈的革命斗争　人类社会的历史前程　思想运动　彻底破坏与彻底创造　不堪回首的往事当作成功之路的明灯

以上各章所述，虽然很是简略，也可以说是近代中国划时期转变的一个小小清算。读此可以明白中国从来的社会生活内在的矛盾和本质的危机；一切矛盾与危机从何处发生向何处消灭也可窥见它的大概。我们知道数十年来的中国，封建残余的肆虐而已，帝国主义的压迫而已，此为事态之因；经济的贫乏而已，文化的落后而已，此为事态之果：两因两果，成此转型期的全局。

但是同为封建残余，在辛亥以前为满清统治阶级，在辛亥以后为北洋军阀集团，中有一贯之权威焉，礼教是也。同为帝国主义，在辛亥以前为国际帝国主义共同侵略时期，在辛亥以后为日本帝国主义希图独占时期，中有一贯之权威焉，资本是也。封建残余视帝国主义如靠山，帝国主义视封建残余如工具。因为当作靠山看待，于是由南北对立，而成为大小军阀割据的局面，而终于各成其为帝国主义在华的代理人；因为当作工具看待，于是一方面虽然启发了中国资本主义要素的增长，但在他方面却桎梏着中国社会形态的飞跃过程，以形成殖民地社会。

这样，两者的关系当然是很密切的了，不过它们相互的关系，亦有前后的不同；在辛亥以前，帝国主义之与满清统治阶级乃出之以愚弄；在辛亥以后，帝国主义之与北洋军阀集团，乃予之以勾结。因为出之以愚弄，故仅见满清政府的无能，而不见帝国主义的压迫，革命的对象，亦只有推翻满清政府的要求，没有打倒帝国主义的呼声；因为予以勾结，故越益感觉军阀的强顽，越益感觉帝国主义的狞狰，革命的对象，乃从打倒军阀的呼声中，又有打倒帝国主义要求。

中国最近数十年中，任何一次内部的政争，无一不与东西列强的压迫，有密切关系；任何一次外来的侵略，亦无一不与内部封建残余的肆虐，有连带关系。例如甲午战争的失败，列强乘势划分势力范围，于是一面促起维新派的变法运动，一面激成守旧派的大反动，而此反动所得的结果，就是《辛丑条约》。《辛丑条约》的大创痛，除了巨额的赔款外，便是东交民巷的外交团：前者把中国新旧关税盐税，一齐列为赔款的财源，使中国财政上长期间失去了自由；后者是任何国家所罕有的使馆区的划定，成为列强在华共同宰制中国的太上政府。因为《辛丑条约》的大创痛，于是有维新运动的再起；因为有日俄对满蒙的角逐，与列强的投资竞争，于是有立宪和革命两派的积极进展；因为有四国联合对川汉、粤汉铁道大借款，于是有辛亥革命的爆发。而革命的结果，最显著的除了外蒙变为俄国属地，西藏和中国的关系更为疏远外，就是造成一个五国银团，攫去了中国的盐税收入，实行监督中国的盐政。又使海关总税务司的地位，事实上变为列强监督中国财政的代表，而海关亦变为替外人的收税机关，税务司惟外交团的命令是从，而中国财政，完全陷于绝境。因为有五国银团的大借款，于是袁世凯破坏国民党的计划成功，图谋帝制的基础成立；因为欧战发生，日本独霸东方，谋倒袁氏，宰制中国，于是反帝制各派反得一种积极的援助，洪宪帝制遂告失败，因为列强引诱中国参战，段祺瑞落入日本的圈套，于是护法的长期战争，演成南北对立，成为大小军阀割据的局面。而此长期的护法战争中，所得于欧洲和会的，远不如丧失于日本的重大；就是在华盛顿会议所得的，除了收回山东的空躯壳和取消客邮外，中国所希望最切的关税自主权和取消领事裁判权，未曾获得一些效果。又因为苏俄向东方活动，中国在国际关系上成为赤白对抗形势，于是一方有国民党利用共党的援助，内以摧毁军阀，外以打破帝国主义的企图；其与国民党敌对的军阀，则倚仗国际列强为奥援，而用全力以对付国民党。双方既各有所凭借，徒然使革命的时间愈加延长，人民的痛苦愈是加深，整个的中国社会，几乎为之粉碎了。

被世界巨流粉碎了的整个中国社会，在临了没落的前夜，突然爆发那划时期转变的五四运动，这或许是中国民族运动发展之史的过程中，最后一刹那的挣扎，也是历史演进中必然的现象。但是这伟大的反帝的民族运动和反封建的民主运动，因为半殖民地性和半封建性的限制结果便失败了；付了极大代价，反而获得更畸形更纷乱的社会：这里有礼教的复活，这里有佛教的追求，这里有德谟克拉西思想的憧憬，这里有法西斯蒂理论的酝酿，更有社会主义各派学说的流行。这样形形色色，光怪陆离的现象，无疑的正是中国变质的社会经济结构的反映，有了这种变质的畸形的社会发展，当然在它上面存在着封建思想的残余，资本主义文化的影子，以及社会主义思想的根苗，各有活跃的领域，各有滋长的土壤了。

五四运动既然揭起反帝反封建的旗帜，为了半殖民地性和半封建性的限制而失败，其反动所得的结果，势必帝国主义的压迫越益严重，封建的肆虐越益恶毒。这两重势力的交相为恶，遂使中国的经济成为殖民地经济，中国的文化成为殖民地文化，前者可以一个贫字来代表，后者可以一个愚字来代表。这两个字的交相为用，遂使中国的国民必须倚赖于封建残余，中国的封建残余，必须倚赖于帝国主义，前者犹之奴隶之于主人，后者犹之顾客之于店主。这是五四运动以后，不论在经济上在文化上，较之在五四运动以前必然地有逆转和落后的现象的所在。

并且反帝和反封建的潮流中又必借助于其他前进的文化思想当作武器，而文化思想有如海潮一般，既挟着伟丽的波涛，又含着污浊的物质，它不问高山低谷，一经奔放，尽为浸没。它的伟丽的分子，固能为它所浸而加添了许多美观；但它的污浊的分子，也尽足使它所着的地方，霉烂腐败，使它们更加丑恶。不论是封建制度也好，资本主义文化也好，社会主义思想也好，它们在某一空间和时间中，都曾表现着非常的美观，可是一到中国往往为历史条件所限制，为经济关系所决定；封建残余无论矣，就是资本主义文化的影子，社会主义思想的根苗，虽然它们各有活跃的领域，各有滋长的土壤，而一经它们所着，便觉霉烂腐败，充分丑恶的了。这空前的反帝反封建的求解放运动，反而使中国的社会，愈益加强漆黑一团的色调。

但是五四运动的失败，除了帝国主义封建残余两种势力作祟外，还有中国历史上留给我们两种不可避免的弱点：就是五四运动所以没有树立坚固基础，而致于失败，还含有别种意义。

第一，因为中国思想发展，不是由于过去思想发展的逻辑结果所致：本来任何一种思想的发生，各有所本，亦各有所归。譬如说，有了“人的发现”，而后可以发生宗教改革运动，宗教改革运动之后，必然地有科学上的发现。西欧从中古进展到近代，其间亦自成其历史传统。十二、十三世纪中，法国北部的文化已不亚于十四世纪的意大利，但是为了时机尚未成熟，文艺复兴的中心点，仍由法国移入意大利，而它的时期也退后了一二百年。直至十四世纪开始时，日耳曼的民族已能作自由的思想，已能谋独立的生活，已能建立强固的政府，已能各有自己的方言，已能自由表现个性，已能继续希腊人的遗绪而作科学的研究。[1]于是文艺复兴便在这瓜熟蒂落的时期爆发了。因为它在历史上的条件早已备具，所以在十六世纪祸兆毕集，大难将临的时候，爱神酒神终于被日耳曼人所厌弃，让位那救苦救难天国中的圣父圣子。[2]倘使当时没有历史上的条件，那么人民对于宗教观念的复活，其结果不过以朝拜圣地，及乞食行善为限，至多亦不过背上十字架去打打土耳其人，演成第二次的十字军战争罢了，它何以走入宗教改革的途径呢？又如西欧对于封建社会之旧传统思想，在很早以前，便已经过了长期的斗争，所有近代资本社会的一切条件，在封建社会中就已成熟了基本模型，十七八世纪以后的变革，只是打破封建外壳的工作，其他早已安排好了。中国在这二千余年中，儒家的传统思想，不仅在思想的领域内排挤了其他的新思想，而且麻木了思想发展的车轮。在西欧有重重的遗产可以承继；在中国则仅有儒家同一根源的古董，即有所求，亦是空无所有。直至鸦片战争后，西力东渐，始有相当排除历史上种种条件限制之可能；在此情形之下，许多萌芽的新思想，得以迅速长成，而数千年来的一统和沉死局面，亦得从此打破。不幸国际上人家已先于我们而发达，他们已赶在我们面前，为我们有力的竞争者和压迫者了。甫经萌芽的新思想，因为不是由于过去思想发展的逻辑结果而枯萎了。中国历史的发展，又受此新的限制，只得仍旧停留于原来的状态中，这是五四运动所以不能树立坚固基础而致于失败的一原因。

第二，因为接受外来反动没落的思想所形成的结果：接受外来先进思想，对于本国思想发生重大作用，可以俄罗斯来证明。俄国当十九世纪时代，还是东方式的落后国家，它在彼得大帝统治之下，从西欧大胆地搬运必要的先进文化，来补充自己遗产的空虚，俄国在十九世纪以后，产生了许多权威作家，彼得大帝实有不可磨灭之功。就是后来成为二十世纪思想上的一个先进国家，也是因为乌里亚诺夫、布列哈诺夫等人自觉的突起，自觉的搬入先进国的文化，然后社会主义革命得到极大的收获。中国向来是感觉到接受外来先进思想的缺乏，在历史上只有搬运过一次印度思想，反而把中国倒退回去了。直到五四年代，中国正在开始接受真正外来先进思想的时候，恰值西欧思想趋向于反动和复古的年代。结果，饥不择食的中国人，竟把神秘的柏格森和悲观颓废的罗素等思想，一齐搬运过来；甚至拜金热狂中生产出来的杜威实验主义，成为中国无上法宝；无抵抗著称的亡国哲人泰戈儿，也算中国起废回生的续命汤。他们原是大战以后开始没落的产物，他们是代表那已经腐败而且准备着自己毁灭的欧美布尔乔亚，已无力继续人类伟大的遗产的一种最后呼声。所以这次外来思想的接受，和中古接受印度思想，同样地把中国倒退回去了。

在这接受外来反动没落的思想运动中，同时把社会主义思潮也曾搬运过来，它的幼稚和肤浅，也一样地和介绍资本主义思潮时请了德先生和赛先生便算尽责。又因为开始搬运便有突进和跳跃的进展，不但它本身的内容上很是枯竭和空虚，并且使那反动没落的许多思想，反而利用国人性情，得到复活的机运。到了一九二一年代，社会主义思潮在国际上也开始堕落和发生变动的反动到来，于是历史又走上失败的途径，而中国也便始终被那外来反动没落的思想泛滥着，这是五四运动所以不能树立坚固基础而致于失败的又一原因。

现在我们可以知道，中国所以不能走上复兴之途，所以不能成为二十世纪的现代国家，因为是经济的贫乏，因为文化的落后；经济贫乏和文化落后的原因，是封建残余的肆虐，是帝国主义的压迫；从这两因两果的中间，又有如上所举的两种意义的遭遇，那么怎样可以走上复兴的途呢？怎样可以成为现代式的国家呢？这已成了中国的一个哑谜，因为尽管大家渴望着，至今没有一个正确的答案。

有人以为应当从文化建设入手，因为它是社会经济制度全部构造中不可缺的一根柱石。但是在中国历史上旧的只有毒素，新的没有传统；现在国人智识的落后，更是各种事业的最大障碍。不过文化是产生于物质生活，又作用于物质生活之精神的体系，它有一贯的原理，在形式上为种种的观念形态。假使中国从文化建设入手，请问从何做起？复古吗？中国实在无古可复，即使先秦思想至今还有部分的价值，亦仅用来作为创造的基础。并且文化总是向前的，复古那里有生路可走，只要看西欧文艺复兴时代，人文学者也和方言文学者同是对于中古拉丁文表示不满。[3]西化吗？现在成功的模型太多了，资本主义文化虽已临了末路，而资本主义国家还多咧，社会主义文化也在苏联传出凯旋的呼声了，中国又将何去何从？那么照着“本位”，特造模型吗？这只有不懂历史进化的使命的人说说罢了，人类文化的进展，它是一时期一时期天然的演进，不是学者们的自由意识，或政府的一纸法令所能创造出来或改变过来的；只有各地方社会经济结构所发展的基础不同，便或先或后的产生出不同的文化。所谓本位文化痛快的说是中国固有的封建文化，最多总跳不出张之洞发明中体西用的文化，而事实上还是继续着过去数十年的殖民地文化，这是无从掩饰的，更也不必巧辩。那么怎样呢？复古无古可复，西化无路可走，本位的老路也够受了，中国糟到这样地步，空谈文化，固然无补于事，文化救国，也要有人来干，要有路来走。现在不识字的要识字还没机会，识字的吃饭还成问题，只靠几个有闲阶级沉浸在反动没落的文化潮中，不配谈文化，更不配说自救的方法，所以文化建设入手，是无希望的了。

也有人以为应当从经济建设入手，因为经济的关系，可以理解任何社会形态的一贯线索。中国数十年来的挣扎，不能从帝国主义的压迫下面解放出来，确是为了资本穷乏，生产落后的缘故。因为资本穷乏，生产落后，不但不能抵抗帝国主义的侵略，并且不能扑灭封建残余的肆虐。但是中国急切的经济上的建设，究从何处做起？中国从来的经济过程，以农业经济为本，所以经济建设应从农业建设着手；可是耕田已在种鸦片了，农民说是打仗去了，这是怎么办？说是鸦片真的禁绝尽了，内战可以没有了。耕田有无下种资本不必问，即使下种了，黄河之堤何人修？长江之水何人治？农民是否不做土匪而回来不必问，即使回来了，苛捐杂税是否免？豪绅污吏是否除？故以农立国决非高调可以唱得成也。那么还是振兴民族工业可以成功快而效率大。在这机器工业雄霸世界的现时代，又是国际帝国主义当作倾销的大市场的中国，振兴民族工业，确是当今自救的一道。但是振兴工业，资本从那里来？人才又从那里来？即使专替政府做些投机事业的中国金融界，真的发愿辅助生产事业了，即使年年带着巨款在各国学些交际会话的公子娘儿们，真的发奋求些真实学问回来了，试问权在外人的海关，是否替我们保护而实行他们的自杀政策呢？试问外人在华的工厂，是否放弃廉价人工和当地制销的特权呢？所以振兴工业，亦不是“硬干”所干得成也。单单把农业工业两件事情来说，已是难乎其难，而况所谓经济建设，是各方面的，各方面先要有了经济建设的条件，方才可以谈经济建设。现在中国任何方面看去，都是破坏经济建设的魔鬼，甚至口里狂呼经济救国的志士们，也要想等机会拿回佣。而在另一方面又正在制造破坏经济建设的工具和势力，所以经济建设入手，也是无希望的。

文化建设和经济建设在现在中国既然是没有希望的，还有人说政治不良，还有人说教育不好等等，看来都有相当理由，实际都是枝节问题。近来亦有许多人以为病在人心大变，还是请教孔老夫子，试行尧舜禹汤文武周公之道。这和大刀退敌，毽子救国一样可笑。然则中国究竟怎样去自救呢？

于是就有人主张从根本设想，中国这几十年既然给帝国主义和封建残余所糟蹋了，那么中国最大的敌人便是帝国主义和封建残余，中国要自救，中国要走上复兴之途而完成现代式的国家，只有打好基础，看清目标，缩短阵线，以全力向那主要敌人进攻，才有生路可走。但是时至今日，打倒也非容易的事情，这不是标语和口号所可了事，也不是发宣言打电报所可奏效的。

先说进攻帝国主义。用武力进攻吗？这是万万谈不到，因为“日本人十日便可亡中国”[4]，兵端不可轻启的以十七年日本在山东演成的惨案而论，当时革命军的打倒帝国主义口号，何等响亮；可是真正碰到帝国主义来挑战的时候，也只好赶紧回避，绕道北行。强驻山东的日兵竟过一年，有谁向他们说出一个“打”字？不但不敢进攻，就是抵抗亦谈不到；东三省和热河的沦亡，逃难的人竟然听不到炮声，致形成打倒帝国主义和无抵抗并存不悖之奇观。武力既力有所不及，于是又有从经济上不合作来反抗。从打倒而退至反抗，形势上已大有悬殊；岂知反抗犹有所不可能。闻当十六年革命军在武汉时代，帝国主义者对革命军曾为消极反抗的总退却，其结果直至革命军无法可以救济。当时陈公博因而很痛切地说了些老实话，他说：“在目前我个人最感痛苦的，如要国民革命成功，非打倒帝国主义不可；但同时果要国民革命成功，先妥帝国主义不可。”[5]原来中国被帝国主义者的经济侵略，既深且久，一面吃亏越大，一面依赖亦越深，好比吸食鸦片，瘾越深者身体越坏，身体越坏者越离不了它。所以若把经济侵略手段一旦骤然撤回，我们便大起恐慌，支撑不住，反要哀恳于它“请你还是侵略我罢”[6]。经济上不合作既然和武力进攻一样做不到，于是而有运用外交方式的所谓“革命外交”的主张。半殖民地国家不配有外交的，直至外交上的官司一路败诉，终于闪避开民族间的冲突斗争，而以铲除封建势力，便算是对外，便算打倒帝国主义的工作了。[7]然则打倒帝国主义，宁非幻想！

复次，封建残余的铲除。打倒封建统治，其历史还早于打倒帝国主义。因为数十年来无数次革命运动的对象，十九皆为封建统治，而其结果，仅仅推翻满清朝廷。一满清倒而有十百满清的承继者——军阀起，事态之奇特，已在第十一章中略为叙述。中国目前之大敌，原不止封建势力一种，而封建势力要居首位。它本身肆虐于国人犹以为未足，更甘为帝国主义之工具，以作双重之压迫，故封建势力，实为中国目前首要之大敌。封建势力原不止军阀一种而军阀实为封建势力的集大成；故铲除封建势力，应从打倒军阀始。打倒军阀既为全国上下共同的认识，且又无打倒帝国主义者的多所顾忌。但是二十年来，越打越多，越打越强顽，此中必别有其奥妙存焉。军阀之有帝国主义作靠山，固为不易铲除的一原因。军阀之有广大失业群众，亦为不易铲除的另一原因。然而其奥妙尚不在此，盖时至今日，军阀二字不过对于有枪阶级的一种通常称谓而已。在最初只有北洋系统的军事最高领袖曰军阀；自洪宪帝制失败，军阀分裂而成割据局面后，初而军人之独霸一方者曰军阀；继则虽不能据地称霸，只要有若干队伍指挥，借此可以筹饷者亦称之为军阀；后来经过长期混战，兼并分化，成败无常，于是军阀与土匪已不可分（土匪扩大即成为军阀，军阀化零即降为土匪），而军阀之范围更见扩大。然而革命队伍或革命势力所能管辖的队伍，犹不以此称之。直至国民革命军统一以后，初仅国共互以军阀指摘，继则同为党治下的队伍，亦互以军阀相指摘（某一时期西南对中央即有如此说法），其间中央直属的队伍，中央任命的长官，我人固不要人云亦云，然而军阀数量的彻增，确是不可掩饰的事实，此仅在军阀之数量上言之。至其身份，更为奇特。在过去只有军阀可以做匪首，匪首可以为军阀，任何变化，总是社会之蠡贼。现在只要成为军阀，任凭你失败到若何地步，总有一个好听的名义，总有一个下台的地位，最不出息的也可住在租界，做一个当地名士。因为这样，于是有财有势以后，人人想做军阀；另一方面因为当代闻人，出国使节，洋行董事，公司买办，甚至文化机关的首领，无往而非有军阀出身的人物。见得平常，仇恨之心自减，到现在几于人人心目中已不复有军阀，社会的环境如此，若再喊出打倒军阀的口号，不啻在妓院中讲些贞操问题。总之，军阀虽无法律的根据，已得社会的默许：故铲除封建势力，亦如打倒帝国主义一样是属于幻想。

这样，除历史上留给我们两种的弱点已成为不可挽回的劫运外，经济和文化的建设都无希望，打倒帝国主义和铲除封建残余又是一种幻想，那么中国还是一个哑谜，还是得不到答案。

我以为要解决这个哑谜，先要解决两个前提：第一，这次划时期转变的五四运动，是否已是终止了？第二，照着上面所述，中国已是没有希望了，中国真的没有希望了吗？如果没有希望，那么我们落得乐天安命，沉沦在落后的封建社会之中，忍受着帝国主义的刀刀分割，和在亡国的憧憬之下，通过了一个摸索时代。如果还有希望的话，应当往那儿走？这两个前提把它解决了后，其他的一切，也都解决了。

第一，原来一个时代临了转变，总有很长的历史；一般人只注意着爆发时的一阶段，那就估计不出它的真价值了。譬如五四运动罢，爆发以前姑且不计，即以运动的爆发起，它便一幕幕地展开下去，从爱国运动反对日本的侵略，进而恢复国权，取消不平等条约，打倒军阀及卖国贼，反对基督教的文化侵略；更从而一方面反宗教运动，一方面革新教育的运动；因为反帝而转到反封建方面去，于是有打倒旧礼教；一面以反孔为出发点，而有反对传统思想，反对平庸的哲学，反对仅存形式的文字；一面以民主运动为出发点，而有言论自由集会自由婚姻自由等运动；由文学革命运动而引起思想运动，一面以赛先生德先生为导师，一面以唯物辩证法为规范，于是各立门户，互为驳辩。以运动的场所言，已由北京而普遍于全国；以运动的分子言，已由少数教授学生而普及于智识分子劳动阶级和一部分的产业界。更以运动的高度言，民国八年到十六年为一阶段尤其是最后的三年间达于最高度；过后，一落千丈，几乎声息全无，因此便有人以为五四的精神消失了，划时期的转变没落了。

五四运动沉寂了后，各方面的现象，比之运动爆发以前，确有倒退回去的模样，中国似乎又像洪宪帝制前后的那样僵冻状态了。

但是，我们应当用历史的眼光去估计它，那就十六年的时间真是短之又短，在历史上任何一回大转变，决没有十年二十年就会结束的。也许中国人把辛亥革命看得太容易了，对于五四当然觉得沉闷。其实辛亥革命也有数十年的历史，如果没有北洋系夺天下的野心，没有袁世凯去干逼宫的好戏，民国元年的诞生，那就须得延迟几年：所以辛亥革命的成功，便是它的失败。再看西欧的一次文艺运动，历史上看来，它奔放出来一幕幕转型期的事态，好像紧凑非常，热闹非常，可是把年代计算一下，那就有满清入主中国的一个朝代光景，事后的我们，只见紧凑，只见热闹，当时在西欧的剧中人，不知挥过多少热泪，流过多少热血，各国忧时之士，也不知有多少人烦闷，有多少人失望。其实转型期的时代车轮一经推动，便无法制止；思想上的种子，一经传播，迟早总要出土。例如法兰西大革命不知走了多少曲折，不知迁延多少年月，结果民主之花，最先怒放者还是法国；又如新教之于英吉利，不知费去几许周折，仍被压于梅丽女王，停顿于依利沙伯，但到十七世纪中叶，便和政治问题联合而成英国空前的大革命。至于在转型期中社会的混乱，也是必然的现象，因为转型期的全程，便是若干社会现象突变的累积，也是若干社会秩序破坏的累积，突变和破坏都是社会混乱的因子，并且在这突变破坏的过程中，新旧势力又必自然地发生狭义的改良和愚昧的尽忠，而有玉石不分之弊。凡此种种的结果，不但可使道德的标准降低，外患内乱天灾人祸，亦必以整个社会不安定而俱发。此种现象，可以中世纪以后的日耳曼做代表，它对于文艺复兴和宗教革命都不是主角，而始终是西欧转型期的牺牲者，直至三十年战争结束，它已完全沉沦，政治上的分裂，经济上的崩溃，历史上任何国家中找不到和它相像的一个时代，当时日耳曼人的人格，也和它的政治地位一样堕落到深渊里去。但是它终于跳跃起来，终于成为一个近代非常的民族国家。

中国这回转变，仅有十六年，表面上似乎沉寂了，平原下的火山，却仍是不息的燃烧着；只为了前途遭逢着崎岖，车轮似乎暂时的迟缓下去，其实它还是向前冲去，去冲出已往失败的路线；谁说这转型期的巨轮早已歇了下去？

第二，亡国灭族之危言，始于中日战后，至清末而言之者众；及“九·一八”而言者益众。究竟不亡不灭乎？必亡必灭乎？殆已普遍于国人心头之疑念。在满清季世，每逢外交上之失败，必有志士仁人，奔走呼号，国人亦必皇皇然，惟恐豆剖瓜分之不可免，而子孙将无噍类矣。今者外患内忧，已是司空见惯，独占共管，徒为饭后谈资；是则为必亡之征乎？抑为不亡之征乎？数年前有人著以《中国必亡论》一书，历举我族弱点十八端，间附图表以证实之，出版未久，风行全国，成为中国出版界惊人之纪录[8]，国有以必亡论行世者，复以甚速之速度，甚广之数量，致其书而穷其究竟者，是为必亡之征？乎抑为不亡之征？乎惟是人人不图救亡而叹息必亡，虽不得必亡之结论，已有必亡之条件，而况自有其事实之存在乎！

中国虽有必亡之条件，但是中国还有前途。还有不亡的希望。

中国既有前途，既有不亡的希望；那么中国究竟往何处去？就是今后的去路在那里？

“中国往何处去？”除了少数别有肺肠，及大多数莫名其妙的糊涂虫外，凡稍有思想的人们——尤其是被压迫的人们，对于这个问题，总是郁结苦闷，无法解决。因为这样，便有无聊的智识分子，他们替假革命者和野心家，也常扳起面孔，说些今后去路的鬼话；他们自身在行动上，在理论上，都表现他们的矛盾和动摇，对于这个问题，当然没有彻底理解的可能。因为这样，国际帝国主义者忙着授意于买办阶级，要依照他们的意思来指导中国；共产国际也忙着吩咐代言人，要依照他们的图案来建设中国。而在这两大国际领导下之中国智识分子和青年战士们，固执各为其主的成见：资本主义的代言人以为中国现在政局的不安定，是没有建筑以资产阶级为背景的政治，所以要走资本主义的路，以求获得资产阶级的同情和援助。机械的唯物论的代言人，以为中国必经过资本主义的阶段，而后方能走入社会主义之路，故唱为二段革命论或纯民主论。共产党史太林派的代言人，以为中国革命，只有第三国际所指示他们的国际路线，才是惟一的出路，他们便是无产阶级领导的资产阶级性民主革命。但是托尔斯基派的代言人又说现阶段的中国，又是资本主义的社会，有发动无产阶级革命的可能。于是资本主义和机械的唯物论反对共产党，资本主义又反对机械的唯物论，而共产党的史太林派又反对托尔斯基派，他们自己混战还不算，就是外界素不相干的人，因为对于各种问题看取的方法不同，也被他们盲目地攻击；共产党人说："你是市民阶级的代言人。"市民阶级的代言人说："你是共产党。"他们果然各有用心，外界却被他们闹得黑漆一团。近来中国思想界的纷然淆乱，和青年们的烦闷彷徨，悉基于此。

那么中国究竟往何处去？文化建设既有所不能，经济建设又有所不可，铲除封建势力仅是一种幻想，打倒帝国主义又是绝无希望，那么只有让唯心论者说些玄之又玄的高调了，于是"民族复兴"的声浪，便甚嚣尘上。但是中国过去的民族是怎样？现在又是怎样？复兴些什么？用什么方法去复兴？到现在不但没有做出成绩并且没有说出办法，勉强找些复兴的事业，也只有革命老家的广东，已在提倡读经，商业中心的上海，已经发起保孔存文，和文化城的北平亦已急起直追，严厉禁止男女同学的了。除此以外，只有修建孔庙和民族扫墓两事而已。本来要中国复兴，要成为现代化的国家，不是说些无聊话，做些无聊事便可实现，况且中国民族，尤其是汉族，早已衰老落后到极点，真的复兴成功，只有把中国民族越益庸俗与无能而已，所以民族复兴不过是那些东方文化学者的一种乌托邦，封建统治者的一个烟幕弹，是中国的歧途，不是中国的出路。

要找中国的出路，首先应把一切抹煞了时间性与空间性的抽象观念，根据客观的现实，予以个别廓清的必要。现在中国正在划时期的转型期中，我们所需要的是具有革命的斗争与创造的要素，而不是单纯的模仿与抄袭，同时也不是妥协与奴化，更不是安命与乐天。我们知道十八世纪法兰西民族革命的胜利，因为它和欧洲其他各国有不同的地方，它一开始就坚决和旧的传统完全断绝一切关系，一开始就脱去神衣而登上赤裸的舞台，它的民族兴起了无限光荣也仅在壮烈的革命的斗争基础上面。现在中国的出路，亦只有从壮烈的革命的斗争下手，枝枝节节做去，或者游离了社会经济发展的史的意义而盲目地碰壁，付出任何极大的代价，徒然造成形形色色逆流的现象而已。

或者以为在国际帝国主义者共同进攻中国的今日，尤其是沿海沿江在帝国主义者的控制形势之下，那种壮烈的革命斗争，无论如何不会成功的，并且国内还满布着帝国主义者的工具——封建残余，这种有利于中国而不利于他们的举动，他们比帝国主义者还要防止得严密，那里可以发动？这便表示着没有革命的勇气了，革命而无强顽的敌人，无艰难的境地，便失去了革命的伟大意义。现在国际帝国主义和封建残余虽在加紧对中国的压迫和剥削，但是国际资本主义，已是到了最后的一个阶段，它和中国民族一样地奔老了，它的历史的命运业已走在尽头了。现在中国虽是正在受难的年代，但是，同时也是最有希望的年代，只要内以“唤起民众”，外以“联络世界上以平等待我之民族”，一齐开始壮烈的革命的斗争。奋往迈进，共赴此的！中国转型期的开始，便是世界转型期的开始，中国进了历史的新的阶段，便是世界进了历史的新的阶段！

要中国踏上历史的新的阶段依着客观的发展，是必然的到来。这里，便应当学习法兰西大革命前期的教训[9]，创造一种盛大的进步的思想运动，便可加速这个新阶段的到来，使这革命前进的历程中，依着历史的运行，作有利的前导和有力的推动。并且中国社会发展过于落后，民族意识久已澌泯，格外需要一个更高度的更丰富的思想运动。思想运动往往在民族受难年代中最易没落下去，亦最易锻炼出来，民族的盛衰就在这一点上分别。中国在过去只有片段的主张，没有体系的理论，中心思想还不易产生，那里够得上称为思想运动。孙中山也认为过去革命的失败，在于没有树立中心思想所致，可惜孙氏没有把革命大业完成便长逝了。中国的革命运动没有把中心思想建设成功，所以在理论上表现他们的矛盾，在组织上表现他们的散漫，在主张上表现机会主义的抬头，在行动上表现官僚政治的复活；甚至许多人不知他所处的是中国，更不知自己是中国人，这样无思想的人群，那里可以建设成功一个现代的国家！

现在中国是需要创造一种思想的历史运动造成中国近代思想发展中一个更高的，新的历史阶段，把革命情绪发挥到最高度，不论在政治上，经济上，文化上，教育上，不论是社会的，个人的，都有彻底破坏彻底创造之必要，只求在民族解放与国民大众利益的大前提下，一切不可以成见对付。这样，我们相信在民众真正唤起以后，封建势力便失去其基础而不能苟延残喘的了，世界上以平等待我之民族真正联络，帝国主义已失其根据而结束其历史的行程了。外无帝国主义的侵略，内绝封建的肆威，再以革命的情绪，激发民族意识，创造民族性格，生产事业由此而进展，文化水准由此而上升：这便是中国今后的出路，也是中华民族今后惟一的生路。

在内忧外患交迫下的中国，眼见它渐渐走近灭亡的路子，似此空前未有的严重局势，是中国人最险恶的遭际，也是中国人最壮烈的成功之良机。过去的一切，演成了现在，还在变作将来，在因果牵连祸福相倚的历史运行中，任何成功，都可以看作失败，一切失败也可以促其成功，以往的错误同过失，只有忏悔，只有责备自己，只有慷慨的承认错误，勇敢地改过自新，去冲出已往失败的路线，重新干起，把不堪回首的往事，当作成功之路的明灯！中国有希望，中国还有前途，“中国必将跳舞起来！”

参考

[1] 日耳曼民族作自由思想的如威克立夫等，能谋独立生活的如城市的兴起等，能建立强固的政府如英法等国，能自己自由表现

个性的如诗人但丁等、艺术家乔托等，能继续希腊人遗绪而作科学研究的如路加培根等。

[2] 欧洲自十二三世纪发生一度宗教狂热后，对于宗教信仰，日渐冷落，于是希腊的酒神和爱神渐有代基督的上帝而兴的趋势。但是不久又因为欧洲出了三件可怕的事：一是土耳其人的侵入，和东罗马帝国的减亡；二是一五三一年夏在日耳曼和瑞士地方彗星的长期出现；三是魔鬼来临的恐慌。于是一般人在这样心理状态之下，又热情于宗教的信仰了。

[3] 欧洲在中古时代对于拉丁文犹之我国的官牍文字，古学复兴犹之我国唐代文人的提倡古文学，方言文学犹之我国近时的白话文运动，古学复兴者和方言文学虽水火不相容，可是对于已死的拉丁文，一致的进攻，所以古学复兴在复古中仍有创造意义。

[4] 孙中山曾在《三民主义》中虽有这样的说法，他不过是证明中国的无能，并不是说帝国主义的不可去打。可是现在竟把他引为长期无抵抗的烟幕弹了。

[5] 陈公博《国民革命的危机和我们的错误》中，历举十六年革命军对于帝国主义总退却后的苦痛，他说："工人和外交部所打笔墨官司，外交部和外国领事所打笔墨官司，都是要求外人复业，归根一句话，我对帝国主义亦为总退却的妥恰。"革命军已经跪在帝国主义者的面前了，那里敢说打倒？

[6] 梁漱溟《我们政治上的第二个不通的路》。

[7]《前进》第一卷第六期，汪精卫复林柏生书中有："军阀是帝国主义的工具，非先铲除国内军阀，何能对外？且铲除军阀已就是对外了。"

[8] 见二十二年六月四日《时事新报评论》。

[9] 法兰西大革命之前导，为卢梭、福禄特尔等大思想家，所以史家称法国民族兴起之光荣，卢氏等激发思想的功绩应和牺牲沙场的革命战士同一伟大。

三联经典文库第二辑简目

《游击战教程》　明凡 / 著

《游击战术纲要》　陶剑青 / 编著

《汪精卫卖国的理论与实践》　钱俊瑞 / 著

《抗战以来》　韬奋 / 著

《陕行纪实》　楚云 / 著

《随军散记》　沙汀 / 著

《被日寇囚系半载记》　王研石 / 著

《倭营历险记》　房沧浪 / 著

《活跃的新西北》　田影 / 编著

《保卫华北的游击战》　刘清扬　陈北鸥等 / 著

《徐州突围》　《徐州突围》编委会 / 编

《沦亡的平津》　长江　小方等 / 著

《淞沪火线上》　胡兰畦等 / 著

《瞻回东战场》　长江　罗平 / 著

《东线的撤退》　胡兰畦等 / 著

《抗战中的西北》　徐盈 / 著

《鲁闽风云》　徐盈等 / 著

《西线生活》　西北战地服务团集体创作

《中国解放区见闻》　［美］福尔曼著 / 朱进译

《全面抗战论》　潘汉年 / 著

《日本的间谍》　范士白自述 / 尊闻译

《日本大陆政策的真面目》　国难资料编辑社 / 编

《民众动员论》　李公朴 / 著

《中国外交史》　钱亦石 / 编著

《太平洋军事地理》　蒋震华 / 著

《世界经济地理讲话》　思慕 / 著

《列强军力论》　［德］马克斯·威纳尔著 / 宾符　仲持　梅益等译

《近代国际关系史》　张铁生 / 著

《太平洋现势手册》　沈志远　石啸冲 / 编著

《近代世界政治史》　钱亦石 / 著

《从战争到和平——一九四五年的世界政治》　乔木 / 著

《战后日本问题》　思慕 / 著

《最近一年间的国际动态（1946.7–1947.6)》　《东北日报》社 / 编

《论政党》　翟放 / 著

《法与宪法》　韩幽桐 / 编著

《中华民国宪法刍议》　罗家衡 / 著

《民主·宪法·人权——作之民》　费孝通 / 著

《宪法论初步》　潘念之 / 著

《对反民主的抗争》　韬奋 / 著

《农村改进的理论与实际》　江恒源 / 著

《上海产业与上海职工》(上下)　朱邦兴　胡林阁　徐声 / 合编

《陶行知教育论文选辑》　陶行知著 / 方与严编

《中国通货膨胀论》　杨培新 / 著

《中国及其未完成的革命》　H・普拉特著 / 蒋天佐译

《中国的建设问题与人的训练》　卢作孚 / 著

《论中国特殊性及其他》　艾思奇 / 著

《中国经济问题讲话》　钱俊瑞　徐雪寒　王渔邨　姜君辰　骆耕漠 / 合著

《中国经济的道路》　许涤新 / 著

《中国财政之病态及其批判》　孙怀仁 / 著

《官僚资本论》　许涤新 / 著

《五四运动之史的评价》　陈端志 / 著

《中国通史简编》(上下)　中国历史研究会　范文澜 / 主编

《论文学的工农兵方向——读〈在延安文艺座谈会上的讲话〉》　雪苇 / 著

《中国近代史(上编　第一分册)》　武波 / 编著

《文学百题》　傅东华 / 编

《中国史学之进化》　周谷城 / 著

《论民族形式问题》　胡风 / 著

《论批评》　荃麟等 / 著

《中国史纲》(第一卷上下、第二卷上下)　翦伯赞 / 著

《近代中国思想学说史》(1-4)　侯外庐 / 著

《中国政治思想史》（上下）　吕振羽 / 著

《中国哲学史纲要》　向林冰 / 著

《中国政治史讲话》　钱亦石 / 著

《中国社会经济史纲》　王渔邨 / 著

《新财政学大纲》　千家驹 / 著

《太平天国革命运动论文集——金田起义百周年纪念》

华北大学历史研究室 / 编

《理性与自由——文化思想批评论文集》　胡绳 / 著

《战斗者的诗人》　黄药眠 / 著

《国语文法》　曹朴 / 著

《教育哲学》　张栗原 / 著

《妇女问题讲话》　杜君慧 / 著

《婚姻 · 子女 · 继承》　沙千里 / 著

《性教育新论》　布士克　雅各生合著 / 董秋斯译

《狱中杂感》　杜重远 / 著

《七人之狱》　沙千里 / 著

《爱迪生传》　伍况甫 / 译

《歌德自传》（上下）　歌德著 / 思慕译

《尼赫鲁自传》　［印度］尼赫鲁著 / 毕来译

《列宁传》　［苏］凯尔任采夫著 / 企程　朔望译

《罗斯福总统传》　C. Mackenzie 著 / 张尚之译

《托尔斯泰传》（1–3）　［英］阿尔麦 · 莫德著 / 徐迟译

《革命文豪高尔基》　［美］亚历山大 · 康恩著 / 韬奋编译

《鲁迅纪念特辑》　新中国文艺社 / 编

《回忆鲁迅先生》　萧红 / 著

《人民文豪鲁迅》　平心 / 著

《亡友鲁迅印象记》　许寿裳 / 著

《鲁迅思想研究》　何干之 / 著

《鲁迅研究》　夏征农 / 编

《过来的时代：鲁迅论及其他》　雪峰 / 著

《电影戏剧表演术》　洪深 / 著

《日常心理漫谈》　［美］约瑟夫・查斯特罗著 / 曾宝葹译

《心理常识漫话》　朱智贤　杨云美 / 著

《读书的方法与经验》　王任叔 / 著

《美国黑人生活纪实》　［美］加德维尔　斯坦倍克著 / 董秋斯译

《初访美国》　费孝通 / 著

《事业与成功》　［美］马尔腾著 / 汪原放译

《萍踪寄语（初集）》　韬奋 / 著

《一生的幸福前途——〈生活周刊〉信箱选集》　生活书店 / 编选

《深刻的印象》　生活周刊社 / 编

《海外的感受》　生活书店编译所 / 编

ISBN 978-7-108-04592-8
9 787108 045928 >
定价：55.00元